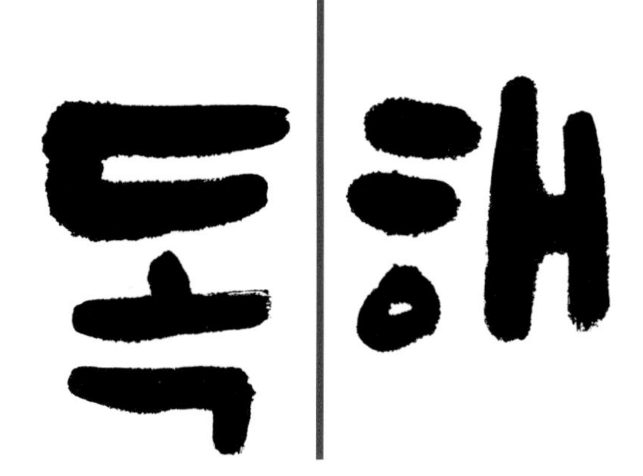

초등부터 시작하고
수능까지 연결하라

디딤돌 초등 독해력으로 독해 실력을 차근차근 높여요!

이 책은 초등학생이 학습 발달 단계에 맞춰 무리 없이 독해를 공부할 수 있도록,
초등 국어 교과서 성취기준을 근거로 독해 원리를 설정하였습니다.
1~2학년은 6개, 3~6학년은 8개의 독해 목표를 선별한 후, 독해 원리를 충분히 체화할 수 있도록
1주 5day 학습으로 구성하였습니다.
글의 종류는 문학과 비문학을 고루 싣고, 학년이 높아질수록 비문학 비중을 높여
까다로운 지문에 대비할 수 있도록 하였습니다.

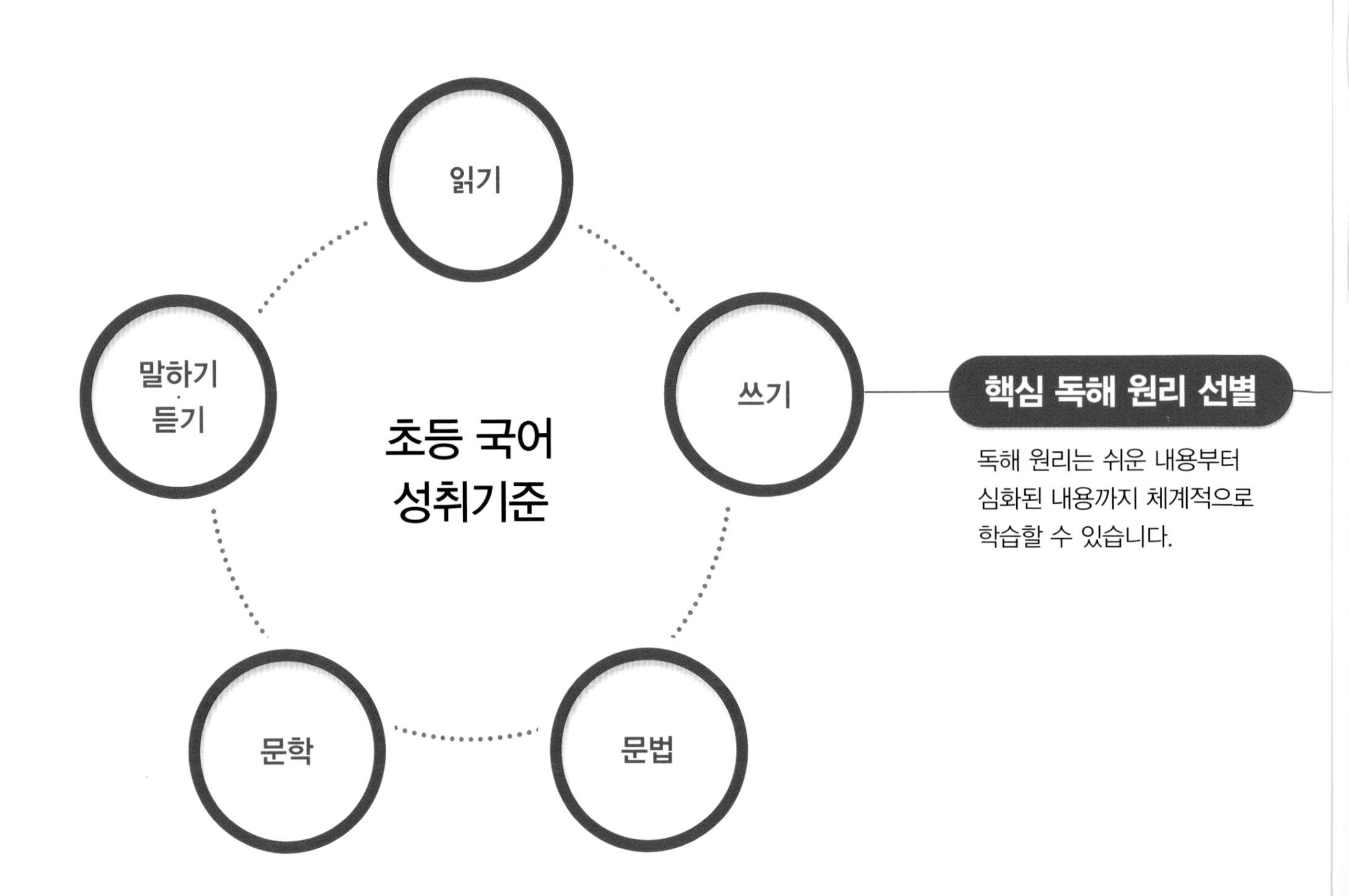

5

디딤돌 독해력

수능까지 연결되는

초등

디딤돌

무엇을 공부할까요?

	왜 공부해야 할까요?
WEEK 1 글쓴이가 말하고자 하는 생각을 파악해요	모든 글에는 글쓴이가 말하고자 하는 생각이 담겨 있습니다. 우리가 글을 읽는 목적은 글쓴이의 생각이 무엇인지 알아내려는 것이죠. 같은 상황도 누가 보느냐에 따라 다른 것처럼 글쓴이가 대상을 어떻게 바라보고 글을 썼는지에 따라 글의 관점이나 의도가 달라집니다.
WEEK 2 여러 가지 설명 방법을 이해해요	설명하려는 대상을 표현하려면 어떻게 해야 할까요? 적절한 설명 방법을 사용하면 대상의 특징이 잘 드러납니다. 그러니 글을 읽을 때에도 대상에 따른 여러 가지 설명 방법에 주목해야겠죠?
WEEK 3 글의 짜임을 파악해요	글에도 일정한 흐름이 있는데, 이를 글의 짜임이라고 합니다. 설명하는 글이든 주장하는 글이든 글의 짜임을 알아 두면 내용이 앞으로 어떻게 이어질지 예측하며 글을 읽을 수 있습니다.
WEEK 4 글의 종류에 따라 읽기 방법을 달리해요	설명문과 논설문을 읽을 때 똑같은 방법으로 글을 읽으면 어떻게 될까요? 글의 내용은 물론 글쓴이가 무엇을 말하려는지 파악하는 것도 힘들 거예요. 글의 종류별로 그에 맞는 방법으로 읽어야 글의 목적과 내용도 바르게 파악하며 읽을 수 있습니다.
WEEK 5 글의 구조에 따라 내용을 요약해요	글은 일반적으로 처음–가운데–끝의 세 부분으로 나누어요. 이야기 글의 경우에는 네 부분 혹은 다섯 부분으로도 나눌 수 있지요. 이렇게 글의 구조를 알아 두면 글 전체의 내용을 쉽게 요약할 수 있습니다.
WEEK 6 자료의 특성을 생각하며 읽어요	자료나 매체는 각각의 특성이 다르기 때문에 이용하는 방법도 달라요. 영화는 소리나 영상을 사용해 내용을 표현하지만, 휴대 전화 메시지는 이모티콘이나 문자로 생각을 표현해요. 자료를 통해 내용을 더욱 효과적으로 전달할 수 있어요.
WEEK 7 인물, 사건, 배경의 관계를 이해해요	'인물'은 '배경' 없이 존재할 수 없고, '사건'은 '인물'과 '배경' 없이는 존재할 수 없어요. 이 세 가지 요소의 관계와 그 변화 양상을 파악하는 것이 이야기를 제대로, 재미있게 읽는 방법입니다.
WEEK 8 여러 가지로 해석되는 낱말의 뜻을 짐작해요	글을 읽다 보면, 한 낱말이 여러 의미로 해석되거나, 분명 글자 모양은 똑같은데, 다르게 해석되는 말들이 있어요. 이렇게 여러 가지로 해석되는 낱말의 뜻은 문맥을 통해 짐작할 수 있어야 합니다.

독해원리, 초등에선 이렇게 배워요!	독해원리, 수능엔 이렇게 나와요!
• 글의 중심 생각을 찾아요 ► 2학년 • 글쓴이가 말하고자 하는 생각을 파악해요 ► 5학년	글에 나타난 글쓴이의 중심 생각을 묻거나 주제에 적합한 제목을 찾는 문제가 자주 나와요.
• 설명하는 내용을 이해해요 ► 2학년 • 여러 가지 설명 방법을 이해해요 ► 5학년	글의 내용 전개 과정에서 사용한 여러 가지 설명 방식과 그 표현 효과를 묻는 문제가 나와요.
• 글의 흐름을 파악해요 ► 3학년 • 글의 짜임을 파악해요 ► 5학년	글의 내용 전개 과정을 묻거나, 글의 짜임을 구조화할 수 있는지를 묻는 문제가 나와요.
• 글의 종류에 맞게 내용을 간추려요 ► 4학년 • 글의 종류에 따라 읽기 방법을 달리해요 ► 5학년	글의 종류와 글을 읽는 목적에 따라 알맞은 읽기 방법으로 글을 읽을 수 있는지 묻는 문제가 나와요.
• 중심 문장을 찾아요 ► 3학년 • 글의 구조에 따라 내용을 요약해요 ► 5학년	글을 읽고 조건에 맞게 내용을 요약하거나, 글 전체의 주제문을 찾을 수 있는지를 묻는 문제가 나와요.
• 글의 목적에 따라 읽는 방법이 달라요 ► 4학년 • 매체에 따른 다양한 읽기 방법을 이해해요 ► 5학년	주어진 자료를 분석하고 이를 제시된 글에 활용하며 읽을 수 있는지 혹은 자료가 적절한지를 묻는 문제가 나와요.
• 인물의 처지와 마음을 헤아려요 ► 2학년 • 인물, 사건, 배경을 이해해요 ► 4학년 • 인물, 사건, 배경의 관계를 이해해요 ► 5학년	작품에 제시된 배경이 인물의 심리와 사건 전개에 어떤 영향을 주는지 파악하는 문제가 나와요.
• 낱말의 뜻을 정확히 알아요 ► 1학년 • 여러 가지로 해석되는 낱말의 뜻을 짐작해요 ► 5학년	다의어나 동형어 등 문맥에 따라 여러 가지로 해석되는 낱말의 정확한 뜻을 묻는 문제가 나와요.

어떻게 공부할까요?

1 독해 원리 확인
목표를 알고 산을 오르자

한 주에 하나씩, 딱 뽑은 핵심 독해 원리 8개

초등에서 수능까지 연결되는 독해 원리를 한 주에 하나씩 체계적으로 배우며 독해에 자신감을 키울 수 있어요.

2 독해 실전 문제
목표 달성을 위한 실전 훈련!

목표 확인 문제는 물론, 독해 실전 문제까지 모두 잡자

내용 이해는 기본, 독해 원리를 적용해서 푸는 문제, 추론, 비판, 어휘력 등을 묻는 문제들로 실전처럼 훈련해요

초록색은 '실전 유형 문제'

빨간색은 '목표 확인 문제'

조선 최고 발명가, 장영실

수능에서는 문단이나 글의 핵심 내용이 들어 있는 중심 문장을 찾아 주제를 파악하는 경우가 많아. 저학년에서 중심 문장을 구분하는 내용이 이렇게 연결돼.

독해력, 살짝만 구멍이 나도 금방 떨어집니다. 줄줄 새는 개념이 없도록 문제 속 개념이 초등부터 수능까지 어떻게 연결되는지를 보여 줍니다!

원리를 적용해서 푸는 문제는 이전 학년에서 배운 내용과 연결해서 이해해요!

글의 구조에 따라 내용을 요약해요

요약하기는 단순히 글의 분량을 줄이는 것이 아니라 주요 내용(중심 문장)을 뽑아 간추리는 것입니다. 저학년에서 글에서 중심 문장을 찾는 것을 배웠다면, 고학년에서는 글의 구조에 따라 중심 문장이나 주요 내용을 찾아 전체 내용을 간략하게 요약할 수 있어야 해요.

저학년에서는 중심 문장을 찾아요 → 고학년에서는 글의 구조에 따라 내용을 요약해요

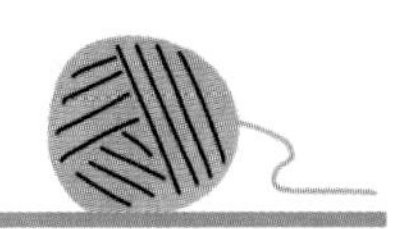

3 어휘력 기르기
독해 실력을 기르는 어휘를 잡자

독해력을 기르는 어휘, 독해를 하면 어휘력도 뿜뿜

어휘 공부 따로, 독해 공부 따로 하면 머릿속에 잘 안 들어오지요? 오늘 공부한 글에 나온 낱말을 빈칸 채우기, 사다리 타기, 짧은글 짓기 등 다양한 문제로 풀며 익힐 수 있어요.

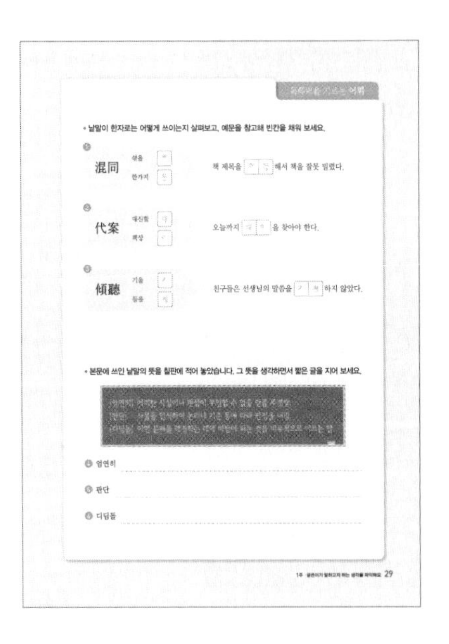

4 독해 원리 마무리
독해 원리, 수능까지 연결하자

수능을 향한 공부 방향 확인

한 주의 독해 원리를 표로 정리했어요. 이를 통해 초등에서 수능까지 연결되며 심화되는 독해의 원리를 한눈에 익힐 수 있어요.

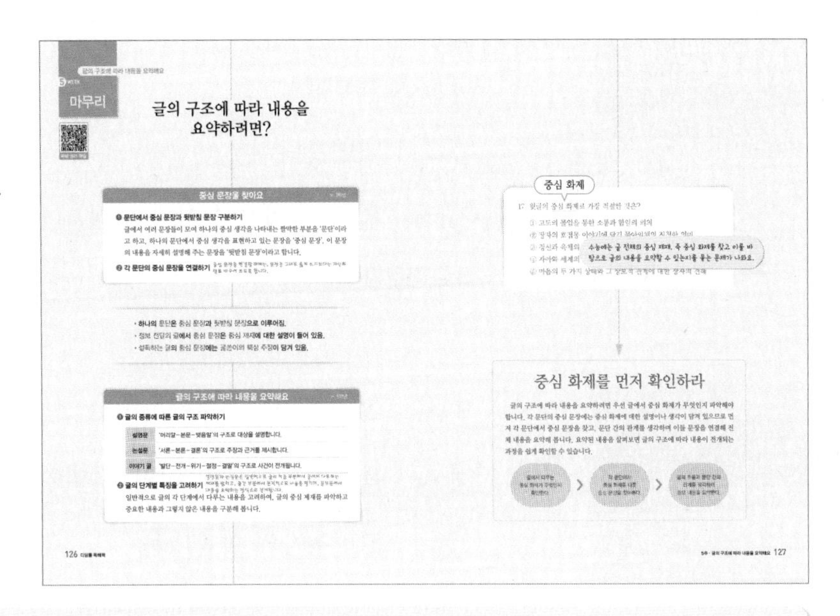

디딤돌 독해력을 어떻게 공부해야 할지 궁금하다면? QR 코드로 검색해 보세요.
선생님의 강의 동영상을 보면서 주차별 독해 원리를 익히고 대표지문으로 실전 독해 훈련을 합니다.

학습 계획표

수능까지 연결되는 초등 독해

WEEK 1

글쓴이가 말하고자 하는 생각을 파악해요

춥지 않니?

북극곰은 열려 있는 창문으로 찬바람이 들어오자 펭귄에게 "얘, 너무 춥지 않니?"라고 말했어요. 펭귄은 북극곰의 말에 "응, 바람이 많이 부네."라고 대답했지요. 이 상황을 보고 이상한 점을 느꼈나요?

북극곰이 추워서 오들오들 떨고 있네요. 북극곰이 펭귄에게 정말 하고 싶었던 말은 아마도 '창문이 열려서 추우니까 좀 닫아 주겠니?'였을 거예요.

모든 글에는 **글쓴이가 말하고자 하는 생각**이 담겨 있는데, 이것을 **주제**라고 합니다. 글쓴이의 생각은 글에 직접 드러나는 경우도 있고, 위 그림처럼 그렇지 않은 경우도 많습니다. 글쓴이의 생각을 파악하려면 제목과 글에서 사용한 표현을 살펴보거나 글쓴이가 **글을 쓴 의도나 목적**을 생각해 보아야 합니다. 자, 그럼 이제 글을 읽고 글쓴이가 말하고자 하는 생각을 파악해 볼까요?

재상 정홍순 이야기

조선 정조 때 유명한 재상이었던 정홍순에게 혼례를 앞둔 딸이 하나 있었다. 딸의 혼삿날이 다가오자 부인은 혼사 준비에 쓸 비용이 무척 걱정이 되었다. 그러나 정홍순은 딸의 혼사에는 아무런 관심이 없는 듯 태평하기만 하였다. 혼사가 겨우 보름 앞으로 다가왔을 때 정홍순이 부인에게 혼수 비용에 대해 물었다. 부인은 정홍순이 딸의 혼사에 관심이 없었던 것에 야속한 마음이 들었지만 조용히 대답했다.

"혼수를 마련하려면 팔백 냥은 있어야 해요. 그뿐인 줄 아세요? 그날 잔치를 하려면 사백 냥 정도는 더 있어야 해요."

정홍순은 고개를 끄덕이더니 날짜에 맞추어 준비하겠노라고 약속하였다. 그런데 혼사 전날이 되도록 주문해 놓겠다던 혼수와 잔치에 쓸 물건이 하나도 들어오지 않았다. 답답해진 부인이 묻자 정홍순은 허허 웃으며 말했다.

㉠"내 분명히 일러두었는데도 물건과 음식을 보내지 않는 것을 보니 아마도 재상인 내게 돈을 받기가 곤란해서 그런가 봅니다. 그렇다고 소인배들과 큰소리로 싸울 수도 없는 노릇이니 그냥 집에 있는 것들로 적당히 치릅시다."

이렇게 딸의 혼례는 끝이 났다. 그러나 사위는 여간 섭섭한 것이 아니었다. 그래서 혼례를 치르고 몇 년이 지나도록 처가에 발길을 뚝 끊어 버렸다.

몇 년이 지난 어느 날, 정홍순은 딸과 사위를 불러 자신을 따라오라며 앞장섰다. 사위는 불만이 가득한 얼굴로 장인의 뒤를 따랐다. 정홍순은 한참을 가더니 커다란 기와집 앞에서 걸음을 멈추어 섰다.

"내 지난날 너희 혼례에 쓸 비용을 물으니 무려 천이백 냥이나 들겠다고 하더구나. 하루 즐겁자고 그 많은 돈을 쓰느니 차라리 혼례는 간소하게 치르고 그 비용을 따로 이용하는 것이 낫겠다고 생각했다. 그래서 그 돈을 불려서 이 집을 짓고 또 얼마간의 땅을 사 두었으니 이만하면 너희가 평생 살아가는 데 부족하지는 않을 게다."

비로소 장인의 마음을 알게 된 사위는 큰절을 올리지 않을 수 없었다.

- **혼사**
  혼인에 관한 일.
- **야속한**
  무정한 행동이나 그런 행동을 한 사람이 섭섭하게 여겨져 언짢은.
- **소인배**
  마음 씀씀이가 좁고 간사한 사람들이나 그 무리.
- **간소하게**
  간략하고 소박하게.

1

다음은 이 글을 읽고 주원이가 한 말입니다. 주원이에 대한 설명으로 알맞은 것은 무엇인가요? (   )

> **주원:** 이 글을 읽고 난 뒤, 아빠의 구두가 많이 낡은 것을 보고 매달 조금씩 용돈을 모아서 새 구두를 사 드렸던 일이 떠올랐어.

① 인물의 마음 변화를 파악하였다.
② 글을 읽고 얻은 교훈을 정리하였다.
③ 글의 내용과 비슷한 경험을 떠올렸다.
④ 글을 읽고 뒤에 이어질 내용을 예측하였다.
⑤ 시간의 흐름에 따라 글의 내용을 정리하였다.

2

이 글 전체로 보아 ㉠에 대해 바르게 말한 것의 기호를 쓰세요.

> 가 조선 시대의 재상이었으면 돈이 없는 것도 아니었을 텐데 혼례를 간소하게 치르자고 하는 것으로 보아, 정홍순은 무척 검소한 것 같다.
> 나 혼례 당일까지 물건과 음식이 도착하지 않는 이유가 재상에게 돈을 받기가 곤란해서라고 말한 것으로 보아, 정홍순은 공짜로 혼례를 치르기를 원했던 것 같다.

(   )

3

이 글의 주제와 관련이 있는 인물의 행동으로 가장 알맞은 것은 무엇인가요?
(   )

① 정홍순이 혼수 비용에 대해 부인에게 물었다.
② 사위는 혼례가 끝난 뒤 처가에 발길을 끊었다.
③ 부인은 혼사 준비에 쓸 비용을 무척 걱정하였다.
④ 몇 년이 지난 어느 날 정홍순이 딸과 사위를 불렀다.
⑤ 정홍순은 혼례를 간소하게 치르고 그 비용으로 집과 땅을 사 두었다.

4

이 글의 내용으로 보아, 정홍순이 중요하게 생각하는 것은 무엇인가요? (　　　)

① 개인의 이익
② 가족의 건강
③ 이웃 간의 정
④ 합리적인 소비
⑤ 다른 사람에게 인정받는 삶

글쓴이의 생각 파악하기

수능에서는
글의 주제를 묻는 문제가 나와. 저학년에서 글의 중심 생각이나 글의 제목을 묻는 문제가 이렇게 연결되는 거야.

5

이 글의 주제로 알맞은 것의 기호를 쓰세요. (　　　)

㉠ 결과보다는 과정이 더 중요하다.
㉡ 불필요한 낭비보다는 앞날을 대비하는 것이 낫다.
㉢ 스스로 노력하지 않고 남의 것을 얻으려고 해서는 안 된다.

한줄요약

6

빈칸에 알맞은 말을 찾아 이 글의 핵심 내용을 한 문장으로 요약하세요.

낭비　　교훈　　혼례

정홍순이 딸의 [　　]에 쓸 물건과 음식을 살 비용으로 기와집과 땅을 마련한 것을 통해 [　　]를 하기보다 앞날을 대비하자는 [　　]을 주고 있다.

• 낱말이 한자로는 어떻게 쓰이는지 살펴보고, 예문을 참고해 빈칸을 채워 보세요.

❶ 太平 — 클 [ㅐ] / 평평할 [평]

삼촌은 어떤 일이 일어나도 [ㅐ][평] 한 마음을 가졌다.

❷ 不滿 — 아닐 [불] / 찰 [ㅁ]

동생은 [불][ㅁ] 에 찬 표정으로 입을 삐죽거리며 말했다.

❸ 簡素 — 간략할 [간] / 본디 [ㅅ]

복잡한 절차를 [간][ㅅ] 하게 바꾸었다.

• 낱말의 뜻을 참고하여, 다음 문장의 빈칸에 들어갈 알맞은 낱말을 완성하세요.

❹ 예상보다 오만 원 정도 [비][ㅛ] 이 더 들었다.

어떤 일을 하는 데 드는 돈.

❺ 부탁을 거절한 친구에게 [ㅑ][ㅓㄱ] 한 마음이 들었다.

무정한 행동이나 그런 행동을 한 사람이 섭섭하게 여겨져 언짢음.

❻ 방금 전까지 있었던 가방이 사라지다니 알다가도 모를 [ㅗ][릇] 이었다.

일의 상황 또는 형편.

❼ 이 시험에서 백점을 맞기란 [ㅇ][ㄴ] 어려운 일이 아니다.

그 상태가 보통으로 보아 넘길 만한 것임을 나타내는 말.

우리나라의 쌀 소비

우리나라의 쌀 소비량이 급격히 줄고 있습니다. 앞으로는 쌀 소비량이 점점 더 줄어들어 매해 수십만 톤(t)이 과잉 생산될 것이라는 전망도 나왔습니다.

통계청이 최근 발표한 자료에 따르면 2018년 우리나라의 1인당 연간 쌀 소비량은 61kg으로, 최고치를 기록했던 1970년의 136.4kg에 비해 절반 이하로 떨어졌다고 합니다. 우리 국민 한 사람이 하루에 쌀밥 한 공기 반도 먹지 않는 셈입니다. 우리나라의 연간 1인당 쌀 소비량은 1980년부터 하락하기 시작하여 2000년대 들어와서는 100kg 이하로 떨어졌습니다. 이에 식품 회사들이 쌀을 이용한 다양한 음식을 만들고 있지만 여전히 쌀 소비량은 점점 줄어드는 추세입니다.

한국농촌경제연구원의 분석에 따르면 쌀 소비량이 감소하는 가장 큰 원인으로 아침 쌀 소비량 감소를 들었습니다. 점심, 저녁의 쌀 소비량 감소율은 3%대에 그쳤지만, 아침 쌀 소비량 감소율은 6.4%에 이르는 것으로 나타났기 때문입니다. 이는 사람들이 아침밥을 거르거나 아예 밥 대신 다른 음식을 먹으면서 쌀 소비량이 급격히 줄어든 것으로 보입니다. 밀 소비량의 증가도 쌀 소비량 감소의 원인입니다. 밀로 만든 빵, 국수, 피자, 쿠키와 같은 음식의 소비량이 증가하면서 쌀의 소비가 자연히 줄어들게 된 것입니다. 사정이 이렇다 보니 농민들의 근심도 점점 커지고 있습니다.

전문가들은 앞으로도 연평균 10만~28만 톤의 쌀이 과잉 생산될 것이라고 경고하며, 경제적 어려움에 처해 있는 우리 농민들을 위해서 아침밥 먹기 운동과 같은 쌀 소비량을 늘리는 방안을 마련해야 한다고 지적하였습니다. '밥'이라고 하면 곧바로 '쌀'을 떠올릴 만큼 쌀은 우리의 오랜 주식입니다. 쌀 소비량을 늘릴 수 있도록 국민은 물론 농업 관련 단체, 정부의 노력이 필요한 때입니다.

- **과잉**
  예정하거나 필요한 수량보다 많아 남음.
- **전망**
  앞날을 헤아려 내다봄. 또는 내다보이는 장래의 상황.
- **추세**
  어떤 현상이 일정한 방향으로 나아가는 경향.

1

이 글에서 제기한 문제가 무엇인지 빈칸에 알맞은 말을 차례대로 쓰세요.

[ ] 소비량의 [ ][ ]

2

이 글에서 제기한 문제가 일어나게 된 원인은 무엇인가요? (   )

① 밀 소비량의 감소
② 경제 성장률의 하락
③ 아침 쌀 소비량의 감소
④ 농민들의 경제적 어려움 증가
⑤ 쌀을 이용한 가공 음식의 증가

3

이 글에 덧붙일 자료로 알맞은 것을 보기 에서 두 가지 고르세요.

보기
㉮ 각 시도별 식품 회사의 수를 비교한 지도
㉯ 연도별 1인당 쌀 소비량을 보여 주는 도표
㉰ 국내산 쌀과 미국산 쌀의 가격을 비교한 그래프
㉱ 쌀밥을 먹으며 대화를 나누는 가족의 모습을 담은 사진

(,   )

글쓴이의 생각 파악하기

4

이 글을 통해 글을 쓴 기자가 전하려는 중심 내용은 무엇인가요? (   )

① 쌀 생산량을 늘리자.
② 쌀 소비량을 늘리자.
③ 아침을 거르지 말자.
④ 균형 잡힌 식사를 하자.
⑤ 쌀을 이용한 다양한 음식을 개발하자.

글쓴이의 생각 파악하기

5

수능에서는
저학년에서 단순히 글의 제목을 물어보는 것과는 달리, 기사문의 형식을 활용해 표제와 부제를 고르는 문제가 나와. 표제는 기사문의 큰 제목이야.

이 글의 표제로 삼기에 알맞은 것을 모두 고르세요. (,   )

① 우려되는 쌀 소비량
② 혼밥족 덕분에 쌀 소비 늘어
③ 쌀 소비량 50년 만에 반 토막
④ 쌀 가공식품 시장 성장세 뚜렷
⑤ ○○시, 어려운 이웃 위해 사랑의 쌀 기증

한줄요약

6

빈칸에 알맞은 말을 찾아 이 글의 핵심 내용을 한 문장으로 요약하세요.

밀	쌀	아침

[ ][ ] 쌀 소비량 감소와 [ ] 소비량 증가로 인해 우리나라의 쌀 소비량이 감소하고 있으므로 [ ] 소비량을 늘리기 위해 노력하자.

• **낱말이 한자로는 어떻게 쓰이는지 살펴보고, 예문을 참고해 빈칸을 채워 보세요.**

❶

消費 사라질 [ㅗ] 쓸 [비]

건강에 대한 관심이 높아지면서 채소 [ㅗ][비]가 늘어났다.

❷

趨勢 달아날 [추] 형세 [ㅔ]

인구가 계속 감소되는 [추][ㅔ]이다.

❸

增加 더할 [증] 더할 [ㄱ]

자동차의 [증][ㄱ]로 인해 대기 오염이 심각해지고 있다.

• **낱말의 뜻을 참고하여, 다음 문장의 빈칸에 들어갈 알맞은 낱말을 완성하세요.**

❹ 스마트폰 사용자가 [급][ㄱ][히] 늘었다.

변화의 움직임 따위가 급하고 격렬하게.

❺ 당분간 추운 날씨가 계속될 [ㅈ][ㅇ]이다.

앞날을 헤아려 내다봄. 또는 내다보이는 장래의 상황.

❻ 요즘에는 영양 [ㄴ][ㅇ]과 운동 부족으로 인해 비만인 아이들이 많다.

예정하거나 필요한 수량보다 많이 남음.

❼ 관계자들이 모여 이재민 발생 문제에 대한 해결 [ㅂ][ㅏ]을 논의하였다.

일을 처리하거나 해결하여 나갈 방법이나 계획.

월 일
맞힌 개수 개

조선 왕조 의궤

㉠조선 왕조 의궤는 조선 시대의 왕실 의례를 다음 세대의 사람들이 참고할 수 있도록 글과 그림으로 기록한 책이다. 조선 왕조 의궤는 내용이 자세하게 기록되어 있어 국가의 중요한 일에 대한 종합 보고서라 할 수 있다.

㉡조선 왕조 의궤는 기록된 행사의 성격에 따라 왕실의 행사에 관한 의궤, 나라의 행사에 관한 의궤, 건축물에 관한 의궤가 있다. 왕실의 행사와 관련된 의궤는 조선이 건국된 직후부터 만들어졌으며, 왕의 출생이나 세자 책봉, 왕실 구성원의 결혼식, 장례식 등의 진행 과정이 기록되어 있다. 나라의 행사와 관련된 의궤에는 돌아가신 왕의 제사를 지내는 일, 외국의 사신을 맞이하는 일 등이 기록되어 있다. ㉢건축물에 관한 의궤에는 성곽이나 궁궐을 짓거나 수리하는 내용이 자세하게 기록되어 있다.

㉣조선 왕조 의궤는 역사적 자료로서 가치가 높다. 조선 왕조 의궤는 나라의 행사가 진행되었던 현장에서 직접 그림을 그리고 글로 적었는데, 주로 그림으로 기록하여 시각적으로 잘 이해할 수 있게 하였다. 따라서 오늘날에도 조선 왕조 의궤를 통해 왕실의 일상은 물론 왕의 즉위식과 같은 왕실 행사와 당시의 건축물을 복원할 수 있다. 그 예로 수원 화성은 일제 강점기 때 훼손되었지만 '화성 성역 의궤' 덕분에 원래 모습대로 다시 복원되었다. 조선 왕조 의궤는 조선 건국 때부터 조선이 멸망할 때까지 519년이라는 긴 세월에 걸쳐 완성한 기록이다. 비록 조선 초기의 의궤들은 임진왜란 때 불에 타서 없어졌지만 조선 왕조 의궤는 세계 어느 나라에서도 찾아볼 수 없는 우수한 기록 문화이다. 이러한 가치를 인정받아 조선 왕조 의궤는 2007년 6월에 세계 기록 유산으로 등재되었고, 2016년 5월에 국가 문화재로도 지정되었다.

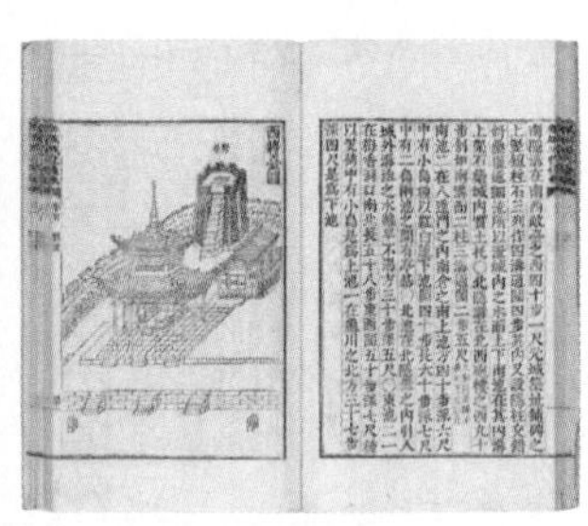

화성 성역 의궤

• 책봉
왕세자, 왕세손, 왕후, 비, 빈, 부마 등을 봉작하던 일.

• 사신
임금이나 국가의 명령을 받고 외국에 사절로 가는 신하.

• 복원
원래대로 회복함.

• 등재
일정한 사항을 장부나 대장에 올림.

글쓴이의 생각 파악하기

수능에서는
글쓴이가 글을 쓴 목적을 의도라고 표현하기도 해. 저학년에서 글쓴이의 생각을 찾는 문제가 글의 목적과 의도를 찾는 문제로 연결돼.

1 글쓴이가 이 글을 쓴 의도로 알맞은 것의 기호를 쓰세요.

㉮ 조선 왕조 의궤의 종류와 역사적 가치에 대해 설명한다.
㉯ 조선 왕조 의궤의 역사적 가치를 인정하자고 주장한다.
㉰ 수원 화성을 원래의 모습대로 다시 건축하게 된 과정을 설명한다.
㉱ 우리나라 문화재 보관의 문제점과 그에 대한 해결 방안을 제시한다.

( )

2 이 글의 내용으로 알맞지 않은 것은 무엇인가요? ( )

① 조선 왕조 의궤는 주로 글과 그림으로 기록하였다.
② 조선 왕조 의궤는 2016년 5월에 세계 기록 유산으로 등재되었다.
③ 왕실의 행사와 관련된 의궤는 조선이 건국된 직후부터 만들어졌다.
④ 조선 왕조 의궤 덕분에 왕실 행사를 오늘날 그대로 재현할 수 있다.
⑤ 수원 화성은 '화성 성역 의궤' 덕분에 원래 모습대로 다시 복원되었다.

3 다음 각 의궤에 기록된 내용으로 알맞은 것을 보기 에서 모두 찾아 기호를 쓰세요.

보기

㉮ 궁궐을 짓는 일
㉯ 왕실 구성원의 결혼식
㉰ 성곽을 수리하는 내용
㉱ 왕의 즉위식 진행 과정
㉲ 외국의 사신을 맞이하는 일
㉳ 돌아가신 왕에게 제사를 지내는 일

❶ 왕실의 행사에 관한 의궤: (,)
❷ 나라의 행사에 관한 의궤: (,)
❸ 건축물에 관한 의궤: (,)

4

보기 를 읽고 미루어 짐작할 수 있는 내용으로 알맞은 것은 무엇인가요? (   )

> **보기**
>
> 조선 왕조 의궤는 조선 시대의 왕실 의례를 다음 세대의 사람들이 참고할 수 있도록 글과 그림으로 기록한 책이다.

① 조선 시대에는 신분 제도가 엄격했음을 알 수 있다.
② 조선 왕조 의궤의 가치는 전 세계적으로 인정받았다.
③ 조선 시대 의궤는 우리 민족만이 가진 독특한 기록 문화유산이다.
④ 우리 조상들은 후손들에게 국가의 주요 행사를 알려 주고 싶었을 것이다.
⑤ 조선 왕조 의궤를 통해 조선 시대 서민의 문화 수준이 높았음을 알 수 있다.

글쓴이의 생각 파악하기

5

㉠~㉣ 중, 이 글의 중심 내용을 요약할 때 꼭 필요한 내용이 아닌 것의 기호를 쓰세요.

(   )

한줄요약

6

빈칸에 알맞은 말을 찾아 이 글의 핵심 내용을 한 문장으로 요약하세요.

왕실	가치	그림

조선 왕조 의궤는 조선 시대 왕실이나 국가의 중요한 행사를 글과 [   ]으로 기록한 책으로, [   ]의 행사에 관한 의궤, 나라의 행사에 관한 의궤, 건축물에 관한 의궤가 있으며, 역사적 자료로서 [   ]가 높다.

• 낱말의 뜻을 참고하여 다음 빈칸에 들어갈 알맞은 말을 보기 에서 찾아 쓰세요.

보기

재현 일상 훼손

❶ 매일 반복되는 [ ][ ]에서 벗어나고 싶어서 여행을 떠났다.

날마다 반복되는 생활.

❷ 박물관에는 옛날 사람들의 모습이 그대로 [ ][ ]되어 있었다.

다시 나타남. 또는 다시 나타냄.

❸ 무분별한 개발로 인해 산림 [ ][ ]이 심각하다.

헐거나 깨뜨려 못 쓰게 만듦.

• 낱말의 뜻을 참고하여, 다음 문장의 빈칸에 들어갈 알맞은 낱말을 완성하세요.

❹ 호화로운 결혼 [ㅓ][ㅔ]때문에 많은 돈을 썼다.

행사를 치르는 일정한 법식. 또는 정하여진 방식에 따라 치르는 행사.

❺ 학원이 끝난 [ㅈ][ㅎ] 친구와 함께 편의점에 갔다.

어떤 일이 있고 난 바로 다음.

❻ 지진으로 무너진 건물을 [ㅗ][ㄱ]하려면 몇 달이 걸린다.

원래대로 회복함.

❼ 석굴암은 세계 문화유산에 [ㄷ][ㅈ] 되었다.

일정한 사항을 장부나 대장에 올림.

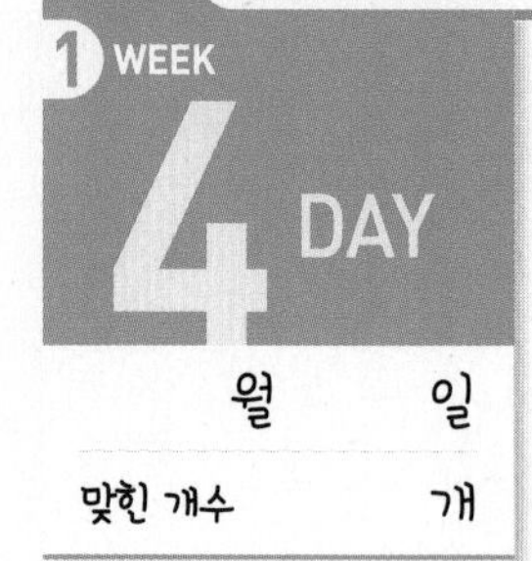

월 일

맞힌 개수 개

슬로푸드

가 슬로푸드(slow food)는 짧은 시간에 많은 양을 만들어 내는 패스트푸드와 달리 전통적인 발효 가공 등의 방법으로 만들거나 정성스런 과정을 거쳐 만드는 음식을 말합니다. 한때 '느리게 살기'와 관련하여 슬로푸드 운동이 전 세계적으로 관심을 끌었지만, 지금도 많은 현대인들이 패스트푸드를 즐기고 있습니다. 그렇다면 슬로푸드를 먹으면 어떤 점이 좋은지 알아봅시다.

나 첫째, 안전하고 건강한 음식을 먹을 수 있습니다. 패스트푸드가 인위적으로 맛과 색깔을 내고, 향을 더하고, 유통 기한을 늘리기 위해 다양한 형태의 첨가물을 넣는 반면, 슬로푸드는 조미료와 첨가물을 거의 사용하지 않습니다. 또 슬로푸드는 유기농 재료를 사용하여 만드는 경우가 많은데, 유기농 재료는 화학 비료와 농약 등을 사용하지 않고 키웁니다. 따라서 슬로푸드를 먹음으로써 안전하고 몸에 좋은 음식을 먹을 수 있게 되는 것입니다.

다 둘째, 다이어트에 도움이 됩니다. 슬로푸드는 대부분 비타민, 무기질, 섬유질 등 영양소의 균형이 잘 맞고 씹는 시간이 오래 걸리는 음식입니다. 이런 음식들은 포만감을 오래 유지할 수 있게 해 주기 때문에 다이어트를 할 때 슬로푸드를 먹으면 도움이 됩니다.

라 셋째, 각 나라 고유의 음식 문화를 계승할 수 있습니다. 슬로푸드 중에는 각 나라의 전통 음식이 많습니다. 또 전통적인 방식으로 만들어지는 슬로푸드도 많습니다. 따라서 슬로푸드를 먹음으로써 음식 문화의 전통을 이어 나갈 수 있습니다.

마 슬로푸드는 우리의 건강과 음식 문화의 전통을 지켜 주는 훌륭한 음식입니다. 슬로푸드를 먹는 것이 패스트푸드를 먹는 것보다 번거로울 수 있지만, 슬로푸드의 우수성을 생각하며 슬로푸드를 먹기 위해 노력합시다.

- **인위적**
자연의 힘이 아닌 사람의 힘으로 이루어지는 것.
- **유기농**
화학 비료나 농약을 쓰지 아니하고 유기물을 이용하는 농업 방식.
- **포만감**
넘치도록 가득 차 있는 느낌.
- **번거로울**
일의 갈피가 어수선하고 복잡한 데가 있음.

1

가 에 대한 설명으로 알맞은 것의 기호를 쓰세요.

ㄱ 중심 소재의 의미를 밝히고 있다.
ㄴ 주장을 뒷받침하는 논거를 제시하였다.
ㄷ 주장을 요약하고 다시 한 번 강조하였다.

( )

2

수능에서는
주장의 타당함을 보여 주는 생각이나 자료에 해당하는 근거를 찾는 문제가 출제돼. 이때 근거를 논거라고 표현하기도 해.

나 에서 글쓴이의 주장을 뒷받침하는 논거로 알맞은 것을 두 개 고르세요. (,)

① 슬로푸드 중에는 전통 음식이 많다.
② 슬로푸드는 조미료와 첨가물의 사용을 제한한다.
③ 슬로푸드는 포만감을 오래 유지할 수 있게 해 준다.
④ 슬로푸드 중에는 전통적인 방식으로 만들어지는 것이 많다.
⑤ 슬로푸드를 만들 때 사용하는 유기농 재료는 화학 비료와 농약 등을 사용하지 않고 키운다.

3

글쓴이의 생각 파악하기

이 글에서 글쓴이가 내세우는 주장은 무엇인가요? ( )

① 슬로푸드를 먹고 다이어트에 성공하자.
② 우리나라의 음식 문화를 세계에 알리자.
③ 패스트푸드의 단점을 해결하여 패스트푸드를 발전시키자.
④ 패스트푸드의 장점을 이용하여 슬로푸드의 단점을 보완하자.
⑤ 우리의 건강과 음식 문화의 전통을 지킬 수 있도록 슬로푸드를 먹자.

글쓴이의 생각 파악하기

4 **이 글의 제목으로 가장 알맞은 것의 기호를 쓰세요.**

㉠ 슬로푸드의 우수성　　㉡ 음식과 건강의 관계
㉢ 패스트푸드의 위험성　　㉣ 슬로푸드 운동의 역사

(　　　　　　)

5 **글쓴이의 주장에 반박하는 글을 쓸 때 들어갈 내용으로 알맞지 않은 것의 기호를 쓰세요.**

㉮ 최근에는 패스트푸드 업계에서도 유기농 쌀로 만든 버거와 같이 건강을 생각한 메뉴를 개발하고 있다.
㉯ 대부분의 패스트푸드에는 섬유질이 부족하여 우리 몸 안의 중금속을 배출할 수 없게 되므로 뇌에 산소가 부족해진다.
㉰ 패스트푸드는 대부분 대중교통이 편리한 곳에서 저렴한 가격으로 판매하기 때문에 남녀노소 누구나 쉽게 구입해서 먹을 수 있다.

(　　　　　　)

한줄요약

6 **빈칸에 알맞은 말을 찾아 이 글의 핵심 내용을 한 문장으로 요약하세요.**

건강　　슬로　　전통

패스트푸드를 먹기보다는, 우리의 [　　]과 음식 문화의 [　　]을 지켜 주는 [　　]푸드를 먹자.

• 다음 사다리 타기에 따라 (   ) 안에 들어갈 낱말의 뜻을 보기 에서 고르세요.

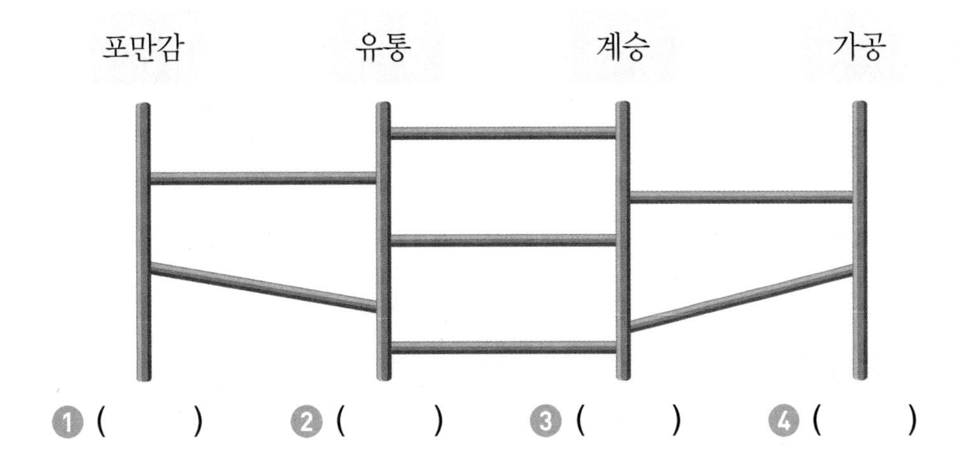

❶ (   ) ❷ (   ) ❸ (   ) ❹ (   )

보기
㉠ 넘치도록 가득 차 있는 느낌.
㉡ 조상의 전통이나 문화유산, 업적 따위를 물려받아 이어 나감.
㉢ 원자재나 반제품을 인공적으로 처리하여 새로운 제품을 만들거나 제품의 질을 높임.
㉣ 상품 따위가 생산자에서 소비자, 수요자에 도달하기까지 여러 단계에서 교환되고 분배되는 활동.

• 낱말의 뜻을 참고하여, 다음 문장의 빈칸에 들어갈 알맞은 낱말을 완성하세요.

❺ 그 호수는 [ㅇ][ㅟ][적]으로 만들어져서 자연스럽지 않다.
자연의 힘이 아닌 사람의 힘으로 이루어지는 것.

❻ [첨][ㄱ][물]을 많이 넣은 식품은 건강에 좋지 않다.
식품 따위를 만들 때 보태어 넣는 것.

❼ 전염병이 퍼져 해외여행을 [ㅈ][한]하고 있다.
일정한 한도를 정하거나 그 한도를 넘지 못하게 막음.

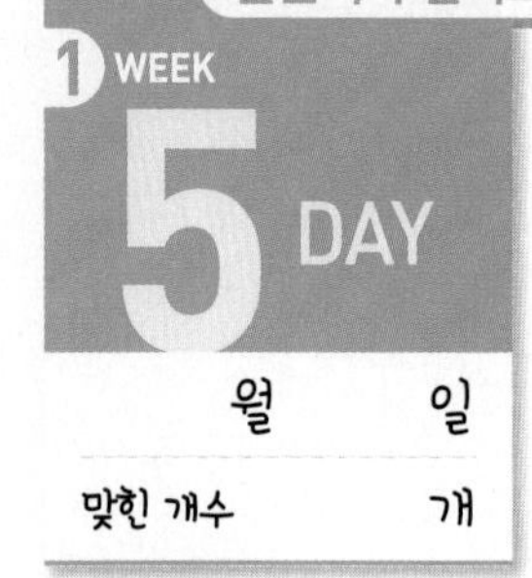

올바른 비판 문화

가 "몸에 좋은 약이 입에 쓰다."라는 말이 있다. 좋은 약은 병을 낫게 하지만 쓴맛 때문에 먹기는 괴롭다. 하지만 입에 쓰다고 약을 주지 않거나 먹지 않으면 병을 고칠 수 없다. 비판도 마찬가지이다. 비판하기를 피하거나 비판을 제대로 듣지 않으면 갈등이 심해지고 문제가 커질 수 있다. 갈등이나 문제를 해결하여 건강한 사회를 만들기 위해서는 올바른 비판 문화를 만들어야 한다.

나 올바른 비판 문화를 형성하기 위해 먼저 비판의 의미를 알아보자. 비판과 비난을 혼동하는 경우가 있는데 비판은 비난과는 엄연히 다르다. 비판은 어떤 행동이나 의견에 대해 이성적으로 판단하여 말하는 것이다. 반면, 비난은 감정만 앞세워서 상대방을 이유 없이 헐뜯는 것이다. 예를 들어, 친구의 글을 읽고 " ㉠ " 라고 말하는 것은 비판이라고 할 수 있다. 그러나 " ㉡ "라고 말하는 것은 비난에 가깝다. 비판은 부족한 점을 흠잡는 것이 아니라 상대방에게 도움을 주는 것이어야 한다.

다 ㉢올바른 비판 문화를 만들어 가기 위해서 해야 할 일이 있다. 첫째, 비판을 할 때는 상대방을 존중하는 마음을 가져야 한다. 둘째, 비판을 할 때는 알맞은 이유를 들어야 한다. 셋째, 비판을 할 때는 문제를 해결할 수 있는 대안을 함께 제시해야 한다. 넷째, 비판을 들을 때에는 자신의 생각과 비교하여 받아들여야 한다. 다섯째, 비판을 들을 때에는 상대방의 말을 경청하고 감사의 뜻을 표현해야 한다.

라 좋은 비판은 개인과 우리 사회를 성숙하고 아름답게 만드는 디딤돌이 될 것이다. 비판의 의미를 잘못 이해하여 바르게 비판하지 못하면 상대방에게 상처를 입히거나 상대방으로부터 상처를 받기 쉽다. 따라서 비판의 의미를 제대로 이해하고 올바른 비판 문화를 만들어 가야 한다.

- **혼동**
  구별하지 못하고 뒤섞어서 생각함.
- **엄연히**
  어떠한 사실이나 현상이 부인할 수 없을 만큼 뚜렷함.
- **대안**
  어떤 일에 대처할 방안.
- **경청**
  공경하는 마음으로 들음.

수능에서는
글의 짜임을 정리하는 법을 배웠던 저학년과 달리 글의 구조를 파악하는 문제가 나와. 구조를 잘 파악해야지만 글의 내용도 정확하게 이해할 수 있어.

1

이 글의 구조를 알맞게 나타낸 것은 무엇인가요? (　　　)

① 가—나—다—라

② (가, 나)—다—라

③ 가—(나, 다)—라

④ 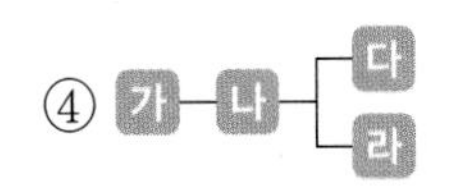

⑤ 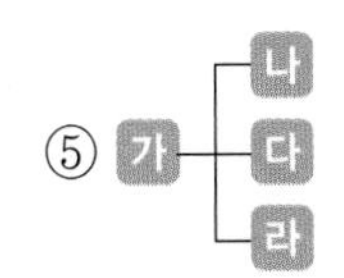

2

㉠과 ㉡에 각각 들어갈 내용으로 알맞은 것을 찾아 기호를 쓰세요.

㉮ 네가 쓴 글이구나.
㉯ 너는 글을 참 못 쓰는 것 같아.
㉰ 네가 쓴 글을 읽고 무척 감동받았어.
㉱ 네 글이 잘 이해되지 않아. 자세한 예를 들어 주면 더 좋을 것 같아.

❶ ㉠: (　　　　　　　　)
❷ ㉡: (　　　　　　　　)

3

㉢을 위해 해야 하는 일이 아닌 것은 무엇인가요? (　　　)

① 비판하는 까닭을 들어 비판한다.
② 상대방을 존중하는 마음을 가지고 비판한다.
③ 자신의 생각과 비교하여 비판을 받아들인다.
④ 비판을 하고 대안은 스스로 생각해 보게 한다.
⑤ 비판하는 사람의 말을 경청하고 고마운 마음을 표현한다.

글쓴이의 생각 파악하기

4 이 글의 주제로 가장 알맞은 것은 무엇인가요? (　　　)

① 개인과 사회의 성숙한 관계
② 비판으로 인한 문제와 해결 방법
③ 비난과 비판의 공통점과 차이점
④ 올바른 비판 문화를 만들어 가기 위한 노력
⑤ 건강한 사회의 의미와 이를 만드는 실천 방법

글쓴이가 말하고자 하는 생각을 파악해요

글쓴이는 자신의 생각을 전하기 위해 글을 씁니다. 저학년에서는 글을 통해 글쓴이가 전하려는 생각이 중심 생각임을 배웠다면, 고학년에서는 글에 담긴 중심 생각을 찾고, 중심 생각에 나타난 글쓴이의 의도까지 파악할 수 있어야 해요.

저학년에서는 글의 중심 생각을 찾아요		고학년에서는 글쓴이가 말하고자 하는 생각을 파악해요

글쓴이의 생각 파악하기

5 글쓴이의 생각과 같은 생각을 가진 사람은 누구인지 쓰세요.

무열: 나에게 도움이 되는 비판을 받아들이면 내 자신을 좀 더 발전시킬 수 있어.

태준: 비난은 이성적으로 판단해서 말하는 거지만, 비판은 이유 없이 헐뜯는 거라고 할 수 있지.

예서: 아무리 좋은 비판이라고 해도 듣는 사람의 기분이 상할 수 있기 때문에 사람 사이의 관계가 나빠질 수도 있어.

(　　　　　　　)

한줄요약

6 빈칸에 알맞은 말을 찾아 이 글의 핵심 내용을 한 문장으로 요약하세요.

갈등　　비판　　문제

[　　]을 피하거나 제대로 듣지 않으면 [　　]이 심해지고 [　　]가 더 커질 수 있으므로 올바른 비판 문화를 만들어 가야 한다.

• 낱말이 한자로는 어떻게 쓰이는지 살펴보고, 예문을 참고해 빈칸을 채워 보세요.

1 混同 섞을 [ㅎ] 한가지 [동]

책 제목을 [ㅎ][동]해서 책을 잘못 빌렸다.

2 代案 대신할 [대] 책상 [ㅇ]

오늘까지 [대][ㅇ]을 찾아야 한다.

3 傾聽 기울 [ㄱ] 들을 [청]

친구들은 선생님의 말씀을 [ㄱ][청]하지 않았다.

• 본문에 쓰인 낱말의 뜻을 칠판에 적어 놓았습니다. 그 뜻을 생각하면서 짧은 글을 지어 보세요.

[엄연히] 어떠한 사실이나 현상이 부인할 수 없을 만큼 뚜렷함.
[판단] 사물을 인식하여 논리나 기준 등에 따라 판정을 내림.
[디딤돌] 어떤 문제를 해결하는 데에 바탕이 되는 것을 비유적으로 이르는 말.

4 엄연히 ....

5 판단 ....

6 디딤돌 ....

마무리

독해 원리 학습

글쓴이가 말하고자 하는 생각을 파악하려면?

글의 중심 생각을 찾아요 ▶ 2학년

❶ 중심 생각 뜻 알기

중심 생각이란 글쓴이가 글을 통해 전하려고 하는 생각입니다.

❷ 글의 중심 생각 찾기 글의 종류에 따라 중심 생각을 파악하는 방법이 달라요.

- 글쓴이의 생각이 드러난 글: 글쓴이가 하고 싶은 말과 그렇게 말한 까닭을 찾아봅니다.
- 이야기 글: 주요 인물의 말과 행동을 살펴보고, 줄거리를 파악합니다.

- 글쓴이가 글을 읽는 사람에게 하고 싶은 말**이 곧** 중심 생각**임.**
- 제목**에는 글쓴이의 중심 생각이 담기는 경우가 많음.**
- **주요 인물의 말과 행동, 중심 낱말, 문단의 중심 내용을 통해 글을 쓴 목적과 의도를 파악하면 글쓴이의 생각을 파악할 수 있음.**

글쓴이가 말하고자 하는 생각을 파악해요 ▶ 5학년

❶ 생각 뜻 알기 관점은 어떤 사물이나 현상을 관찰할 때, 그 사람이 바라보는 태도나 방향을 말합니다.

생각은 아주 넓은 의미를 가지고 있어요. 관점, 의도, 주장, 의견 따위도 모두 생각에 포함됩니다.

❷ 글쓴이의 생각을 파악하는 방법

- 제목과 글에서 사용한 표현, 사진이나 그림을 살펴봅니다.
- 글쓴이가 글을 쓴 의도와 목적을 생각해 봅니다. 관점에 따라 글을 쓴 의도와 목적이 달라져요.
- 글의 내용을 파악하여 글쓴이가 말하려는 생각을 찾아봅니다.

글쓴이가 말하고자 하는 바

13. 글쓴이가 말하고자 하는 바로 가장 적절한 것은?

① 지수물가는 소비의 기준이 된다.
② 합리적 소비를 통해 지수물가를 낮출 수 있다.
③ 체감물가와 지수물가가
④ 지수물가가 지나치게 높
⑤ 전국의 모든 상점을 지수물가의 조사 대상으로 삼아야 한다.

수능에는 글쓴이가 글을 읽는 사람에게 말하고자 하는 바, 즉 글쓴이의 중심 생각을 묻는 문제가 나와요.

글쓴이가 글을 쓴 까닭이 무엇인지를 생각하라

모든 글에는 글을 쓰는 사람의 입장이나 태도가 담겨 있습니다. 그리고 그 입장이나 태도를 드러내는 것이 관점입니다. 똑같은 대상이나 상황을 두고도 글의 내용이 달라지는 까닭이 여기에 있습니다. 그러므로 글쓴이가 말하고자 하는 생각을 파악하려면 글을 읽을 때 글쓴이가 이 글을 쓴 까닭이 무엇인지부터 생각해야 합니다.

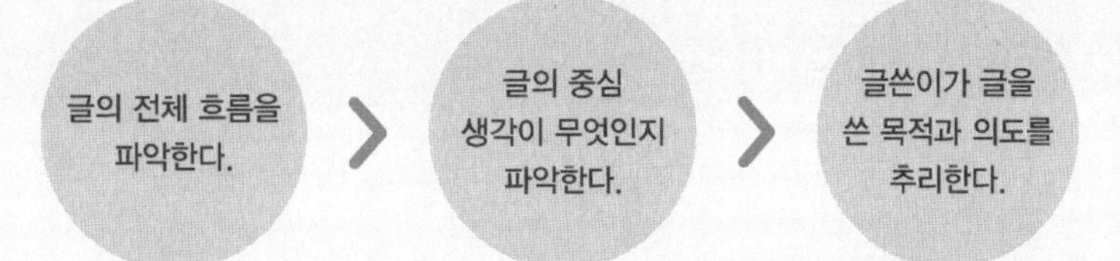

수능까지 연결되는 초등 독해

WEEK 2

여러 가지 설명 방법을 이해해요

코끼리가 어떻게 생겼냐고?

지구에 온 외계인은 태어나서 처음으로 코끼리를 보았어요. 이 외계인은 자기 별로 돌아가 코끼리를 한 번도 본 적이 없는 친구들에게 이 동물을 알려 주려고 해요. 어떻게 설명해야 할까요?

지구에 와서 처음 코끼리를 보고 돌아간 외계인은 자기네 종족들에게 이 코끼리를 어떻게 설명했을까요? 대상을 이해하기 쉽게 설명하려면 **대상의 특성**에 따라 알맞은 설명 방법을 선택해야 해요. 그래야 설명하고자 하는 대상의 특성을 잘 드러낼 수 있어요. 이때 **대상을 설명하는 방법**에는 **정의와 예시, 비교와 대조, 분류와 분석** 등이 있습니다.

글을 쓸 때 자주 나오는 설명 방법에는 어떤 것들이 있는지 알아보고, 글 속에서 어떻게 드러나는지 구체적으로 살펴볼까요?

일본 교과서의 역사 왜곡

가 일본의 역사 교과서는 여전히 한국 관련 역사를 왜곡하여 기록하고 있다. 이 같은 사실은 한국교육개발원이 일본의 역사 교과서에 나타난 한국사 부분을 분석한 보고서에서 확인할 수 있다. ㉠그 내용들을 구체적으로 살펴보면 다음과 같다.

나 이 보고서에 따르면 일본의 모든 역사 교과서가 한국사의 기원을 설명할 때 최초의 국가인 고조선 부분은 제외하고 있어 마치 한국 역사는 처음부터 중국의 지배를 받은 것처럼 썼다.

다 도요토미 히데요시의 영토 욕심 때문에 발생한 임진왜란도 대부분의 일본 교과서에서는 전쟁의 원인을 '중국 명나라 정벌을 위해 조선에 길을 빌린 것'으로 쓰고 있으며, ㉡조선과 명나라의 군인과 백성들을 죽인 후 그들의 귀와 코를 베어 만들었던 귀무덤도 군사들의 영혼을 위로하는 위령탑으로 둔갑시켰다.

라 또 상당수 교과서는 나라 이름인 '조선'을 사용하지 않고 일제 시대 식민지 통치를 합리화하기 위해 만든 용어인 '이씨 조선'이나 '이조'를 그대로 사용하였다. 그리고 ㉢우리나라의 주권을 억지로 빼앗아 간 것을 단지 '병합'으로 표기하였다.

마 강화도 조약, 갑신정변, 동학 농민 운동, 명성황후 시해 사건, 3·1 운동 등으로 이어지는 근대 역사에 대해서는 우리 정부와 학계의 노력으로, 일본에 의해 강요된 것과 우리의 저항을 서술하는 부분이 늘어났지만 여전히 고쳐지지 않은 부분도 많았다.

바 그 예를 살펴보면 ㉣안중근이 이토 히로부미를 저격한 사건이 원인이 되어 일본이 우리나라의 경찰권을 빼앗은 것처럼 책임을 돌렸는가 하면, 일본군의 성적 노예로 끌려갔던 위안부들에 대한 범죄 행위와 책임을 밝히지 않은 채 '젊은 여성들이 위안부로 전쟁터에 보내졌다'고 간단히 한 줄로 처리했다. 또한 ㉤삼국, 특히 백제가 일본 문화에 끼친 영향을 줄여 말하고 한국이 마치 문화 전파의 다리 역할만 한 것으로 깎아내렸다.

사 이에 대하여 우리 정부는 계속해서 문제를 지적하고 고칠 것을 요구하고 있지만, 일본은 자신들에게 불리한 역사적 사실을 역사 교과서에서 의도적으로 숨기거나 축소, 왜곡하고 있다. 우리는 일본의 젊은이들이 잘못된 역사의식을 가지지 않도록 이러한 문제에 대해 감시와 항의를 게을리해서는 안 될 것이다.

- **위령탑**
  죽은 사람의 영혼을 위로하기 위해 세우는 탑.
- **둔갑**
  사물의 본디 형체나 성질이 바뀌거나 가리어짐.
- **합리화**
  어떤 잘못을 그럴듯한 이유를 붙여 옳은 것인 양 꾸미는 일.
- **병합**
  둘 이상의 단체나 조직, 국가 등을 하나로 합침. 또는 그렇게 만듦.
- **시해**
  부모나 임금을 죽임.
- **저격**
  몰래 숨어서 특정 목표를 겨냥하여 쏨.

1

수능에서는
자기의 견해나 관점이 아니라 제삼자의 입장에서 대상을 바라보는 것을 객관적이라고 표현해. 주로 사실만을 다루는 글이 객관적이라면, 자신의 생각과 느낌을 더하는 글은 주관적이라고 해.

이 글의 특징으로 알맞은 것은 무엇인가요? (　　　)

① 글쓴이의 경험을 사실 그대로 전달하고 있다.
② 하나의 대상에 대한 글쓴이의 여러 가지 평가를 나열하고 있다.
③ 객관적인 정보를 글쓴이가 떠오르는 대로 자유롭게 제시하고 있다.
④ 글쓴이의 개인적인 의견보다는 정확한 사실 위주로 정보를 전달하고 있다.
⑤ 사실을 바탕으로 하되 글쓴이가 상상력을 발휘하여 내용을 재구성하고 있다.

2

이 글에서 설명하고 있는 내용과 일치하지 않는 것은 무엇인가요? (　　　)

① 일본의 역사 교과서는 '위안부'에 대한 사실을 축소해서 기록하고 있다.
② '이씨 조선'은 일본이 자신들의 식민지 통치를 합리화하기 위해 만든 용어이다.
③ 일본의 모든 역사 교과서는 한국사의 기원을 설명할 때에 고조선 부분을 제외하고 있다.
④ 임진왜란 때 일본인들은 전쟁에 희생된 군사들의 영혼을 위로하기 위한 목적으로 귀무덤을 만들었다.
⑤ 일본 역사 교과서에는 임진왜란의 원인을 '중국 명나라 정벌을 위해 조선에 길을 빌린 것'으로 제시하고 있다.

3

이 글의 구조를 바르게 나타낸 것은 무엇인가요? (　　　)

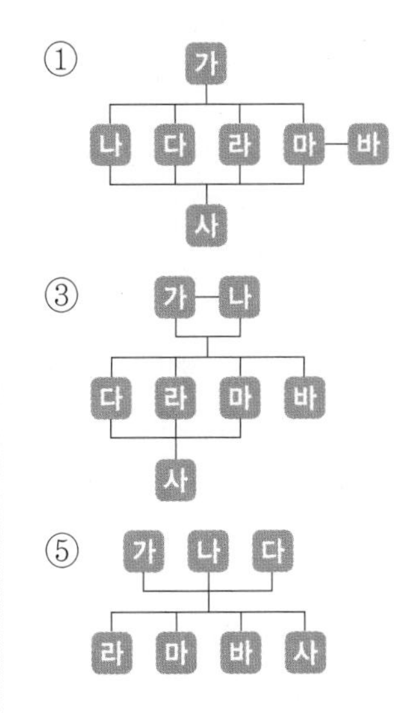

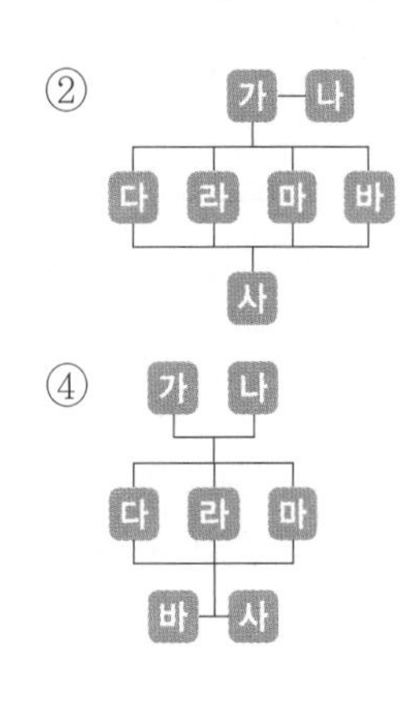

4 ㉠~㉤ 중, 글의 흐름상 적절하지 않은 문장의 기호를 쓰세요.

(   )

여러 가지 설명 방법을 이해해요

설명하는 글은 지식이나 정보를 전달하기 위한 목적으로 씁니다. 따라서 글에서 설명되는 대상의 특징을 정리하며 읽으면 글의 내용을 보다 정확히 알 수 있습니다. 저학년에서는 설명하는 내용을 정확히 이해하는 것을 배웠다면, 고학년에서는 설명 대상을 어떤 방법으로 설명하고 있는지까지 이해할 수 있어야 해요.

저학년에서는 설명하는 내용을 이해해요	➜	고학년에서는 여러 가지 설명 방법을 이해해요

여러 가지 설명 방법 이해하기

5 마~바에서 활용하고 있는 설명 방법을 보기에서 모두 골라 그 기호를 쓰세요.

보기

㉮ **정의**: 어떤 단어의 뜻을 명확하게 풀이해서 설명한다.
㉯ **대조**: 둘 이상의 대상이 가진 차이점을 중심으로 설명한다.
㉰ **예시**: 대상의 뜻이나 상황을 구체화하기 위해 예를 들어 설명한다.
㉱ **열거**: 대상과 관련된 여러 가지 예나 사실 등을 죽 늘어놓으며 설명한다.

(,   )

한줄요약

6 빈칸에 알맞은 말을 넣어 이 글의 핵심 내용을 한 문장으로 요약하세요.

왜곡 사실 불리

일본 역사 교과서는 우리나라와 관련된 역사적 [   ] 중에서 자신들에게 [   ]한 것들을 의도적으로 숨기거나 축소하며 [   ]하고 있다.

- **낱말이 한자로는 어떻게 쓰이는지 살펴보고, 예문을 참고해 빈칸을 채워 보세요.**

❶ 倂合

아우를 [병]
합할 [ㅎ]

예산이 부족하여서 올해부터 두 부서가 하나로 [병][ㅎ] 되었다.

❷ 慰靈塔

위로할 [ㅇ]
영혼 [령]
탑 [ㅌ]

이 [ㅇ][령][ㅌ]은 당시 전쟁에 참전했던 용사들을 위해 세운 것이다.

❸ 學界

배울 [ㅎ]
경계 [계]

그는 [ㅎ][계]에서 꽤 인정받는 학자이다.

- **낱말의 뜻을 참고하여, 다음 문장의 빈칸에 들어갈 알맞은 낱말을 완성하세요.**

❹ 숨어 다니던 그는 결국 적에게 들켜 [ㅈ][격] 당했다.

몰래 숨어서 특정 목표를 겨냥하여 쏨.

❺ 그것은 너의 잘못을 [ㅎ][리][화]하기 위한 변명일 뿐이다.

어떤 잘못을 그럴듯한 이유를 붙여 옳은 것인 양 꾸미는 일.

❻ 일부 사람들이 가짜를 진짜로 [둔][ㄱ] 시켜 시장에서 팔고 있다.

사물의 본디 형체나 성질이 바뀌거나 가리어짐.

❼ 때로는 본인의 의도와 상관없이 진실이 [왜][ㄱ] 되는 경우가 있다.

사실과 다르게 해석하거나 그릇되게 함.

❽ 한 나라의 [ㅈ][ㄱ]을 강제로 빼앗는 행위를 그냥 두어서는 안 된다.

국가의 의사를 최종적으로 결정하는 권력.

다국적 기업

가 사람과 마찬가지로 기업에도 국적이 있습니다. 미국에서 생겨나 그곳에서 사업하는 기업은 미국 기업, 한국에서 생겨나 그곳에서 사업하는 기업은 한국 기업이라고 하는 식으로 말입니다. 그렇다면 '다국적 기업'이란 말을 들어 본 적이 있나요? ㉮다국적 기업은 말 그대로 여러 나라의 국적을 가지고 있는 회사를 말합니다.

나 ㉠예를 들어 볼까요? ○○○이라는 회사가 있습니다. 피자를 만들어 파는 이 회사는 원래 미국에서 생겨났습니다. 그런데 물건이 잘 팔리자 외국에도 같은 이름의 가게를 내기 시작했어요. 지금은 100개가 넘는 나라에 3만여 개에 이르는 가게를 내고 장사를 하고 있답니다. 우리나라에도 '한국 ○○○'이라는 이름으로 회사를 세워 사업을 하고 있지요. '한국 ○○○'은 미국에 있는 본사로부터 기술과 상표, 돈, 그 밖에 장사에 필요한 정보를 지원받고, 그 대신에 한국에서 번 돈의 일부를 본사로 보냅니다.

다 이처럼 ㉡한 나라 안에서만 사업을 하는 일반 기업과 다르게, ○○○과 같이 적어도 두 나라 이상에 공장이나 가게를 내고 사업하는 기업이 다국적 기업입니다. 이러한 다국적 기업은 세계적으로 6만여 개에 이릅니다. 컴퓨터, 자동차, 휴대 전화, 음식점, 음료 등 다양한 분야의 다국적 기업이 세계 곳곳에서 활동을 하고 있지요. 세계에서 1,000번째 안에 드는 회사나 은행들은 거의 대부분 다국적 기업이라고 생각하면 됩니다.

라 ㉢다국적 기업이 생기는 이유는 기업마다 이익을 조금이라도 더 많이 얻으려고 하기 때문입니다. 각 나라들은 자기네 기업을 보호하기 위해 외국에서 들어오는 물건에는 비싼 세금을 물리거나 아예 수입을 못 하게 하는 경우가 많아요. 그렇기 때문에 기업들은 아예 그 나라에 공장과 가게를 세워 운영하는 것이 더 유리하다고 생각한 것입니다. 컴퓨터를 만드는 □□□이라는 회사가 비록 미국의 회사라고 하더라도 '한국 □□□'에서 만든 컴퓨터에까지 비싼 세금을 물릴 수는 없는 것 아니겠어요?

마 이와 같은 이유로 전 세계 곳곳에 세워지고 있는 다국적 기업들은 전 세계의 무역을 자유화하는 것을 약속한 '세계 무역 기구(WTO)'의 힘이 커지면서 그 활동이 더욱 활발해지고 있습니다.

- **국적** 국가의 구성원이 되는 자격.
- **본사** 지사에 대하여 주가 되는 회사.
- **물리다** 돈을 물어내게 하다. 손해를 갚게 하다.

1

이 글에 대한 설명으로 알맞은 것은 무엇인가요? (   )

① 구체적인 수치를 사용하여 주장을 펼치고 있다.
② 여러 대상의 장점과 단점을 나누어 제시하고 있다.
③ 의문문을 사용하여 읽는 이의 관심을 끌어내고 있다.
④ 전문가의 말을 인용하여 글의 설득력을 높이고 있다.
⑤ 공간의 이동에 따라 대상이 변화되는 과정을 설명하고 있다.

2

수능에서는
글에 담겨 있는 여러 가지 지식과 사실들을 정보라고 표현해. 설명하는 글에서는 글을 통해 확인할 수 있는 정보를 묻는 문제가 자주 출제돼.

이 글을 통해 알 수 있는 정보가 아닌 것은 무엇인가요? (   )

① 다국적 기업의 의미
② 다국적 기업의 문제점
③ 다국적 기업의 사업 분야
④ 다국적 기업의 사업 방식
⑤ 다국적 기업이 만들어지는 이유

3

여러 가지 설명 방법 이해하기

다음 중 ㉮와 같은 방법으로 설명하기에 가장 알맞은 것은 무엇인가요? (   )

① 컴퓨터 바이러스의 뜻
② 연극과 영화의 공통점
③ 임진왜란이 발생한 원인과 결과
④ 미세 먼지의 문제점과 해결 방안
⑤ 바큇수를 기준으로 나눈 자전거의 종류

여러 가지 설명 방법 이해하기

4

㉠~㉢에 활용된 설명 방법을 찾아 선으로 연결하세요.

❶ ㉠ •	• ㉮ 어떤 현상이 일어나는 원인과 결과를 설명하는 방법
❷ ㉡ •	• ㉯ 대상의 의미나 상황을 잘 이해하도록 예를 들어 설명하는 방법
❸ ㉢ •	• ㉰ 둘 이상의 대상이 가진 차이점을 바탕으로 설명하는 방법

5

이 글의 내용을 바르게 이해하지 못한 학생은 누구인가요? (　　　)

① **민정:** 세계 무역 기구도 다국적 기업의 하나였구나.
② **지아:** 하나의 기업이 여러 개의 국적을 가질 수 있구나.
③ **유빈:** '한국 ○○○'은 미국 본사로부터 사업에 필요한 정보를 얻는 대신 대가를 지불하는구나.
④ **도윤:** '○○○' 가게를 우리나라뿐 아니라 외국에서도 볼 수 있는 이유는 '○○○'이 다국적 기업이기 때문이구나.
⑤ **예지:** 세계에서 1,000번째 안에 드는 회사 대부분이 다국적 기업인 걸 보면 다국적 기업은 규모가 매우 큰가 보구나.

한줄요약

6

빈칸에 알맞은 말을 넣어 이 글의 핵심 내용을 한 문장으로 요약하세요.

기업　　이익　　국적

다국적 [　　]은 여러 나라의 [　　]을 가지고 있는 회사로, 세계적으로 6만여 개에 이르며, 더 많은 [　　]을 얻기 위해 활발하게 활동하고 있다.

- **본문에 쓰인 낱말의 뜻을 칠판에 적어 놓았습니다. 그 뜻을 생각하면서 짧은 글을 지어 보세요.**

[상표] 상공업자가 자기의 상품임을 일반 구매자에게 보이기 위해 상품에 붙이는 표지.
[국적] 국가의 구성원이 되는 자격.
[물리다] 돈을 물어내게 하다. 손해를 갚게 하다.

① 상표 ....

② 국적 ....

③ 물리다 ....

- **낱말의 뜻을 참고하여, 다음 문장의 빈칸에 들어갈 알맞은 낱말을 완성하세요.**

④ 각 지점은 [ㅂ][ㅅ] 의 지시를 따라야 하는 부분이 있다.
지사에 대하여 주가 되는 회사.

⑤ 교통이 발달해야 [ㅁ][역] 도 활발하게 이루어질 수 있다.
나라와 나라 사이에 서로 물품을 팔고 사고 함.

⑥ 어떤 [기][ㅂ] 들은 자신의 이익을 사회에 돌려주기도 한다.
영리를 목적으로 생산·판매·서비스 따위의 경제 활동을 계속적으로 하는 조직체.

⑦ 이 사업은 [다][ㄱ][ㅈ] 으로 이루어지는 거대한 문화 행사이다.
여러 나라가 관여하거나 여러 나라의 것이 섞임.

콰키우틀 족의 '포틀래치'

가 ㉠아메리카 인디언 콰키우틀 족에게는 '포틀래치(potlatch)'라는 관습이 있었다. 예를 들자면 이렇다. 한 추장이 있는데, 그는 사람들로부터 가장 위대한 추장이라는 찬사를 받고 싶었다. 그래서 그는 자신의 월등한 지위를 자랑하여 보이기 위해 다른 마을 사람들을 초대하여 포틀래치를 연다. 사람들을 초대해 놓고 추장은 대뜸 이렇게 말한다.

"나는 세상에서 가장 위대한 추장이다. 이제부터 너희들에게 선물을 나눠 줄 텐데, 그 양이 얼마나 되는지 한번 세어 보라. 아마 일생 동안 세어도 다 못 할 것이다."

나 그 거만한 말투에 자존심이 상한 사람들이 그에게 야유를 보내면, 추장의 곁에서 있던 부하들이 초대된 손님들을 위협한다.

"입 다물어, 이 야만인들아! 조용히 하지 않으면 우뚝 솟은 산맥과 같으신 우리 추장님께서 돈벼락을 내려서 너희들을 파묻어 버릴 것이다."

다 그러고 나서 추장과 그의 부하들은 손님들에게 줄 재물들을 솜씨 좋게 쌓아 올린다. 그들이 거들먹거리며 손님들에게 선물할 많은 귀중품들을 자랑하는 동안, 초대된 사람들은 무뚝뚝한 표정으로 그 광경을 바라본다. 비록 주최 측의 선물이 별게 없다고 조롱하긴 해도, ㉡관습에 따라 그들은 받은 선물을 모두 싣고 자기 마을로 돌아간다.

라 포틀래치에 초대됐던 이웃 마을 사람들, 특히 추장들은 그 추장에 대해 복수를 다짐한다. 그 복수란 자기들이 받은 선물보다 더 많은 선물을 준비하여 나눠 주는 것이다. 복수를 준비하기 위해서는 몇몇 사람의 힘만으로는 되지 않고 마을 사람들이 모두 힘을 모아야 한다. 그래서 온 마을 사람들이 사냥과 농작물 재배에 열심히 참여하게 되는 것이다.

마 ㉢위대한 추장이라는 과대망상에 빠져 재물을 뿌려 대는 이 풍습이 이상하게 보이기는 해도, 포틀래치는 그 나름의 가치가 있었다. 존경심을 얻기 위한 경쟁을 통해 마을의 생산 능력이 아주 빠르게 좋아진다. 그보다 중요한 점은 마을 간에 벌어지는 빈부의 차이가 이 어처구니없는 풍습을 통해 해소된다는 것이다.

- **찬사**
  칭찬하거나 찬양하는 말이나 글.
- **월등한**
  수준이나 실력이 훨씬 뛰어난.
- **조롱**
  비웃거나 깔보면서 놀림.
- **과대망상**
  사실보다 과장하여 터무니없는 헛된 생각을 하는 증상.

1

수능에서는
설명문이라 하더라도 다양한 짜임을 갖춘 글이 제시되므로 글의 짜임을 정해진 틀에 끼워 맞추지 말고 글을 읽으면서 능동적으로 내용 전개 과정을 살피려고 노력해야 해.

이 글의 내용 전개 과정을 다음과 같이 정리할 때, 관련되는 문단의 기호를 쓰세요.

전개 과정	문단 기호
설명 대상 제시	(　　　)
↓	
특정한 상황 가정	가, (　　,　　,　　)
↓	
설명 대상이 미치는 영향	(　　　)

2

이 글의 내용과 일치하지 않는 것은 무엇인가요? (　　　)

① 콰키우틀 족에게는 마을 간의 선물 경쟁 풍습이 있었다.
② 포틀래치를 여는 목적은 여러 마을 간의 화합을 다지기 위해서였다.
③ 포틀래치를 연 추장은 초대한 손님들에게 수많은 귀중품을 선물하였다.
④ 포틀래치에 초대받은 손님들은 자신들을 초대한 추장의 거만함을 못마땅해하면서도 선물을 받았다.
⑤ 포틀래치에 초대됐던 추장들은 또 다른 포틀래치를 열어 자신들이 받은 것보다 더 많은 선물을 나누어 주었다.

3

이 글을 바탕으로 '포틀래치'의 가치를 다음과 같이 정리할 때, 빈칸에 들어갈 알맞은 낱말을 쓰세요.

> '포틀래치'를 통해서 마을의 [❶] 능력이 커지고, 마을과 마을 사이의 [❷] 차이가 줄어들게 된다.

❶ (　　　　　　)　　　❷ (　　　　　　)

4

이 글의 내용을 사실과 의견으로 나눌 때, ㉠~㉢ 각각이 해당하는 것을 선으로 연결하세요.

❶ ㉠ •

❷ ㉡ •

❸ ㉢ •

• ㉮ 사실

• ㉯ 의견

여러 가지 설명 방법 이해하기

5

이 글에서 '포틀래치'를 설명하기 위해 사용한 방법은 무엇인가요? (   )

① 둘 이상의 대상이 가진 차이점을 제시하였다.
② 둘 이상의 대상이 가진 공통점을 제시하였다.
③ 일정한 기준에 따라 대상의 종류를 나누었다.
④ 대상의 뜻을 사전에서처럼 명확하게 풀이하였다.
⑤ 대상이 무엇인지 구체적으로 알려 주기 위해 예를 들었다.

한줄요약

6

빈칸에 알맞은 말을 넣어 이 글의 핵심 내용을 한 문장으로 요약하세요.

관습　　재물　　가치

추장이 이웃 마을 사람들에게 거만한 태도로 [　　]을 나누어 주는 콰키우틀족의 '포틀래치'라는 [　　]은 이상하게 보일 수 있으나 그 나름의 [　　]를 지닌다.

• 본문에 쓰인 낱말의 뜻을 칠판에 적어 놓았습니다. 그 뜻을 생각하면서 짧은 글을 지어 보세요.

[월등하다] 수준이나 실력이 훨씬 뛰어나다.
[조롱] 비웃거나 깔보면서 놀림.
[과대망상] 사실보다 과장하여 터무니없는 헛된 생각을 하는 증상.
[거들먹거리다] 신이 나서 잘난 체하며 자꾸 도도하게 굴다.

1 월등하다 ....

2 조롱 ....

3 과대망상 ....

4 거들먹거리다 ....

• 낱말의 뜻을 참고하여, 다음 문장의 빈칸에 들어갈 알맞은 낱말을 완성하세요.

5 그 부족의 [ㅊ][ㅈ]은 매우 지혜롭고 현명하다.
원시 사회에서 생활 공동체를 통솔하고 대표하던 우두머리.

6 사람들은 그의 어이없는 행동에 [ㅇ][ㅇ]를 보냈다.
남을 빈정거려 놀림. 또는 그런 말이나 몸짓.

7 이번 사태는 행사를 [ㅈ][최]한 측에서 책임을 져야 한다.
행사나 모임을 주장하고 기획해서 엶.

8 오랫동안 [ㅂ][ㅅ]의 칼을 갈았던 원수를 외나무다리에서 만났다.
원수를 갚음.

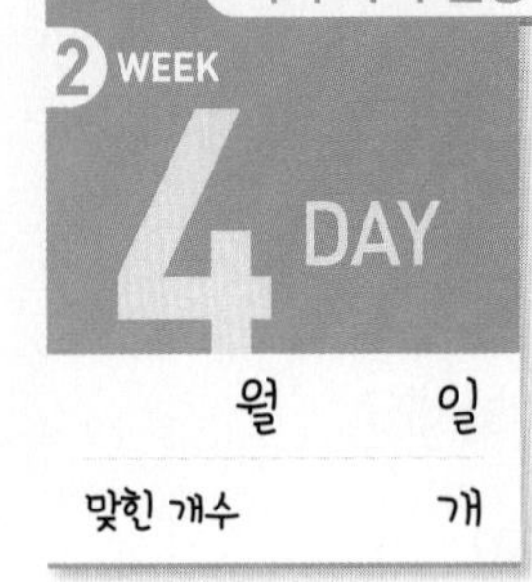

바비 인형

가 세계에서 가장 많이 팔리는 장난감은 무엇일까? 그것은 바로 바비 인형이다. 단일 장난감으로는 그 종류도 매우 다양하여 총 40여 종에 달하며, 이를 만드는 회사에 연간 10억 달러 이상의 수익을 가져다주고 있다. 지금 이 순간에도 바비 인형은 초당 2개꼴로 세계 140여 개국에서 판매되고 있다.

나 ㉠바비 인형은 판매의 측면에서뿐만 아니라 생산의 측면에서도 세계적이다. 이 인형의 제조사는 미국 기업이지만, 실제로 미국 내에서 만들어지는 인형은 단 1개도 없다. ㉡바비 인형은 1959년 최초로 생산될 때부터 미국이 아닌 일본에서 생산되었다. 당시 일본은 제2차 세계 대전의 후유증을 극복하지 못하여 다른 나라보다 노동자 임금이 낮았기 때문이다. ㉢이후 바비 인형의 생산지는 일본의 임금 수준이 높아짐에 따라 임금이 싼 다른 아시아 국가로 이동하였다.

다 그런데 바비 인형의 생산은 '사우디아라비아'에서부터 시작된다고 볼 수 있다. 사우디아라비아에서는 원유로부터 에틸렌을 뽑아내고, '대만'의 석유 회사가 이 에틸렌을 사서 플라스틱 회사에 판매하면, 플라스틱 회사는 이를 원료로 하여 구슬 모양의 폴리염화 비닐 재료를 만든다. 이 재료는 '중국', '인도네시아', '말레이시아'의 공장 중 한 군데로 보내져 '미국'산 기계를 통해 바비 인형의 몸으로 만들어진다. 여기에 '일본'에서 생산된 나일론 머리카락을 심고, '중국'에서 만든 면 옷을 입히면, 드디어 바비 인형이 탄생하는 것이다.

라 이처럼 바비 인형의 생산 과정에는 세계 여러 나라가 관련되어 있다. 사우디아라비아와 대만은 원료를 제공하고, 중국, 인도네시아, 말레이시아와 같은 아시아의 나라들은 노동력을 제공하며, 미국은 기술력을 제공하는 등, 다양한 국가들이 바비 인형 생산에 각기 다른 역할을 맡고 있다.

마 그렇다면 바비 인형의 생산지는 어느 곳일까? 만일 누군가 '차 마시는 바비 인형'을 샀다면, 그 포장 박스에는 생산지가 중국으로 쓰여 있을 것이다. 하지만 앞서 본 바와 같이 인형 제조에 사용된 재료 중, 중국에서 만들어진 것은 거의 없다. 따라서 바비 인형의 경우에 '생산지'는 원료 생산에서 완제품 출시까지의 모든 과정이 한 번에 이루어지는 나라가 아니라, 각국에서 만든 부품을 조립하여 완제품을 출시한 나라를 의미한다.

- **단일**
단 하나.
- **후유증**
어떤 일을 치르고 난 뒤 생긴 부작용.
- **임금**
근로자가 노동의 대가로 받는 보수.
- **원유**
땅속에서 뽑아낸, 정제하지 아니한 그대로의 기름.
- **출시**
상품이 시중에 나옴. 또는 시중에 내보냄.

1 **이 글에서 알 수 있는 내용이 아닌 것은 무엇인가요? (　　　)**

① 바비 인형의 생산지
② 바비 인형의 판매량
③ 바비 인형의 탄생 과정
④ 바비 인형 생산에 드는 비용
⑤ 바비 인형의 생산에 관련된 국가

2 **이 글의 내용과 일치하지 않는 것은 무엇인가요? (　　　)**

① 바비 인형이 만들어진 최초의 생산지는 일본이다.
② 바비 인형은 세계에서 가장 많이 팔리는 장난감이다.
③ 바비 인형이 완성되기 위해서는 여러 나라의 역할이 필요하다.
④ 바비 인형의 원재료는 사우디아라비아와 대만에서 만들어진다.
⑤ 바비 인형의 생산지는 원료로부터 완제품이 될 때까지의 전 과정이 이루어지는 나라이다.

여러 가지 설명 방법 이해하기

3 **다음과 같은 설명 방법이 활용된 문단의 기호를 쓰세요.**

- **과정**: 어떤 특정한 목표나 결과를 가져오게 하는 단계를 그 순서에 따라 설명한다.

(　　　　　　　)

여러 가지 설명 방법 이해하기

4

㉠~㉢ 중, 다음의 설명 방법이 활용된 것을 찾아 선으로 연결하세요.

수능에서는 다양한 설명 방법들이 글 속에서 어떻게 드러나는지 찾도록 요구하는 문제가 많이 나와. 그러니 다양한 설명 방법에는 무엇이 있는지부터 알아 둬야겠지?

❶ **비교**: 대상이 가진 공통점을 제시하는 방법 •

❷ **인과**: 어떤 현상의 원인과 결과를 밝히는 방법 •

• ㉠

• ㉡

• ㉢

여러 가지 설명 방법 이해하기

5

라 에서 활용된 설명 방법 한 가지를 보기 에서 찾아 쓰세요.

보기
- **정의**: 용어의 뜻을 명확하게 풀이하여 설명하는 방법.
- **인용**: 다른 사람이 한 말이나 글을 가져와 쓰는 방법.
- **열거**: 대상과 관련된 구체적인 정보들을 죽 늘어놓는 방법.
- **비유**: 표현하려는 대상을 그와 비슷한 성질을 가진 다른 대상에 빗대어 표현하는 방법.

(　　　　　　　　)

한줄요약

6

빈칸에 알맞은 말을 넣어 이 글의 핵심 내용을 한 문장으로 요약하세요.

완제품　　장난감　　생산지

세계적으로 가장 많이 팔리는 □□□인 바비 인형의 생산 과정에는 여러 나라가 관련되는데, 바비 인형의 포장 박스에 쓰인 □□□는 □□□을 출시한 나라를 의미한다.

• 본문에 쓰인 밑줄 친 낱말의 뜻을 찾아 바르게 연결하세요.

❶ 연간 10억 달러 이상의 수익을 가져다주고 있다.	•	• ㉠ 근로자가 노동의 대가로 받는 보수.
❷ 노동자 임금이 낮았기 때문이다.	•	• ㉡ 어떤 일을 치르고 난 뒤 생긴 부작용.
❸ 완제품을 출시한 나라를 의미한다.	•	• ㉢ 상품이 시중에 나옴. 또는 시중에 내보냄.
❹ 제2차 세계 대전의 후유증을 극복하지 못하여	•	• ㉣ 이익을 거두어들임. 또는 그 이익.

• 낱말의 뜻을 참고하여, 다음 문장의 빈칸에 들어갈 알맞은 낱말을 완성하세요.

❺ 그 가게에서는 10주년 기념 행사로 일부 제품을 할인 [ㅍ][ㅁ]하고 있다.

상품 따위를 팖.

❻ 두부는 콩을 [ㅇ][ㄹ]로 하여 만든 식품이다.

어떤 물건을 만드는 데 들어가는 재료.

❼ 하나의 물건을 만들기 위해서는 복잡한 [ㄱ][ㅈ]을 거쳐야 한다.

일이 되어 가는 경로.

❽ 중동의 [원][ㅇ] 생산에 문제가 생기면 기름값이 많이 오르게 된다.

땅속에서 뽑아낸, 정제하지 아니한 그대로의 기름.

❾ 우리나라는 다른 나라보다 배를 [제][ㅈ]하는 기술이 뛰어나다.

공장에서 큰 규모로 물건을 만듦.

❿ 민호는 저녁이 다 되어서야 장난감 로봇의 [조][ㄹ]을 다 끝내었다.

여러 부품을 하나의 구조물로 짜 맞춤. 또는 그런 것.

2 WEEK
5 DAY
월 일
맞힌 개수 개

매사냥

가 2010년 11월, 한국, 벨기에, 체코, 프랑스 등 11개국이 공동으로 신청한 매사냥이 유네스코 인류 무형 문화유산에 등재되었다. 이는 동서양을 아우른 공동 등재라는 점에서 의미가 깊다. 하지만 매사냥에 대해 아는 현대인은 그리 많지 않은 듯하다. 지금도 그 명맥을 이어 가고 있는 우리의 전통 문화유산인 매사냥에 대해 알아보자.

나 매사냥은 매를 이용해 꿩, 토끼 같은 야생 동물을 잡는 사냥법이다. 일반적인 사냥에서 동물은 주인의 사냥을 돕는 역할만 하지만, 매사냥에서 매는 주인을 대신해 짐승을 잡는 사냥꾼 역할을 한다. 매사냥의 주인공은 사람이 아니라 매인 것이다.

다 그런데 아무 매나 매사냥의 주인공이 될 수는 없다. 매사냥에 쓰이는 매는 새끼 때부터 사람 손에서 길들여진 것이어야 한다. 매가 사냥을 할 만큼 훈련이 되면 본격적인 매사냥이 시작되는데, 매사냥을 할 때 우선 매사냥꾼은 사방이 잘 보이는 산의 높은 곳으로 매를 들고 올라간다. 준비하고 있던 몰이꾼들이 꿩을 몰면, 매사냥꾼은 날아가는 꿩을 향해 매를 날리며 “매 나간다!”라고 외친다. 그러면 몰이꾼들은 매에 달아 놓은 방울 소리를 따라 신속히 가서 매를 찾는다.

라 이러한 매사냥은 언제, 어디에서 시작되었을까? 기록에 따르면 매사냥은 4,000여 년 전 고대 중앙아시아와 서아시아에서 시작되어 세계로 퍼져 나갔다. 메소포타미아 유적지에서는 매사냥꾼을 새긴 유물이 발견되었고, 마르코 폴로의 『동방견문록』에는 쿠빌라이 황제가 사냥터로 떠날 때 매 500마리를 동원한 기록이 있다.

마 우리나라는 어떠했을까? 우리나라의 경우 매사냥이 어디로부터 전해져 언제부터 시작되었는지에 대한 정확한 기록은 남아 있지 않지만, 고구려 고분 벽화에 남아 있는 매사냥 그림을 통해 이미 삼국 시대부터 매사냥이 이루어졌음을 알 수 있다. 『삼국사기』에는 신라 진평왕이 매사냥에 푹 빠져 신하들이 걱정했다는 기록도 있다. 매사냥은 주로 왕과 귀족들 사이에서 성행했다. 고려 충렬왕은 매사냥을 담당하는 응방이라는 관청을 두었고, 이를 위해 몽골에서 기술자를 데려오기도 했다.

바 지금까지 매사냥의 방법과 역사에 대해 살펴보았다. 매사냥은 많은 정성과 시간을 들여 매를 길들인 후 행해지는 사냥법이다. 이러한 매사냥은 오랫동안 이어져 내려온 우리의 소중한 전통 문화유산이지만, 지금은 소수의 사람들만이 매사냥을 이어가고 있다.

- **등재** 일정한 사항을 장부나 대장에 올림.
- **명맥** 어떤 일의 지속에 필요한 최소한의 중요한 부분.
- **동원** 어떤 목적을 달성하고자 사람을 모으거나 물건, 수단, 방법 따위를 집중함.
- **고분** 고대에 만들어진 무덤.
- **성행** 매우 성하게 유행함.

1

수능에서는
문단의 내용을 중심으로 글의 구조를 파악하는 문제가 자주 출제돼. 문장이 모여 하나의 중심 생각을 나타내는 덩어리를 문단이라고 해. 문단은 글쓴이의 생각을 효과적으로 전달하기 위한 것으로 문단 사이의 관계를 이해하는 것은 글의 내용을 파악하는 데 도움이 돼.

이 글의 구조를 다음과 같이 정리할 때, 빈칸에 들어갈 문단 기호를 쓰세요.

글의 구조		문단 기호
처음	설명 대상 제시	❶ ( )
중간	매사냥의 방법	❷ (,)
	매사냥의 역사	❸ (,)
끝	요약 및 정리	❹ ( )

2

나 ~ 다 의 내용을 참고하여 다음 빈칸에 들어갈 알맞은 말을 쓰세요.

매사냥은 매를 이용해 [❶]을 잡는 사냥법으로, 사람 손에 잘 길들여진 매를 산의 높은 곳에서 풀어 주면, 그 매는 꿩을 잡고, 몰이꾼들은 매에 달아 놓은 [❷] 소리를 따라 간다.

❶ (   )   ❷ (   )

3

'매사냥의 역사'에 대한 설명으로 적절하지 않은 것은 무엇인가요? (   )

① 기록상 매사냥은 4,000여 년 전에 시작되었다.
② 우리나라는 삼국 시대에 매사냥이 처음 시작되었다.
③ 매사냥이 처음 시작된 지역은 고대 중앙아시아와 서아시아이다.
④ 과거 우리나라의 매사냥은 주로 왕과 귀족들 사이에서 성행하였다.
⑤ 매사냥과 관련된 옛 기록은 현재 전해지는 고전 자료에서 찾아볼 수 있다.

여러 가지 설명 방법 이해하기

4

보기 는 나 에 사용된 내용 전개 방식에 대한 설명입니다. 빈칸에 들어갈 알맞은 설명 방법을 쓰세요.

보기

나 에서는 먼저 '매사냥'의 뜻을 정확하게 풀이하는 [❶]의 방법이 활용되었고, 그다음 일반적인 사냥과 매사냥의 차이점을 제시하는 [❷]의 방법이 활용되었다.

❶ (   )   ❷ (   )

여러 가지 설명 방법 이해하기

5

글쓴이가 다 를 쓰기 위해 세운 전략으로 적절한 것은 무엇인가요? (   )

① 용어의 뜻을 명확하게 풀이해야겠군.
② 둘 이상의 대상이 가진 공통점을 제시해야겠군.
③ 대상과 관련된 유사한 예들을 죽 늘어놓아야겠군.
④ 대상이 진행되는 단계와 행동을 순서에 따라 설명해야겠군.
⑤ 대상들을 일정한 기준에 따라 나누거나 묶어서 설명해야겠군.

한줄요약

6

빈칸에 알맞은 말을 넣어 이 글의 핵심 내용을 한 문장으로 요약하세요.

아시아   매사냥   사냥법

[| |]은 매를 이용해 야생 동물을 잡는 [| |]으로, 4,000여 년 전에 고대 중앙[| |]와 서아시아에서 시작되어 세계로 퍼져 나갔으며 우리나라에서도 한때 성행하였다.

• 본문에 쓰인 밑줄 친 낱말의 뜻을 찾아 바르게 연결하세요.

❶ 동서양을 아우른 공동 등재라는 점에서 •
❷ 몰이꾼들이 꿩을 몰면 •
❸ 메소포타미아 유적지에서는 •

• ㉠ 유물이나 유적이 있는 장소.
• ㉡ 여럿을 모아 한 덩어리나 한 판이 되게 하다.
• ㉢ 짐승이나 물고기를 잡으려는 곳으로 몰아넣는 사람.

• 낱말의 뜻을 참고하여, 다음 문장의 빈칸에 들어갈 알맞은 낱말을 완성하세요.

❹ 이런 디자인이 한때 매우 [ㅅ][행] 하였다.
기운이나 세력이 한창 왕성하게 유행함.

❺ 여기에서 신라 시대의 [고][ㅂ]이 발견되었다.
고대에 만들어진 무덤.

❻ 이것은 그 역사적 가치를 인정받아 문화재에 [등][ㅈ] 되었다.
일정한 사항을 장부나 대장에 올림.

❼ 그분이 돌아가시면 결국 이 일의 [ㅁ][맥]은 끊어지게 될 것이다.
어떤 일의 지속에 필요한 최소한의 중요한 부분.

❽ 처음 만난 사람과 대화할 때에는 [ㅎ][ㄷ] 관심사를 이야기하는 것이 좋다.
둘 이상의 사람이나 단체가 함께 일을 하거나, 같은 자격으로 관계를 가짐.

❾ 노래나 춤, 기술과 같이 예로부터 전해 오는 전통 문화재를 [ㅁ][형] 문화재라고 한다.
형상이나 형체가 없음.

❿ 경주의 한 지역에서 신라 시대의 [ㅠ][ㅁ]이 발견되었다.
선대의 인류가 후대에 남긴 물건.

독해 원리 학습

글의 설명 방법을 이해하려면?

설명하는 내용을 이해해요

▶ 2학년

❶ **설명하는 내용을 이해하는 방법 알기**

- 제목을 보고 짐작하기
- 대상의 특징 찾기
- 대상을 설명하는 까닭 생각하기

❷ **대상을 설명하는 다양한 글 살펴보기**

설명하는 글을 읽을 때는 다루는 대상이 무엇인지, 그것의 특징이 무엇인지를 가장 먼저 파악해야 해요.

- **설명하는 글은 '사실을 객관적으로 전달하는 것'을 목적으로 함.**
- **설명하는 글에서 활용되는 설명 방법에는** '정의, 예시, 열거, 비교, 대조, 과정, 인과' **등이 있음.**

여러 가지 설명 방법을 이해해요

▶ 5학년

❶ **설명 대상 파악하기** 설명문에서 글쓴이는 설명 대상의 특징에 따라 여러 가지 설명 방법을 사용해요.

글쓴이가 글을 쓴 목적과 함께 설명하고자 하는 대상을 파악하고 그 특징을 떠올려 봅니다.

❷ **설명 방법 찾기**

글에서 글쓴이가 설명하려는 대상의 특징을 효과적으로 전달하기 위해 여러 가지 설명 방법 중 어떤 것을 선택하여 사용하고 있는지 파악합니다.

내용 전개 방식

37. 윗글의 내용 전개 방식으로 가장 적절한 것은?

① 개체성과 관련된 예를 제시한 후 공생발생설에 대한 다양한 견해를 비교하고 있다.

② 개체에 대한 정의를 제시ㅎ… 는 과정을 서술하고 있ㄷ…

③ 개체성의 조건을 제시한 ㅎ… 발생설을 중심으로 설명하고 있다.

④ 개체의 유형을 분류한 후 세포의 소기관이 분화되는 과정을 공생발생설을 중심으로 설명하고 있다.

수능에는 글에서 대상을 어떻게 설명하고 있는지, 내용 전개 방식을 묻는 문제가 나와요.

설명 대상의 특징을 살펴라

설명하려는 대상의 특징이 무엇이냐에 따라 활용되는 설명 방법은 달라집니다. 대상과 관련된 말이 어려우면 '정의'의 설명 방법을 활용해야 하고, 대상이 일정한 단계를 거치는 현상이라면 '과정'의 설명 방법을 활용해야 하는 것처럼 말입니다. 이렇게 설명 대상의 특징을 파악하면 그에 따른 효과적인 설명 방법을 생각해 볼 수 있고, 이를 다른 대상에도 적용할 수 있게 됩니다.

글에서 설명하는 대상을 확인한다. > 설명하는 대상의 특징을 파악한다. > 대상의 특징을 잘 알려 줄 수 있는 설명 방법을 생각해 본다.

수능까지 연결되는 초등 독해

WEEK 3

글의 짜임을 파악해요

뜨개질을 배워요

시원이는 할머니께 뜨개질을 배우기로 했습니다. 할머니께서 목도리, 모자, 장갑 등 다양한 뜨개질 도안을 보여 주셨습니다. 목도리를 만들려면 시원이는 어떻게 해야 할까요?

도안을 보고 한 땀 한 땀 뜨개질을 하다 보면 목도리가 완성되겠지요. 목도리의 전체적인 짜임을 도안으로 나타내듯이 글에서도 그 핵심을 한눈에 파악할 수 있도록 글의 짜임을 표로 나타낼 수 있습니다. 왜냐하면 **글은 종류에 따라 일정한 짜임을 가지고 있기** 때문입니다. 글의 짜임을 알면 **글의 내용**이 전체적으로 어떻게 **전개**되는지 쉽게 파악할 수 있어요. 그 글이 설명하는 글이라면 설명하는 글의 짜임에 따라 글의 내용을 파악하면 되고, 그 글이 이야기하는 글이라면 이야기하는 글의 짜임에 따라 내용을 파악하면 된답니다. 자, 그럼 이제 글의 종류에 따라 짜임이 어떻게 달라지는지 알아볼까요?

다중 지능 이론

가 '지능'이란 무엇일까? 지능을 바라보는 시각은 매우 다양한데, 이 중 미국의 심리학자 하워드 가드너는 지능이 여덟 가지의 독립적인 능력으로 이루어져 있다고 설명하였다. 지금부터 이 여덟 가지 지능이 무엇인지 살펴보자.

나 첫째, 언어 지능이다. 단어와 문장을 사용하거나 논쟁하고 설득하는 등 언어를 활용해 자신의 목적을 효과적으로 달성할 수 있는 능력을 말한다. 시인, 소설가, 교사, 코미디언 등에게 매우 필요한 능력이다.

둘째, 논리·수학 지능이다. 숫자나 기호를 활용해 논리적 추론을 하는 능력으로, 수학자나 과학자들에게 매우 필요한 능력이다. 뉴턴, 아인슈타인과 같은 인물들은 바로 이 지능이 발달한 사람들이다.

셋째, 신체·운동 지능이다. 신체를 사용해 목적을 달성할 수 있는 능력으로, 운동 능력, 손으로 무언가를 만드는 능력, 신체를 활용해 생각을 표현하는 능력 등이 있다. 운동 선수, 기술자, [㉠], 배우 등에게 매우 중요한 지능이다.

넷째, 공간 지능이다. 공간을 인식하고 이를 변형시키는 능력으로, 예를 들면 자신이 본 것을 다른 형태의 그림으로 그리거나 새로운 형태로 만들어 내는 것이다. 화가, 조각가, [㉡], 항해가 등에게 꼭 필요한 지능이다.

다섯째, 음악 지능이다. 리듬과 멜로디를 인식하고 만들어 내는 능력으로, 소리 속에서 어떤 패턴을 찾거나 조화로운 소리를 만들어 내는 것 등과 관련이 있다. 가수, 작곡가, 연주가, [㉢] 등에게 필요한 능력이다.

여섯째, 대인 관계 지능이다. 다른 사람의 기분·의도·느낌 등을 인식하고 구분해서 영향력을 끼치는 능력이다. 사람의 기분을 잘 파악하고 사람들을 자기편으로 잘 끌어들이는, 이를테면 [㉣]나 사업가에게 발달된 지능이다.

일곱째, 개인 이해 지능이다. 자신의 내면을 잘 들여다보고 관리할 수 있는 능력으로, 인간의 본모습을 정확하게 파악하고 생각이나 감정을 잘 표현하는 능력까지 의미한다. 종교인이나 철학자, 심리학자와 관련이 깊은 지능이다.

다 하워드 가드너가 제시한 지능 유형은 이 여덟 가지로, 모두 별개의 능력이며 이 능력이 필요한 직업에도 차이가 있다. 이 관점에서는 지능이 높고 낮음이 아니라 어떤 지능은 좀 더 발달하고 어떤 지능은 좀 덜 발달한 것으로 본다.

• **논쟁**
서로 다른 의견을 가진 사람들이 각각 자기의 주장을 말이나 글로 논하여 다툼.

• **패턴**
일정한 형태나 양식 또는 유형.

• **내면**
밖으로 드러나지 아니하는 사람의 속마음.

• **별개**
관련성이 없이 서로 다름.

1

이 글을 통해 알 수 있는 내용으로 알맞지 않은 것은 무엇인가요? (   )

① 길을 잘 찾는 사람은 공간 지능이 발달했다고 볼 수 있다.
② 개인 이해 지능이 높은 사람일수록 논리적 추론 능력이 크다.
③ 말하고 듣고 쓰고 읽는 능력과 관련된 지능은 언어 지능이다.
④ 다른 사람의 아픔에 공감할 수 있는 능력은 대인 관계 지능과 관련이 있다.
⑤ 운동 신경이 좋거나 손재주가 있는 사람들은 신체·운동 지능이 발달했을 가능성이 있다.

글의 짜임 파악하기

2

이 글에서 가~다의 역할에 대한 설명으로 알맞지 않은 것은 무엇인가요? (   )

① 가에서는 독자의 관심을 유도하고 설명할 대상을 안내하고 있다.
② 나에서는 여러 가지 설명 방법을 활용하여 대상을 설명하고 있다.
③ 나에서 설명 대상에 대한 구체적이고 자세한 정보를 전달하고 있다.
④ 다에서는 앞서 설명한 내용을 간단하게 요약하고 정리하고 있다.
⑤ 가와 다에는 설명 대상에 대한 글쓴이의 주관적 의견이 제시되어 있다.

3

수능에서는
내용이 연결되거나 비슷한 어구를 여러 개 늘어놓는 표현 방법을 열거라고 해. 나열과 비슷한 의미를 가진 말이야.

나에서 글쓴이가 대상을 설명하고 있는 방법은 무엇인가요? (   )

① 설명할 내용을 차례대로 열거하고 있다.
② 다른 사람이 한 말을 그대로 가져와 쓰고 있다.
③ 대상이 완성되어 가는 과정을 순서대로 설명하고 있다.
④ 대상을 그와 유사한 다른 대상에 빗대어 설명하고 있다.
⑤ 상황이 일어난 원인을 밝히고 그에 따른 결과를 제시하고 있다.

4 ㉠~㉣에 들어갈 알맞은 낱말을 보기 에서 찾아 쓰세요.

보기

탐험가 무용가 정치가 음향 감독

❶ ㉠ (   ) ❷ ㉡ (   )
❸ ㉢ (   ) ❹ ㉣ (   )

글의 짜임을 파악해요 글에는 일정한 흐름이 있는데, 글의 흐름을 알면 글의 내용을 이해하는 데 도움이 됩니다. 저학년에서는 시간, 차례, 장소의 변화를 나타내는 말에 주의하며 글의 흐름을 파악했다면, 고학년에서는 글의 종류에 따른 짜임을 더 자세히 알고 짜임에 맞게 내용을 예측할 수 있어야 합니다.

저학년에서는 글의 흐름을 파악해요 → 고학년에서는 글의 짜임을 파악해요

글의 짜임 파악하기

5 나 의 끝부분에 내용을 추가한다고 할 때, 가장 적절한 것은 무엇인가요? (   )

① 하워드 가드너와 다른 관점으로 지능을 바라본 학자의 생각을 제시한다.
② 하워드 가드너가 제시한 여덟 개의 지능 중 어디에도 해당하지 않는 직업의 예를 제시한다.
③ 하워드 가드너가 제시한 여덟 번째 지능의 의미와 이 지능과 관련이 깊은 직업의 예를 제시한다.
④ 하워드 가드너가 지능이 여덟 개의 독립적인 능력으로 이루어져 있다고 생각한 이유를 제시한다.
⑤ 하워드 가드너가 제시한 여덟 번째 지능이 나머지 일곱 개의 지능과 어떻게 다른지를 비교하여 설명한다.

한줄요약

6 빈칸에 알맞은 말을 넣어 이 글의 핵심 내용을 한 문장으로 요약하세요.

독립 지능 음악

심리학자 하워드 가드너에 따르면 인간의 [ ][ ]은 언어, 논리·수학, 신체·운동, 공간, [ ][ ], 대인 관계, 개인 이해, 자연 이해라는 여덟 가지의 [ ][ ]적인 능력으로 이루어져 있다.

• 낱말이 한자로는 어떻게 쓰이는지 살펴보고, 예문을 참고해 빈칸을 채워 보세요.

❶ 知能

알 [ㅈ]
능할 [ㄴ]

[ㅈ|ㄴ]이 높다고 해서 누구나 공부를 잘하는 것은 아니다.

❷ 視角

볼 [ㅅ]
모퉁이 [각]

이 문제에 대한 사람들의 [ㅅ|각] 차이가 크다.

❸ 論爭

말할 [논]
다툴 [ㅈ]

그들은 사소한 주제로도 자주 [논|ㅈ]을 벌였다.

• 낱말의 뜻을 참고하여, 다음 문장의 빈칸에 들어갈 알맞은 낱말을 완성하세요.

❹ 이 사건과 그의 사생활은 완전히 [별|ㄱ]의 문제이다.

관련성이 없이 서로 다름.

❺ 환경 오염의 심각성을 [인|ㅅ]하고 이를 해결하기 위한 노력이 필요하다.

사물을 분별하고 판단해서 아는 일.

❻ 네가 알고 있는 것들을 활용해서 [ㅊ|ㄹ]을 하면 답을 찾을 수 있을 것이다.

미루어 생각하여 논함.

❼ 네가 진정 무엇을 원하는지 알고 싶다면 주위를 둘러보지 말고 너의 [ㄴ|ㅁ]을 들여다봐라.

밖으로 드러나지 아니하는 사람의 속마음.

월 일
맞힌 개수 개

쓰고 또 쓰자

가 새 집, 새 물건을 싫어하는 사람은 없다. 누구나 깨끗하고 쾌적한 새 집에서 살기를 원하고, 최신 유행을 따라 새 물건을 갖기를 원한다. 그래서 현대인들은 참 빨리 물건을 바꾸는데, 이러한 '새것 사랑'은 위험한 결과를 초래할 수 있다.

나 '새것 사랑'이 가져올 수 있는 가장 심각한 문제는 ㉠'건강을 잃는 것'이다. 새 집에 들어가거나 새 가구를 사용하다 보면 시큼한 냄새와 함께 눈이 따갑고 숨을 쉬기 곤란한 경험을 하게 된다. 이것은 집 내장재나 목재 가구를 가공할 때 접착제로 쓰는 포름알데히드 때문이다. 포름알데히드는 카펫, 살균제, 가스 주방 기구, 매니큐어, 신문, 페인트, 담배 연기, 벽지 등 우리가 사용하는 거의 모든 물건에 들어 있다. 아주 적은 양이라도 공기 중으로 뿜어져 나오면 유독 가스로 변해서 불면증과 천식을 일으키고 유전자까지 변화시키는 환경 호르몬 물질인 포름알데히드는 '새것'일수록 그 독성이 강해서 우리의 건강에 치명적인 문제를 가져올 수 있다.

다 '새것 사랑'의 또 다른 문제는 ㉡'과도한 쓰레기를 발생시키는 것'이다. 사람들은 아직 쓸 만한 물건인데도 단지 싫증이 났다는 이유로 쉽게 버린다. 사용하는 데 아무런 문제가 없음에도 그저 유행이 지났다는 이유만으로 멀쩡한 휴대 전화를 새것으로 바꾸기도 한다. 사람들의 '새것 사랑'에 힘입어 기업은 '새것'을 많이 만들어 소비자들을 유혹한다. 그러면 소비자들은 이에 부응하여 많이 사고 쉽게 버리는 일을 반복한다. 이 때문에 지구는 거대한 쓰레기장으로 변해 가고 있다.

라 그렇다면 이러한 문제들을 어떻게 해결할 수 있을까? 가장 좋은 방법은 무엇이든 ㉢'오래오래 쓰는 것'이다. 휴대 전화나 냉장고는 물론 볼펜이나 양말 한 짝까지도 본래의 기능을 다할 때까지 충분히 쓰면 된다. 많이 사지 않고 쉽게 버리지 않는 것이 환경 호르몬에 덜 노출되고 쓰레기를 줄일 수 있는 최고의 방법인 것이다. 또 다른 방법은 ㉣'중고품을 사는 것'이다. 환경 호르몬은 시간이 흐르면 독성이 점점 약해진다. 중고품은 환경 호르몬의 독성이 이미 다 날아가 버린 상태이므로 안심하고 사용할 수 있다.

마 현대인의 '새것 사랑'은 자신의 건강과 지구의 환경을 모두 위협한다. 모든 생명체가 지구에서 함께 오래오래 살기 위해서는 이제 바뀌어야 한다. 오늘부터라도 내가 가진 물건이든 남이 쓰던 물건이든 그 쓸모를 다할 때까지 쓰고 또 쓰자.

- **초래** 어떤 결과를 가져오게 함.
- **내장재** 건축물의 내부에 대한 마무리와 장식을 하는 데 쓰는 재료.
- **가공** 원자재나 반제품에 손을 더 대어 새로운 제품을 만드는 일.
- **과도** 정도에 지나침.
- **부응** 어떤 요구나 기대 따위에 좇아서 응함.

1 글쓴이가 해결하고자 하는 가장 근본적인 문제 상황은 무엇인가요? (   )

① 현대인들이 건강을 잃는 것
② 쓰레기가 과도하게 발생되는 것
③ 기업들이 '새것'을 많이 만들어 소비자들을 유혹하는 것
④ 물건의 쓸모가 남아 있음에도 자주 새것으로 바꾸는 것
⑤ 새 집이나 새 물건일수록 포름알데히드가 많이 배출되는 것

글의 짜임 파악하기

수능에서는 논설문의 구조와 각 부분의 역할에 대해 묻는 문제가 나와. 일반적으로 논설문처럼 주장하는 글은 서론-본론-결론으로 이루어져 있어.

2 글에서 하는 역할에 따라 이 글을 크게 세 부분으로 나눌 때, 가~마를 알맞게 나누어 써 보세요.

논설문의 구조	각 부분의 역할	문단 기호
서론	글을 쓰게 된 배경을 밝히거나 문제를 제기한다.	❶ ( )
본론	여러 가지 근거를 들어 주장을 펼친다.	❷ (, ,)
결론	본론의 내용을 요약하고 주장을 다시 한 번 강조하면서 마무리한다.	❸ ( )

3 글쓴이가 자신의 생각을 독자들에게 효과적으로 전달하기 위해 활용한 방법은 무엇인가요? (   )

① '새것 사랑'의 현상이 나타나는 과정을 시간 순서대로 전개하고 있다.
② '새것 사랑'과 관련된 여러 가지 예의 공통점과 차이점을 나누어 설명하고 있다.
③ '새것 사랑'이 가져올 수 있는 문제점을 제시하고 이를 해결하기 위한 방법을 제안하고 있다.
④ '새것 사랑'에 대한 사람들의 일반적인 인식을 설명하고 그러한 인식의 문제점을 분석하고 있다.
⑤ '새것 사랑'이 무엇인지 구체적으로 밝히고 그것이 가져오는 문제 상황을 단계별로 제시하고 있다.

글의 짜임 파악하기

4 **이 글의 중심 내용을 다음 표에 따라 정리할 때, ㉠~㉣ 중 각각에 들어갈 알맞은 것의 기호를 쓰세요.**

'새것 사랑'의 위험성	→	해결 방법
❶ (　　,　　)		❷ (　　,　　)

5 **이 글에서 글쓴이가 궁극적으로 주장하는 것은 무엇인가요? (　　)**

① 가능하면 '새것'은 만들지 말자.
② 쓰레기를 아무 데나 함부로 버리지 말자.
③ 물건은 가능한 오래 쓰고 중고품을 애용하자.
④ 물건을 만들 때 포름알데히드는 사용하지 말자.
⑤ 환경 호르몬이 발생하는 물건을 사용하지 말자.

 한줄요약

6 **빈칸에 알맞은 말을 넣어 이 글의 핵심 내용을 한 문장으로 요약하세요.**

오래　　건강　　중고품　　쓰레기

'새것'만 쓰려고 하다 보면 환경 호르몬으로 인해 [　　] 이 나빠질 수도 있고 [　　　] 도 많이 생기므로, 가능하면 물건을 [　　] 사용하고 [　　　] 을 사도록 노력해야 한다.

• **본문에 쓰인 낱말의 뜻을 칠판에 적어 놓았습니다. 그 뜻을 생각하면서 짧은 글을 지어 보세요.**

[내장재] 건축물의 내부에 대한 마무리와 장식을 하는 데 쓰는 재료. 쾌적한 실내 환경을 만들기 위한 소재로서 천장재, 벽재, 바닥재 따위가 있다.
[유독 가스] 독성이 있어 생물에 큰 해가 되는 기체.
[환경 호르몬] 인체의 내분비 계통에 이상을 가져올 가능성이 있는 물질을 통틀어 이르는 말.

❶ 내장재 ……………………

❷ 유독 가스 ……………………

❸ 환경 호르몬 ……………………

• **낱말의 뜻을 참고하여, 다음 문장의 빈칸에 들어갈 알맞은 낱말을 완성하세요.**

❹ [과][ㄷ]한 운동은 오히려 건강을 해칠 수 있다.
정도에 지나침.

❺ [가][ㄱ] 식품을 많이 먹는 것은 몸에 좋지 않다.
원자재나 반제품에 손을 더 대어 새로운 제품을 만드는 일.

❻ 이 동네는 환경이 무척 [ㅋ][ㅈ]해서 주민들의 만족도가 높다.
기분이 상쾌하고 즐겁다.

❼ 그 선수는 국민의 기대에 [ㅂ][ㅇ]하기 위해 끝까지 최선을 다했다.
어떤 요구나 기대 따위에 좇아서 응함.

❽ 누구의 말도 듣지 않는 그의 고집이 결국 그의 불행을 [ㅊ][래]한 것이다.
어떤 결과를 가져오게 함.

놀부전 _ 류일운

"여보, 이제 흥부네 가족이 찾아오면 절대 도와주지 마시오. 도와주는 것도 한두 번이지 자꾸 도와주니까 의지만 하고 스스로 일할 생각을 하지 않는 것 같구려."

"그러다 굶어 죽으면 어떡해요?"

"내게 다 생각이 있으니 당신은 절대 도와주면 안 돼요. 마음이 아파도 냉정하게 대하시오." / 그때 흥부가 도움을 청하러 왔어요.

"형님, 좀 도와주십시오. 아내와 아이들이 굶고 있습니다."

"이제부터 네 가족은 네가 책임져라. 네가 열심히 벌어서 아이들을 먹이고 공부도 시키란 말이다." / "형님, 다시는 손 벌리지 않을 테니 한 번만 도와주세요."

"아버지로부터 물려받은 재산을 다 까먹고 또 내가 얼마나 도와주었느냐? 이제부터 너와 나는 형제도 아니니 썩 물러가거라."

놀부는 흥부를 계속 나무랐어요. 결국 흥부는 쌀 한 톨도 받지 못하고 놀부네 집에서 쫓겨났지요.

'형님은 정말 너무해. 형님이 나보다 재산도 더 많이 물려받았잖아. 그리고 형님은 부자잖아. 가난한 동생을 좀 도와주면 어때! 칫, 어디 두고 봐. 꼭 보란 듯이 성공하고 말 거야. 그때는 내가 형님을 모른 체할 거야.'

'무엇을 해서 가족을 먹여 살리지? 무엇을 해야 보란 듯이 성공할 수 있을까? 농사를 짓자니 물려받은 논밭은 이미 다 팔았고, 장사를 하자니 밑천이 없고, 품삯을 받고 남의 집 일을 하자니 양반 체면이 말이 아닌데…….'

흥부는 아무리 생각해도 마땅한 돈벌이가 떠오르지 않았어요. 그때 바깥에서 소리가 들렸어요. / "주인장 계시오?"

흥부가 방문을 열고 나갔어요. / "내가 이 집 주인인데, 누구시오?"

"나는 바가지 장수올시다. 당신 지붕 위에 열린 박이 하도 탐스러워 말이오. 저 박을 타서 바가지를 만들어 내게 팔지 않겠소? 값을 후하게 쳐 드리리다."

"아무렴 팔고 말고요!"

흥부네 가족은 얼른 박을 타서 바가지를 만들었어요. 그리고 바가지를 팔아서 많은 돈을 벌었지요.

[중간 부분 줄거리] 흥부네 가족은 박씨를 더 많이 심고 다음 해 열린 박을 전부 타서 직접 바가지 장수로 나섰다. 흥부가 만든 바가지는 잘 팔리고 흥부네 가족은 큰 부자가 된다.

- **냉정**
감정에 사로잡히지 않고 침착함.
- **톨**
밤이나 곡식의 낱알을 세는 단위.
- **품삯**
일한 데 대한 대가로 주는 돈이나 물건.
- **체면**
남을 대하기에 떳떳한 도리나 면목.
- **후하게**
인색하지 않고 넉넉하게.

[A]

'이만하면 내가 형님보다 더 부자겠지. 형님 집에 가서 누가 더 부자인지 가려 봐야겠다!'

흥부는 놀부 집으로 달려가 몰래 곳간을 열어 봤어요. 그런데 곳간에 곡식은 없고 바가지만 가득했지요. 바로 흥부가 바가지 장수에게 팔았던 바가지였어요.

'아, 형님이 나를 위해 이렇게 했던 거구나.'

흥부는 그제야 놀부의 마음을 알아차렸어요. 흥부는 방으로 뛰어 들어갔어요.

㉠

그 뒤 흥부와 놀부는 더욱 사이좋게 지냈답니다.

1 **이 글에서 갈등이 일어나는 원인을 다음과 같이 정리할 때, 빈칸에 들어갈 알맞은 말을 쓰세요.**

> 흥부는 일을 하지 않고 [❶]에게 도움을 받으려 하지만, 놀부는 흥부가 스스로 일을 해서 [❷]을 벌어야 한다고 생각한다.

❶ (　　　　　　)　　　❷ (　　　　　　)

2 **이 글에서 다음과 같은 역할을 하는 소재를 찾아 쓰세요.**

수능에서는
이야기 글과 관련된 문제로 소재의 의미와 기능을 묻는 문제가 자주 출제돼. 이야기 글에서 소재는 사건을 이끌어 가거나 인물의 심리를 드러내는 데 중요한 역할을 하기도 해.

> 흥부가 돈을 벌어 부자가 된 계기이자 놀부의 진심을 깨닫게 하는 역할을 한다.

(　　　　　　)

글의 짜임 파악하기

3 **이 글의 구성 단계상 [A]의 특징으로 알맞은 것은 무엇인가요? (　　)**

① 인물과 배경이 소개된다.
② 본격적인 사건이 시작된다.
③ 인물 간의 갈등이 점점 커진다.
④ 갈등 해결의 실마리가 제시된다.
⑤ 갈등이 해소되고 사건이 마무리된다.

글의 짜임 파악하기

4

㉠에 들어갈 내용으로 가장 알맞은 것은 무엇인가요? (   )

① 흥부가 놀부에게 사과를 하고 놀부는 흥부를 용서하며 흥부의 성공을 자랑스러워한다.
② 흥부가 놀부에게 사과하지만 놀부는 흥부가 또 게을러질 것을 걱정하여 냉정하게 대한다.
③ 흥부는 곳간에 곡식은 없고 바가지만 가득한 놀부를 비웃으며 자신이 성공한 것을 자랑한다.
④ 흥부는 자신을 속인 놀부에게 화를 내고 놀부는 아직 정신을 차리지 못한 흥부를 한심하게 여긴다.
⑤ 흥부는 자신을 위해 바가지를 사 준 놀부에게 바가지 값을 주고 이에 놀부는 화를 내며 흥부를 쫓아낸다.

5

이 글을 통해 글쓴이가 독자에게 말하고자 하는 바로 알맞지 않은 것은 무엇인가요? (   )

① 가장이라면 스스로 일을 해서 가족을 책임져야 한다.
② 아무리 힘든 상황이라도 상대방을 무시해서는 안 된다.
③ 일을 할 때는 자신이 잘할 수 있는 것부터 시작하는 것이 좋다.
④ 무조건 도와주기만 하는 것은 그 사람을 진정으로 도와주는 것이 아니다.
⑤ 자신에게 싫은 소리를 하는 사람을 무조건 미워하기보다 그 이유를 먼저 생각해 볼 필요가 있다.

한줄요약

6

빈칸에 알맞은 말을 넣어 이 글의 핵심 내용을 한 문장으로 요약하세요.

진심	도움	부자

놀부는 일을 하지 않고 [ ] 만 받으려 하는 흥부가 스스로 일을 해서 돈을 벌도록 몰래 뒤에서 도와주고, 덕분에 [ ] 가 된 흥부는 놀부의 [ ] 을 알게 되어 서로 사이좋게 지낸다.

• **본문에 쓰인 밑줄 친 낱말의 뜻을 찾아 바르게 연결하세요.**

1. 쌀 한 톨도 받지 못하고 놀부네 집에서 쫓겨났지요. •
2. 장사를 하자니 밑천이 없고 •
3. 품삯을 받고 남의 집 일을 하자니 •

• ㉠ 일한 데 대한 대가로 주는 돈이나 물건.

• ㉡ 밤이나 곡식의 낱알을 세는 단위.

• ㉢ 어떤 일을 하는 데 바탕이 되는 돈이나 물건, 기술, 재주 따위.

• **낱말의 뜻을 참고하여, 다음 문장의 빈칸에 들어갈 알맞은 낱말을 완성하세요.**

4. 이 가게의 [ㅈ][ㅇ][장]은 항상 따뜻하게 손님을 맞아 준다.
   주인을 높여 일컫는 말.
5. 나는 그 친구 말고는 [ㅇ][ㅈ]할 사람이 아무도 없다.
   마음을 기대어 도움을 받음. 또는 그 대상.
6. 이 집의 [ㄱ][간]은 항상 곡식으로 가득 차 있다.
   식량이나 물건 등을 간직해 보관하는 곳.
7. 그는 아무리 큰일이 일어나도 항상 [ㄴ][ㅈ]하게 행동한다.
   감정에 사로잡히지 않고 침착함.
8. 내 [ㅊ][면]을 봐서라도 이번 일은 그냥 넘어갑시다.
   남을 대하기에 떳떳한 도리나 얼굴.
9. 옛날에는 쌀을 씻기 위해 [ㅂ][ㄱ][ㅈ]를 사용하기도 하였다.
   박을 두 쪽으로 쪼개거나 또는 그와 비슷하게 만들어 물을 푸거나 물건을 담는 데 쓰는 그릇.

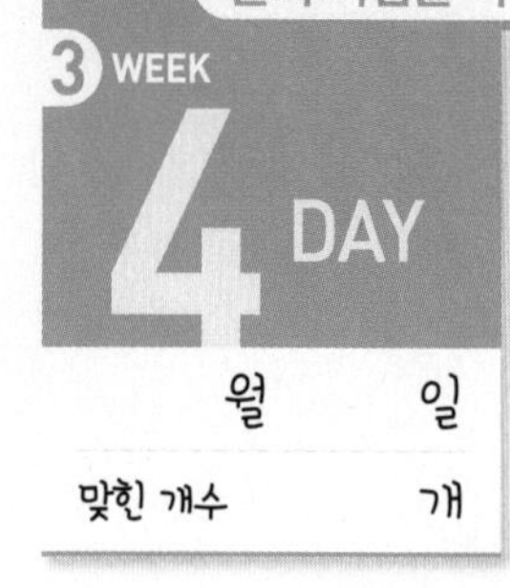

지네장터

가 옛날, 어느 마을에 앞을 못 보는 아버지와 순이가 살고 있었다. 순이는 어려서 어머니를 여의고 남의 집 일을 해 주며 밥과 옷을 얻어다가 아버지를 봉양하면서도, 아버지께 호강 한 번 못 시켜 드리는 것을 늘 안타까워하였다.

나 하루는 순이가 부엌에서 밥을 푸고 있는데, 두꺼비 한 마리가 조그마한 구멍에서 기어 나왔다. 순이는 두꺼비가 불쌍하여 밥 한 숟가락을 떠 주었다. 두꺼비는 고맙다는 듯 눈을 끔벅이고 맛있게 밥을 먹고 돌아갔다. 그 후로 두꺼비는 끼니때만 되면 순이를 찾아왔고, 그때마다 순이는 밥을 주었다. 그러는 사이 순이와 두꺼비는 둘도 없는 친구가 되었고, 두꺼비는 무럭무럭 자라서 큰 강아지만큼이나 되었다.

다 어느 날, 장터 마을에 큰 지네가 나타나 사람들을 해치기 시작하였다. 마을 사람들이 한 자리에 모여 지네를 물리칠 방법을 의논해 보았지만, 뾰족한 방법이 없었다. 지네의 횡포가 날이 갈수록 더해만 갔다. 그러자 마을 사람들은 지네를 위하여 당집을 짓고 해마다 처녀를 제물로 바치기로 하였다. 그런데 제물로 바칠 처녀를 아무리 해도 찾을 수가 없자 다른 마을에서 처녀를 사 오기로 하였다.

순이가 사는 마을에도 이 소문이 퍼졌다. 순이는 앞을 못 보는 아버지를 호강시켜 드리기 위해 제물이 되기로 결심하고 처녀를 사러 온 사람들을 찾아갔다.

라 사람들은 흰 베로 순이의 손과 발을 묶어 당집 안 넓은 마룻바닥에 앉혀 놓고 제사를 지냈다. 제사를 마치자, 사람들은 순이만 남겨 두고 문을 잠그고 가 버렸다.

순이는 이제 죽는가 보다 하고 눈을 감고 있는데, 무엇인가 움직이는 것이 보였다. 깜짝 놀라 자세히 보니 친하게 지내던 두꺼비였다. 순이는 반가웠지만 몸이 묶여 있어 어떻게 하지 못하였다. 그저 두꺼비가 어떻게 여기까지 왔을까 생각하는 사이, 첫 닭이 울었다. 그러자 당집의 촛불이 꺼지며 찬바람이 일고, 천장에서 붉은 불빛이 비쳤다. 기다렸다는 듯이 두꺼비는 천장을 향해 푸른 빛을 쏘아 올렸다.

마 날이 밝자 마을 사람들이 처녀의 시체를 거두려고 당집 문을 열었는데, 흉측한 지네가 바닥에 죽어 있었고, 기절하여 쓰러진 처녀 옆에는 두꺼비가 죽어 있었다.

정신을 차린 순이가 간밤의 일을 이야기했다. 두꺼비가 그동안의 은혜를 갚기 위해 순이를 뒤따라와서 독을 뿜어 지네를 죽이고 기운이 다하여 자기도 죽었던 것이다. 이 일 이후, 사람들은 당집이 있는 이 장터를 '지네장터'라 부르게 되었다.

- **봉양**
부모나 조부모와 같은 웃어른을 받들어 모심.
- **호강**
호화롭고 편안한 삶을 누림. 또는 그런 생활.
- **횡포**
제멋대로 굴며 몹시 난폭함.
- **당집**
서낭당 따위와 같이 신을 모셔 두는 집.
- **베**
삼실·무명실·명주실 따위로 짠 천.

1 **이 글의 내용과 일치하지 않는 것은 무엇인가요? (   )**

① 두꺼비는 순이가 주는 밥을 먹고 큰 강아지만큼 자랐다.
② 두꺼비는 순이를 위해 지네와 싸우고 결국 자신도 죽게 되었다.
③ 순이는 어머니가 일찍 돌아가시고 앞을 못 보는 아버지를 모시고 살았다.
④ 순이는 아버지를 호강시켜 드리기 위해 돈을 받고 지네의 제물이 되기로 하였다.
⑤ 순이가 사는 마을에 큰 지네가 나타나 사람들을 해치자 사람들은 지네에게 처녀를 제물로 바치기로 했다.

글의 짜임 파악하기

2 **이 글에서 사건을 전개하는 방식으로 알맞은 것은 무엇인가요? (   )**

수능에서는
문학 작품 속 사건이 어떻게 전개되는지 묻는 문제가 나와. 주로 시간 순서에 따라 사건이 진행되기도 하고 현재에서 과거를 떠올리는 방식으로 진행되기도 해. 사건이 일어난 시간 순서대로 내용을 정리해 보면 작품을 이해하는 데 큰 도움이 된단다.

① 사건이 일어난 시간 순서에 따라
② 현재로부터 과거로 돌아가는 방식으로
③ 현재와 과거를 왔다 갔다 교차하는 방식으로
④ 인물이 이동하는 새로운 장소의 변화에 따라
⑤ 인물이 과거의 사건을 회상하는 순서에 따라

3 **다음을 참고할 때, 이 글을 쓴 목적을 추측한 것으로 가장 적절한 것은 무엇인가요? (   )**

> 이 글은 전설에 해당한다. 전설은 옛날부터 사람의 입에서 입으로 전해 내려오는 이야기로, 지역이나 자연물의 유래가 담겨 있는 경우가 많다.

① 모든 동물이 위험한 것은 아니라는 것을 알려 주려고
② 옛날에는 자식이 부모를 어떻게 모셨는지 보여 주려고
③ 두꺼비와 지네의 사이가 좋지 않은 이유를 설명하려고
④ 당집이 있는 이 장터가 '지네장터'라고 불리게 된 이유를 설명하려고
⑤ 과거에 마을에 좋지 않은 일이 생겼을 때 그것을 해결하던 방법을 알려 주려고

4

이 글에 등장하는 인물 사이의 관계를 '긍정적 관계'과 '부정적 관계'로 구분할 때, 각각에 해당하는 관계를 찾아 바르게 연결하세요.

❶ 순이와 순이 아버지 •
❷ 순이와 두꺼비 •
❸ 순이와 지네 •
❹ 두꺼비와 지네 •

• ㉮ 긍정적 관계
• ㉯ 부정적 관계

5

이 글을 통해 얻을 수 있는 교훈으로 적절한 것은 무엇인가요? (   )

① 아무리 노력해도 운이 따르지 않으면 소용이 없다.
② 지나치게 욕심을 부리면 결국 큰 손해를 보게 된다.
③ 착한 마음으로 착한 일을 하면 언젠가는 좋은 일이 생긴다.
④ 무심코 뱉은 말 한 마디가 상대방에게는 큰 상처가 될 수 있다.
⑤ 아무리 가난해도 열심히 일을 하면 언젠가는 부자가 될 수 있다.

한줄요약

6

빈칸에 알맞은 말을 넣어 이 글의 핵심 내용을 한 문장으로 요약하세요.

제물　　지네　　두꺼비　　아버지

순이는 앞 못 보는 [ ][ ][ ]를 위해 돈을 받고 지네의 [ ][ ]이 되는데, 순이의 도움을 받았던 [ ][ ][ ]가 [ ][ ]를 물리치고 순이를 구해 주게 되고, 훗날 이 일이 있던 곳을 지네장터라고 부르게 된다.

• 본문에 쓰인 밑줄 친 낱말의 뜻을 찾아 바르게 연결하세요.

1. 순이는 어려서 어머니를 여의고
2. 흉측한 지네가 바닥에 죽어 있었고
3. 마을 사람들은 지네를 위하여 당집을 짓고
4. 밥과 옷을 얻어다가 아버지를 봉양하면서도

- ㉠ 부모나 조부모와 같은 웃어른을 받들어 모심.
- ㉡ 서낭당 따위와 같이 신을 모셔 두는 집.
- ㉢ 부모나 사랑하는 사람이 죽어서 이별하다.
- ㉣ 몹시 흉악하다.

• 낱말의 뜻을 참고하여, 다음 문장의 빈칸에 들어갈 알맞은 낱말을 완성하세요.

5. 변 사또가 [ㅎ][ㅍ]를 부려도 춘향이는 끄덕하지 않았다.
   제멋대로 굴며 몹시 난폭함.

6. 아무리 바빠도 [ㄲ][ㄴ]는 거르지 말고 꼭꼭 챙겨 먹어라.
   아침·점심·저녁과 같이 날마다 일정한 시간에 먹는 밥. 또는 먹는 일.

7. 그녀는 평생 고생만 하신 부모님을 [ㅎ][강]시켜 드리고 싶었다.
   호화롭고 편안한 삶을 누림. 또는 그런 생활.

8. 까치는 선비에게 [ㅇ][ㅎ]를 갚기 위해 머리로 종을 세 번 받아 쳤다.
   고맙게 베풀어 주는 신세나 혜택.

9. 그들은 신에게 제사를 지내며 새끼 양을 [ㅔ][ㅁ]로 바쳤다.
   제사 지낼 때 바치는 물건이나 짐승 따위.

월 일
맞힌 개수 개

천 년의 역사가 숨 쉬는 국립 경주 박물관

가 경주는 신라 천 년의 수도로, 도시 전체가 하나의 박물관이라고 해도 될 만큼 곳곳에 신라의 유적이 남아 있다. 나는 그동안 책에서만 보았던 신라의 문화재를 직접 보고 싶어서 국립 경주 박물관에 가 보기로 하였다.

나 ㉠국립 경주 박물관에서 가장 먼저 간 곳은 신라 역사관이다. 이곳에는 선사 시대의 돌도끼부터 신라 시대의 금관에 이르기까지, ㉡간단한 생활 도구를 비롯하여 전쟁에 사용된 무기 등 매우 다양한 유물들이 있었는데, 그중 가장 기억에 남는 것은 국보로 지정된 금관과 금으로 만든 장신구들이었다. ㉢섬세하게 조각된 아름다운 장식과 하늘로 솟은 듯한 모습의 왕관을 보니 그 옛날 왕의 권위가 느껴졌다.

다 그다음에는 신라 미술관으로 가 보았다. 신라 미술관에서는 여러 가지 불상과 경주 감은사지 동서 삼층 석탑에서 발견된 사리갖춤도 볼 수 있었다. 그런데 이곳에서 내 눈에 들어온 것은 국보나 보물의 화려한 불상이 아니라 천 년의 세월을 지나왔어도 여전히 온화한 미소를 짓고 있는 깨진 기왓장이었다. 그것은 '웃는 기와'로 알려진 얼굴 무늬 수막새였는데, 비록 ㉣지금은 얼굴 한쪽이 깨어져 온전한 얼굴을 볼 수 없지만 그 속에 숨은 편안하고 따뜻한 미소는 내게 행복감을 주었다.

라 이어서 간 곳은 월지관이다. 이곳에서 본 연꽃무늬 수막새, 망새, 귀면와 등을 통해 ㉮신라 왕궁의 화려하고 웅장한 모습을 짐작할 수 있었다. 특히 기와 하나하나에 화려하게 장식한 연꽃, 새, 동물 등 아름다운 무늬를 통하여 신라 사람들의 문화 수준이 굉장히 높았음을 알 수 있었고, 작은 생활용품 하나에도 정성을 다한 신라 사람들의 장인 정신을 느낄 수 있었다.

마 마지막으로 간 옥외 전시장에는 ㉤실내에 전시하기 어려운 범종, 석탑, 석불, 석등 등 규모가 큰 유물들이 보였다. 특히 성덕 대왕 신종은 넋을 잃고 바라본다는 말이 실감 날 정도로 내 마음을 사로잡았다. 마음을 울리는 종소리를 듣고 싶었지만, 지금은 문화재 보호를 위하여 종을 치지 않는다고 한다. 하지만 마음 속으로나마 영원히 사라지지 않을 영롱한 종소리를 느낄 수 있었다.

바 국립 경주 박물관을 둘러보고 나니 지금도 살아 숨 쉬고 있는 신라를 느낄 수 있었다. 책에서 본 유물은 지식으로 머릿속에 남지만, 직접 보고 느낀 유물은 마음속에 감동으로 남는 것 같다.

- **수도** 나라의 중앙 정부가 있는 도시. 서울.
- **장신구** 몸치장을 하는 데 쓰는 물건.
- **수막새** 수키와가 쭉 이어져 형성된 기왓등의 끝에 드림새를 붙여 만든 기와.
- **망새** 큰 건물의 지붕 대마루 양쪽 머리에 얹는 기와.
- **귀면와** 도깨비 얼굴 모양으로 장식된 기와.
- **장인 정신** 한 가지 기술에 통달할 만큼 오랫동안 전념하고 작은 부분까지 심혈을 기울이고자 노력하는 정신.
- **범종** 절에서 대중을 모으거나 시각을 알리려고 매달아 놓고 치는 큰 종.
- **석불** 돌부처.
- **석등** 돌로 네모지게 만든 등.

글의 짜임 파악하기

1

이 글을 내용상 크게 세 부분으로 바르게 나눈 것은 무엇인가요? (　　　)

① 가 / 나, 다, 라, 마 / 바
② 가 / 나, 다, 라 / 마, 바
③ 가 / 나, 다 / 라, 마, 바
④ 가, 나 / 다, 라, 마 / 바
⑤ 가, 나 / 다, 라 / 마, 바

2

이 글의 내용 전개 방식으로 알맞은 것은 무엇인가요? (　　　)

① 공간의 이동에 따라 내용을 전개하고 있다.
② 객관적인 사실만을 제시하며 내용을 전개하고 있다.
③ 대상의 특징이 변화되는 과정에 따라 내용을 전개하고 있다.
④ 중요한 정보부터 덜 중요한 정보의 순서대로 내용을 전개하고 있다.
⑤ 특정 공간의 모습을 그림을 그리듯이 표현하며 내용을 전개하고 있다.

3

이 글에서 설명한 내용과 일치하지 않는 것은 무엇인가요? (　　　)

① 경주에는 신라의 유적이 곳곳에 남아 있다.
② '얼굴 무늬 수막새'는 현재 일부가 깨진 상태로 보존되어 있다.
③ 국립 경주 박물관의 옥외 전시장에서는 성덕 대왕 신종을 볼 수 있다.
④ 국립 경주 박물관의 신라 역사관에는 국보로 지정된 금관들이 전시되어 있다.
⑤ 국립 경주 박물관의 신라 미술관에는 여러 가지 불상과 감은사지 동서 삼층 석탑이 전시되어 있다.

글의 짜임 파악하기

4

수능에서는
글의 종류와 그에 따른 구성 요소를 파악하고, 이에 맞추어 내용을 구분하는 문제가 나와. 구성 요소에 해당하는 내용의 부분을 찾고 평가하는 식의 문제가 주로 나오니, 글의 종류에 따른 구성 요소의 특징에 대해 기억해 두어야 해.

보기 는 기행문의 구성 요소에 대한 설명입니다. 보기 를 참고하여 ㉠~㉤을 각 구성 요소에 맞게 나누어 그 기호를 쓰세요.

보기

❶ **여정**: 여행의 과정이나 일정. 여행자가 여행한 장소.
❷ **견문**: 여행자가 보고 들은 것. 새롭게 알게 된 정보.
❸ **감상**: 여행을 하며 마음속에서 일어나는 느낌이나 생각.

❶ (　　) ❷ (　　,　　) ❸ (　　,　　)

5

이 글로 보아, 글쓴이가 ㉮와 같이 짐작한 근거로 적절한 것은 무엇인가요? (　　)

① 신라 사람들의 문화 수준이 높았기 때문에
② 전시된 기와들의 장식이 화려하였기 때문에
③ 신라 왕궁의 모형이 전시되어 있었기 때문에
④ 신라 사람들은 장인 정신이 뛰어났기 때문에
⑤ 신라의 왕은 강한 힘을 가지고 있었기 때문에

한줄요약

6

빈칸에 알맞은 말을 넣어 이 글의 핵심 내용을 한 문장으로 요약하세요.

감동　　신라　　유물

'나'는 국립 경주 박물관의 전시장을 관람하면서, [　　] 의 역사와 다양한 [　　] 들을 직접 보고 느끼며 책에서 본 것과는 다른 깊은 [　　] 을 받았다.

• 낱말이 한자로는 어떻게 쓰이는지 살펴보고, 예문을 참고해 빈칸을 채워 보세요.

❶ 梵鐘
불경 [범]
종 [ㅈ]

이 [범][ㅈ]의 소리는 듣는 사람의 마음을 차분하게 만들어 준다.

❷ 石佛
돌 [ㅅ]
부처 [불]

이곳에서 고려 시대의 [ㅅ][불]이 많이 발견되었다.

❸ 石燈
돌 [ㅅ]
등불 [등]

이곳의 [ㅅ][등]은 그 모양이 매우 특이해서 많은 사람들이 찾는다.

• 낱말의 뜻을 참고하여, 다음 문장의 빈칸에 들어갈 알맞은 낱말을 완성하세요.

❹ 그녀는 [장][ㅅ][ㄱ]에는 전혀 관심이 없다.

몸치장을 하는 데 쓰는 물건.

❺ 그 집은 너무 낡아서 멀쩡하게 남은 [ㄱ][왓][ㅈ]이 거의 없었다.

흙이나 시멘트 따위로 만든, 지붕을 이는 데 쓰는 물건인 기와의 한 장 한 장.

❻ 그의 위대한 [ㅈ][ㅇ] [ㅈ][ㅅ]을 현대인들도 본받아야 할 것이다.

한 가지 기술에 통달할 만큼 오랫동안 전념하고 작은 부분까지 심혈을 기울이고자 노력하는 정신.

❼ 한옥의 지붕을 보면 [ㅅ][ㅁ][새]와 암막새 등 다양한 형태의 기와가 있다.

수키와가 쭉 이어져 만들어진 기왓등의 끝에 드림새를 붙여 만든 기와.

마무리

글의 짜임을 파악하려면?

독해 원리 학습

글의 흐름을 파악해요 ▸ 3학년

❶ **글의 흐름 파악하기** 글의 흐름에 따라 각 글에서 드러나는 형식적 특징이 조금씩 다르답니다.

시간의 흐름을 나타내는 말, 일의 방법과 차례를 나타내는 말, 장소의 변화를 나타내는 말에 유의하여 흐름을 파악하며 글을 읽습니다.

❷ **글의 흐름으로 내용 파악하기**

글의 흐름을 파악하면 글의 내용을 이해하는 데 도움이 됩니다.

- **글에는 일정한 흐름이 있음.**
- **글의 흐름은 시간의 흐름, 장소의 변화, 원인과 결과, 일의 순서에 따라 나타남.**
- **글은 그 종류에 따라 일정한 짜임이 있음.**

글의 짜임을 파악해요 ▸ 5학년

❶ **글의 종류 파악하기** 글의 종류는 글의 목적에 따라 구분할 수 있어요. 예를 들어, 설명문은 정보 전달, 논설문은 설득을 목적으로 하지요.

글의 내용을 살펴보며 글의 종류가 설명문, 논설문, 이야기, 기행문 등 어디에 해당하는지를 파악합니다.

❷ **짜임에 맞춰 글 읽기**

설명문은 '처음–중간–끝', 논설문은 '서론–본론–결론', 이야기 글은 '발단–전개–위기–절정–결말'이나 '시간 순서에 따른 전개' 등, 기행문은 '여정–견문–감상'의 짜임으로 이루어집니다.

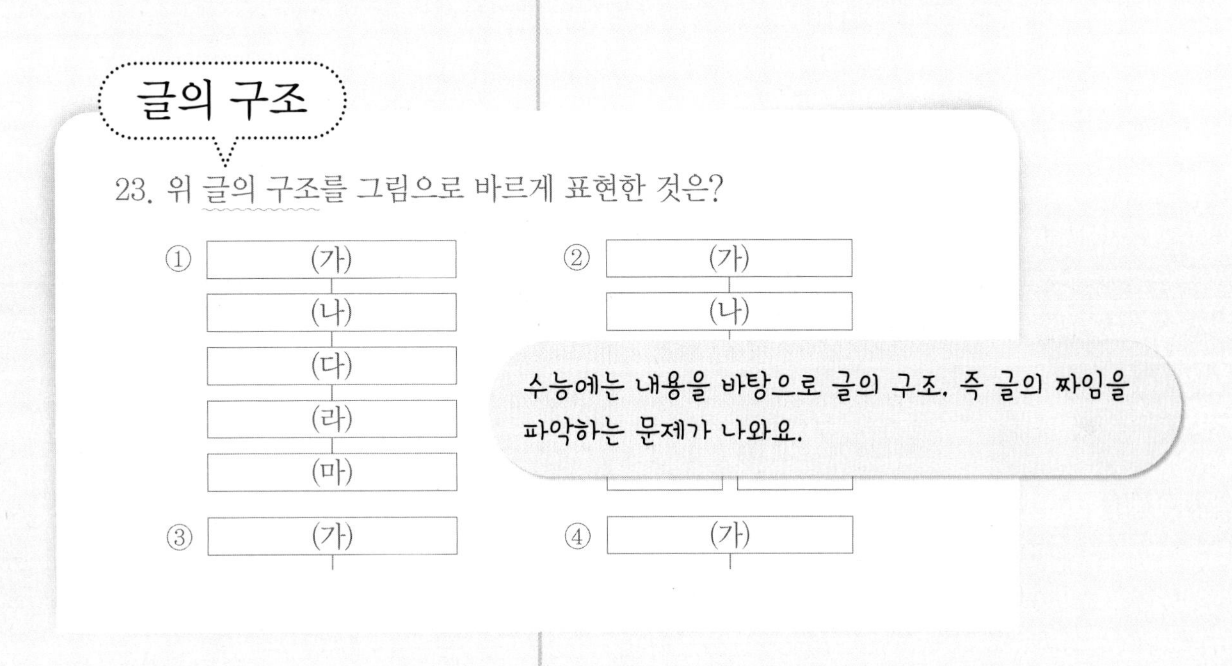

글의 종류를 확인하라

일반적으로 글을 쓰는 목적에 따라 글의 종류가 달라지고, 글의 종류에 따라 글의 짜임도 조금씩 달라지게 됩니다. 따라서 그 글의 종류가 설명문인지, 논설문인지, 이야기 글인지, 기행문인지, 전기문인지 등을 먼저 확인하는 것이 중요합니다. 글의 종류를 확인하면 그에 따라 글의 대체적인 짜임이 어떻게 이루어질지 예측할 수 있으므로, 이를 바탕으로 글을 읽으면 글의 내용을 훨씬 쉽고 빠르게 파악할 수 있답니다.

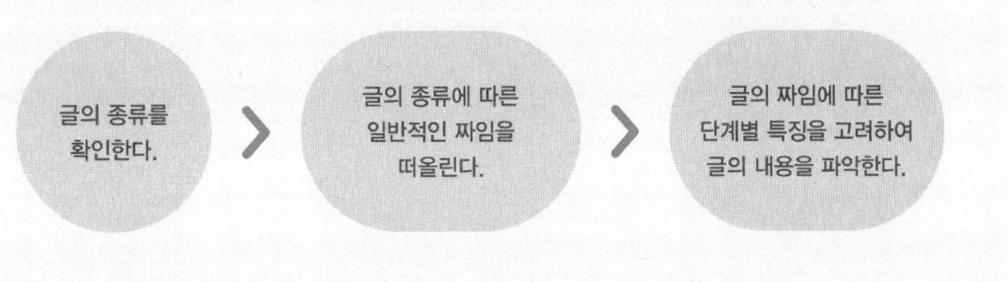

수능까지 연결되는 초등 독해

WEEK 4

글의 종류에 따라 읽기 방법을 달리해요

체온을 유지하는 방법

한겨울, 산속 친구들을 만나러 간 고양이는 아무도 만날 수가 없었어요. 다람쥐, 곰, 뱀 등 친구들이 모두 잠을 자고 있기 때문이죠.

추운 겨울철이 되면 겨울잠을 자는 동물들이 있습니다. 다람쥐는 도토리를 배불리 먹어 두고 겨우내 꼼짝 않고 잠을 잡니다. 사람이나 개, 고양이 등은 겨울잠을 자지 않는데 말이에요. 왜일까요? 동물에 따라 체온을 유지하는 방법이 다르기 때문입니다.

이처럼 **글도 종류에 따라 내용과 형식이 달라지므로 이에 따른 읽기 방법도 달라져야 합니다.** 가령 설명문을 읽을 때에는 설명하려는 대상과 내용이 사실인지에 주목하며 글을 읽어야 하고, 논설문을 읽을 때에는 글쓴이의 주장과 근거가 적절한지 비판적으로 읽어야 합니다. 자, 그럼 글의 종류에 따라 읽기 방법이 어떻게 달라지는지 살펴볼까요?

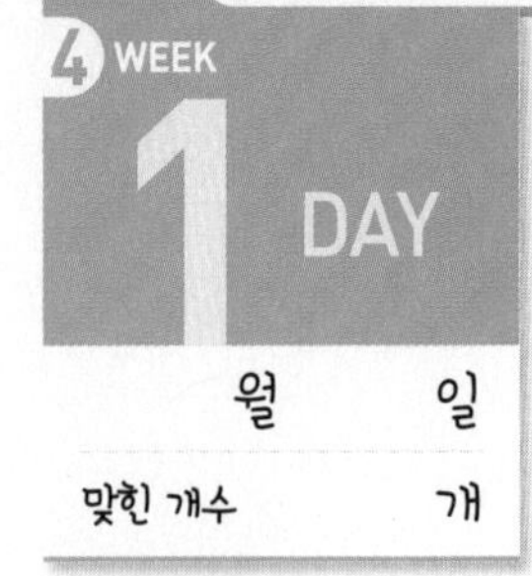

다양한 종류의 글 읽기

태현이는 '범죄 해결의 단서가 되는 머리카락'이라는 주제로 우리 반 친구들 앞에서 발표를 하기 위해 다음과 같이 자료를 찾아보았습니다.

가 신문 칼럼

○○일보 △년 △월△일

과학 수사 발전을 위한 지속적인 관심과 투자가 필요한 때

최근 들어 머리카락 한 올만 가지고도 범인에 대한 정보를 얻어 미제 사건을 해결하는 경우가 많아지고 있다. 포기하지 않고 끝까지 수사한 경찰, 그리고 눈부시게 발전한 DNA 분석 기술이 만나 이루어 낸 성과이다. 하지만 우리나라의 과학 수사 기법에는 아직 아쉬운 점들이 많다.

첫째, 국산 장비가 부족해 외국산 장비에 많이 의존하고 있다. 아직은 국내에서 기술 개발이 되지 않았고 기술의 발전 속도도 늦은 편이다.

둘째, 과학 수사를 하는 기관들 사이에 기준이 통일되어 있지 않다. 예를 들어 머리카락에서 DNA 검사를 해서 범인과 일치하는지 판단하는 경우, 몇 퍼센트가 범인과 일치해야 하는지 이를 판단하는 기준이 제각기 다르다.

나 책

비밀을 푸는 열쇠, 머리카락

범죄가 발생했을 때 가장 중요한 것은 단서이다. 이때 머리카락이 주로 결정적 단서가 된다. 머리카락이 단 한 올만 있어도 범인을 검거하는 데 큰 도움이 되기 때문이다. 대체 머리카락 속에 어떤 비밀이 숨어 있길래 이 머리카락으로 범인을 검거하는 것일까?

우선 머리카락은 가장 구하기 쉬운 증거이다. 보통 사람의 경우 하루에 수십 개의 머리카락이 자연적으로 빠진다. 따라서 범죄를 저지르는 동안 빠진 범인의 머리카락이 바닥에 떨어져 있을 확률이 매우 높다. 그리고 머리카락이 자연모인지, 인조모인지, 염색을 했는지, 했다면 어떤 색상인지도 모두 범인을 추정할 수 있는 단서로 활용할 수 있다.

또한 모발 성분을 분석해 범인의 직업을 추정할 수도 있다. 예를 들어 머리카락에서 특정 약품이 많이 확인된다면 이러한 약품을 활용하는 곳에서 일할 것이라고 추정하는 것이다. 범인이 사는 곳 역시 비슷한 방식으로 수사하는데, 중금속 등의 양을 검사

- **미제**
  일이 아직 끝나지 아니함.
- **추정**
  미루어 생각하여 판정함.
- **개체**
  전체나 집단에 상대하여 하나하나의 낱개를 이르는 말.
- **효소**
  생물의 세포 안에서 합성되어 생체 속에서 행하여지는 거의 모든 화학 반응의 촉매 구실을 하는 고분자 화합물을 통틀어 이르는 말.

하여 어떤 환경에 오래 노출되었는지를 확인해 사는 곳을 추정한다.

마지막으로 머리카락에서 유전자 정보를 얻을 수 있기 때문에, 이를 분석하면 용의자들 가운데 누가 범인인지 확정 지을 수 있다.

이렇게 머리카락을 통해 우리는 다양한 정보를 얻어 사건을 해결할 수 있다. 우리의 생각보다 더 많은 비밀이 숨어 있는 머리카락. 앞으로 과학 기술이 더욱 발전해 머리카락 속의 비밀들을 더 많이 만나 볼 수 있기를 기대한다.

다 백과사전

DNA 지문 분석

개체에서 추출한 DNA를 증폭시킨 뒤 효소 처리를 하면 개체마다 효소에 따라 잘리는 위치가 달라져 DNA 가닥의 길이가 달라진다. 이를 길이에 따라 분리, 나열한 것을 DNA 지문이라고 한다. 이것은 범죄 현장에서 발견된 혈액, 머리카락 등에서 추출한 DNA를 용의자의 DNA와 대조하여 그 일치 여부를 확인한 뒤 범인을 잡는 데 활용된다.

태현: 이 정도면 주제와 관련된 정보는 다 찾은 것 같네. 이제 이 자료들을 바탕으로 글을 쓸 수 있겠다!

글의 종류에 따라 읽기 방법 달리하기

1 **태현이가 가~다의 자료에 대해 판단한 내용으로 알맞지 않은 것은 무엇인가요?** (　　)

① 가: 신문 칼럼의 일부는 주제와 맞지 않아 발표에 활용할 수 없을 것 같아.
② 가: 전문가를 대상으로 한 글이라서 자료로 활용하기는 힘들 것 같아.
③ 나: 머리카락이 범죄 현장에서 어떻게 단서로 활용되는지 알 수 있어 발표 자료로 쓸 수 있겠어.
④ 나: 내용이 사실인지, 근거 자료가 정확한지를 확인해 보는 것이 좋겠어.
⑤ 다: 유전자 분석을 하는 방법이 나와 있어서 나의 내용을 뒷받침하는 자료로 쓸 수 있겠어.

2

나에 쓰인 설명 방식을 정리한 것입니다. 빈칸에 들어갈 알맞은 말을 쓰세요.

1문단에서 [❶]을 하며 독자의 흥미를 유발하고 있다. 그리고 머리카락을 통해 범인에 대한 정보를 확인할 수 있다는 것을 [❷]를 들어서 이야기하고, 마지막 문단에서 글쓴이의 기대를 언급하며 마무리하고 있다.

❶ (　　　　　　　　)　　　❷ (　　　　　　　　)

3

수능에서는
글의 내용과 개요가 잘 연결되는지를 확인하는 문제가 나와. 개요가 글의 주제와 목적에 맞게 작성되었는지 확인해야 해.

가~다를 바탕으로 발표문의 개요를 작성할 때, 알맞지 않은 것은 무엇인가요?

(　　)

Ⅰ. **처음**: 머리카락을 활용해 범죄를 해결한 사례를 제시해 궁금증을 유발함. ……… ①

Ⅱ. **중간**
1. 머리카락은 쉽게 구할 수 있는 증거임. ……… ②
2. 머리카락을 통해 범인에 대한 정보를 얻을 수 있음. ……… ③
3. 머리카락의 DNA로 범인을 확정할 수 있음. ……… ④

Ⅲ. **끝**: 머리카락을 통해 모든 범죄를 해결할 수 있음을 강조함. ……… ⑤

4

한줄요약

빈칸에 알맞은 말을 찾아 이 글의 핵심 내용을 한 문장으로 요약하세요.

범인　　단서　　정보

머리카락은 범죄 현장에서 가장 쉽게 얻을 수 있는 [ ][ ]로, [ ][ ]에 대한 많은 [ ][ ]를 담고 있기 때문에 검거에 큰 도움이 된다.

• 낱말의 뜻을 참고하여, 다음 문장의 빈칸에 들어갈 알맞은 낱말을 완성하세요.

1 오늘 알게 된 내용은 문제 해결을 위한 결정적 [ㄷ][ㅓ]이다.

어떤 문제를 해결하는 방향으로 이끌어 가는 일의 첫 부분.

2 그 과학자는 자신의 [ㅊ][ㅇ]을 뒷받침하는 몇 가지 가설을 제시했다.

미루어 생각하여 판정함.

3 유명인이 되어 매스컴에 [ㄴ][ㅜㄹ] 되는 일이 많아졌다.

겉으로 드러나거나 드러냄.

4 시험 일정이 드디어 [ㅎ][ㅇ]되었다.

일을 확실하게 정함.

• 본문에 쓰인 낱말의 뜻을 칠판에 적어 놓았습니다. 그 뜻을 생각하면서 짧은 글을 지어 보세요.

[용의자] 범죄의 혐의가 뚜렷하지 않아 정식으로 체포되지는 않았으나, 내부적으로 조사의 대상이 된 사람.

[대조] 둘 이상인 대상의 내용을 맞대어 같고 다름을 검토함.

[나열] 죽 벌여 놓음.

5 용의자 ……………………………………

6 대조 ……………………………………

7 나열 ……………………………………

목적에 맞는 능동적인 글 읽기

가 우리는 일상생활 속에서 다양한 목적에 따라 글을 읽습니다. 다음 대화를 보고, 우리가 어떤 경우에 글을 찾아 읽는지 살펴봅시다.

희영: 오래간만에 도서관에 오니까 좋다. 나는 오늘 방학 숙제에 참고할 자료가 있는지 책을 찾아볼거야. 지원아, 너는?

지원: 응, 나는 부족한 역사 지식을 보충하고 싶어. 재미있게 설명된 책이 있을까?

서진: 그럼. 요즘에는 역사와 관련된 지식을 재미있게 설명하는 책이 참 많더라.

지원: 서진이 너는 오늘 어떤 책을 빌리려고 왔니?

서진: 어제 우리 전통 떡에 관련된 방송 프로그램을 봤는데, 관심이 생기더라고. 그래서 우리나라 떡의 종류에 관한 책을 찾아 궁금증을 해결하고 싶어.

나 이처럼 우리는 잘 모르는 내용을 이해하기 위해서, 숙제를 하기 위해서, 관심 있는 분야에 대한 정보를 수집하기 위해서 등 다양한 목적에 따라 글을 찾아 읽습니다. 이때 우리는 다양한 참고 자료를 활용할 수 있습니다.

첫 번째는 백과사전입니다. 백과사전에는 방대한 양의 정보가 주제를 중심으로 정리되어 있어서, 만약 '드론의 구조와 원리'에 대한 내용을 찾는다면 주제인 '드론'으로 찾으면 됩니다.

두 번째는 내가 알고자 하는 내용을 전문적으로 다루는 책입니다. 수많은 책 중, 원하는 책을 찾으려면 먼저 내가 알고 싶은 주제에 관한 제목의 책을 찾아야 합니다. 그 뒤 목차를 보며 전체적인 내용을 훑어보고, 나에게 필요한 내용이 나와 있는지 확인해야 합니다.

세 번째는 인터넷입니다. 인터넷은 주제어를 검색하면 손쉽게 다양한 정보를 찾을 수 있다는 장점이 있습니다. 단, 찾은 정보가 너무 오래되지는 않았는지, 잘못된 내용은 아닌지 반드시 확인해야 합니다.

다 우리가 이렇게 목적에 맞게 능동적으로 글을 찾아 읽으면 필요한 정보를 정확하고 자세하게 알 수 있고, 읽고 싶은 책을 목적에 알맞게 골라 읽을 수 있다는 장점이 있습니다. 따라서 효율적이고 능동적인 독서를 위해 우리는 목적에 맞게 글을 찾아 읽는 것을 생활화하는 자세가 필요합니다.

- **분야**
  여러 갈래로 나누어진 범위나 부분.
- **방대한**
  규모나 양이 매우 크거나 많은.
- **능동적**
  다른 것에 이끌리지 아니하고 스스로 일으키거나 움직이는. 또는 그런 것.
- **효율적**
  들인 노력에 비하여 얻는 결과가 큼. 또는 그런 것.

1

가 에 나온 친구들의 대화에서 알 수 있는 내용을 보기 에서 모두 고르세요.

보기
ㄱ 친구들은 필요한 책을 찾기 위해 도서관에 갔다.
ㄴ 희영이는 방학 숙제에 참고할 자료를 찾으려고 한다.
ㄷ 지원이는 궁금증을 해결하기 위해 책을 찾아 읽으려고 한다.
ㄹ 서진이는 부족한 학습 지식을 채우기 위해 책을 읽으려고 한다.
ㅁ 친구들마다 책을 찾아 읽으려는 목적이 서로 다르다.

(, ,)

2

글의 종류에 따라 읽기 방법 달리하기

수능에서는
스스로 일으키거나 움직인다는 의미인 '능동적'은 '적극적'이라는 말과 비슷한 의미로 사용돼. 대화나 글 읽기의 과정에서 태도나 자세와 관련되어 많이 사용되는 말이니 꼭 알아 둬.

보기 는 서진이가 알고 싶은 내용을 찾는 능동적인 글 읽기 과정을 나타낸 것입니다. 이 글의 내용으로 볼 때 알맞지 않은 것은 무엇인가요? ( )

보기
① 도서관에서 책을 찾아 제목과 목차를 확인한다.
② 도서관에서 책을 고를 때에는 최대한 많이 찾는 것이 중요하다.
③ 백과사전에서 '떡'을 주제로 자료를 찾는다.
④ 인터넷에서 떡의 종류를 검색해서 관련 누리집을 확인한다.
⑤ 인터넷에서 검색한 정보는 불확실할 수 있으므로 내용이 정확한지 확인한다.

3

다음을 읽고, 수정이가 글을 읽는 목적이 무엇인지 나 에서 찾아 써 보세요.

수정이는 수업 시간에 다양한 꽃과 풀에 대해 배웠습니다. 선생님이 사진과 영상으로 다양한 식물을 보여 주셨습니다. 그중에서 작고 귀여운 '어성초'라는 식물에 관심이 생겼습니다. 생선 비린내가 난다고 해서 어성초라는 이름으로 불린다는 그 식물이 집에 와서도 계속 생각났습니다. 어성초에 대해 더 알고 싶었던 수정이는 인터넷과 백과사전을 찾아보았습니다. 그리고 어성초가 독한 향을 지녔지만, 피부에 바르면 효과가 좋아서 화장품의 재료로 쓰인다는 것을 알게 되었습니다.

( )

4

이 글의 내용으로 볼 때, 보기 의 미영이에게 해 줄 수 있는 조언으로 알맞은 것을 모두 고르세요. (　　　,　　　)

> **보기**
>
> **미영:** 과학 숙제로 돌의 종류를 조사해야 하는데, 어디서 자료를 찾으면 좋을까?

① 돌을 주제로 한 그림을 찾아보는 건 어떨까?
② 도서관에서 '돌에 얽힌 신기한 옛날 이야기'라는 책을 찾아봐.
③ 백과사전에서 '과학'을 주제로 자료를 찾아보면 좋을 것 같아.
④ 인터넷에서 '돌의 종류'를 검색하면 좋은 자료가 나올 것 같아.
⑤ 과학관 안내 책자에서 돌을 설명한 내용들을 찾아보면 되겠다.

글의 종류에 따라 읽기 방법을 달리해요

글은 쓰인 목적에 따라 설명하는 글, 주장하는 글, 이야기 글 등으로 나뉩니다. 저학년에서는 이러한 글의 종류에 따라 핵심 내용을 간추리는 법을 배웠다면, 고학년에서는 글의 종류와 글을 쓴 목적에 맞게 글을 읽을 수 있어야 해요.

저학년에서는
글의 종류에 맞게 내용을 간추려요

고학년에서는
글의 종류에 따라 읽기 방법을 달리해요

글의 종류에 따라 읽기 방법 달리하기

5

이 글을 읽고 난 친구들의 반응으로 알맞지 않은 것은 무엇인가요? (　　　)

① 글을 읽는 목적에 따라 각자 찾는 자료의 종류가 달라질 수 있겠네.
② 전문적인 내용을 알기 위해서는 책을 참고해서 자료를 찾아야겠구나.
③ 주제와 관련된 다양한 정보를 접하려면 인터넷을 활용하는 것이 좋겠네.
④ 책보다는 인터넷에 정확한 정보가 많으니, 인터넷을 많이 활용해야겠다.
⑤ 내가 알고 싶은 정보를 찾기 위해 다양한 참고 자료를 활용할 수 있구나.

한줄요약

6

빈칸에 알맞은 말을 찾아 이 글의 핵심 내용을 한 문장으로 요약하세요.

> 정확　　　장점　　　목적

글을 [　　]에 맞게 능동적으로 찾아 읽으면, 읽고 싶은 책을 알맞게 골라 읽을 수 있고 찾고 싶은 정보를 [　　]하고 자세하게 알 수 있다는 [　　]이 있다.

• 낱말이 한자로는 어떻게 쓰이는지 살펴보고, 예문을 참고해 빈칸을 채워 보세요.

❶ 能動 능할 ㄴ 움직일 동

어려운 일일수록 [ㄴ][동]적인 문제 해결 능력이 필요하다.

❷ 分野 나눌 ㅂ 들 야

나는 경제 [ㅂ][야]의 전문가가 되는 것이 꿈이다.

❸ 蒐集 모을 ㅅ 모을 집

내 친구는 볼펜을 [ㅅ][집]하는 취미가 있다.

• 다음 사다리 타기에 따라 (　) 안에 들어갈 낱말의 뜻을 보기 에서 고르세요.

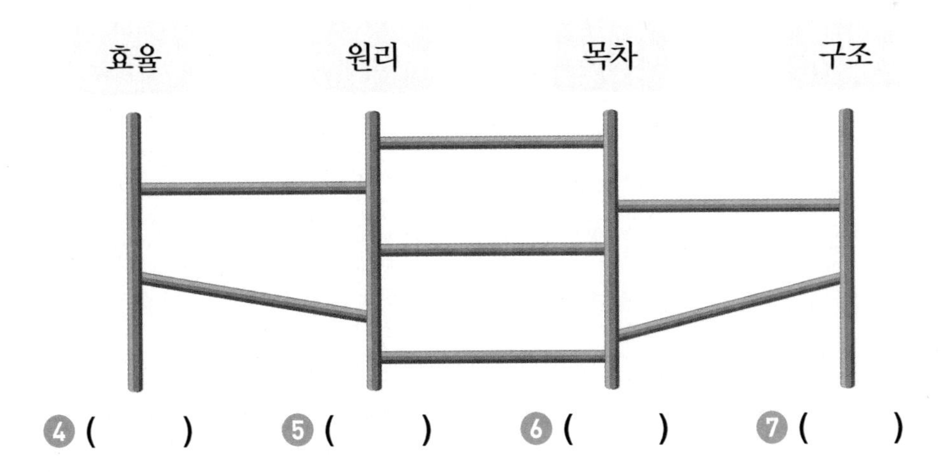

❹ (　　)　❺ (　　)　❻ (　　)　❼ (　　)

보기

㉠ 사물의 근본이 되는 이치.
㉡ 부분이나 요소가 어떤 전체를 짜 이룸.
㉢ 목록이나 제목, 조항 따위의 차례.
㉣ 들인 노력과 얻은 결과의 비율.

고려청자의 아름다움

청자를 생각하면 구름 사이로 학이 날고 있는 운학문의 이미지가 떠오를 것이다. 국보 제68호인 청자상감 운학문 매병은 고려 시대의 예술을 대표하는 고려청자이다.

고려는 중국에서 청자의 기술을 받아들였지만 단순한 모방에서 그치는 것이 아니라 중국의 청자와는 다른 독자적인 색을 만들어 그 아름다움을 완성하였다. 고려청자의 아름다운 비색(翡色)은 맑고 은은한 푸른 녹색으로 신비로운 느낌을 준다. 이는 고려 사람들이 만든 독자적인 색으로 우리 민족이 추구하는 이상적인 색이라고 할 수 있다. 고려청자의 맑고 투명한 비색은 고려청자의 무늬나 장식을 간결하고 단정하게 표현할 수 있도록 만들었기 때문에 고려청자의 기품 있고 세련된 조형미가 돋보일 수 있었다. 중국 송나라의 청자 장인인 태평 노인은 “고려의 비색이 천하제일이다.”라고 칭찬하기도 하였다.

비색뿐 아니라 도자기에 무늬를 새겨 넣은 장식 기법인 상감 기법 또한 우리 민족의 독창성과 우수한 기술력을 잘 보여 준다. 상감 기법은 도자기 표면을 오목하게 판 후 그 홈에 검은색이나 흰색의 흙을 넣어 구웠을 때 흙의 색깔이 변하면서 무늬가 드러나도록 다듬는 방법이다. 고려인들은 이러한 기법을 사용하여 청자에 다양한 무늬를 새겨 넣었다.

고려청자의 무늬는 자연에서 얻은 구름과 연꽃, 국화, 초목, 새 등 자연적 특징을 살려 묘사한 것들이 대부분이다. 그중에서도 고려 사람들에게 특히 사랑을 받은 것은 구름과 학, 즉 운학(雲鶴) 무늬이다. 고려인들이 청자에 운학 무늬를 즐겨 넣었던 이유는 학 자체가 상서로운 동물이라는 점도 있지만, 푸른 그릇의 표면을 하늘로 생각했기 때문이기도 하다. 그릇 전체가 무한한 공간으로, 구름과 학이 유연히 날고 있는 푸르게 열린 하늘인 것이다. 구름과 그 사이로 나는 학은 ㉠고려인들이 간절히 바랐던 이상 세계의 상징적 존재였다. 여기에는 몽골의 침입을 비롯해 수많은 내우외환의 상황 속에서 이 어지러운 세상을 떠나 고요한 공간으로 구름과 학처럼 날아가고자 했던 당시 고려인들의 바람이 담겨 있다.

- **매병**
  아가리가 좁고 어깨는 넓으며 밑이 홀쭉하게 생긴 병.
- **비색**
  고려청자의 빛깔과 같은 푸른색.
- **조형미**
  어떤 모습을 입체감 있게 예술적으로 형상하여 표현하는 아름다움.
- **상서로운**
  복되고 길한 일이 일어날 조짐이 있는.
- **내우외환**
  나라 안팎의 여러 가지 어려움.

글의 종류에 따라 읽기 방법 달리하기

수능에서는
시를 읽을 때 느껴지는 말의 가락을 운율이라고 하고, 이 운율이 작품에서 구체적으로 어떻게 드러나고 있는지를 묻는 문제가 나와. 시의 가장 큰 특징이니까 알아 둬.

1

이와 같은 글을 읽는 방법으로 가장 알맞은 것은 무엇인가요? (　　　)

① 등장인물 간의 관계와 갈등 구조를 파악하며 읽는다.
② 운율을 느끼고, 비유적 표현의 의미를 생각하며 읽는다.
③ 설명하는 대상을 파악하고 내용이 정확한지 확인하며 읽는다.
④ 글쓴이의 주장을 파악하고 근거가 적절한지 확인하며 읽는다.
⑤ 글쓴이의 경험을 통해 어떤 교훈을 얻을 수 있는지 생각하며 읽는다.

2

이 글의 내용으로 알맞지 않은 것은 무엇인가요? (　　　)

① 고려인들은 학과 구름 무늬를 도자기에 새겼다.
② 고려청자를 통해 고려인들의 생각을 엿볼 수 있다.
③ 고려청자의 아름다움은 맑고 은은한 비색을 통해 드러난다.
④ 고려청자의 상감 기법은 중국의 청자 기술을 받아들인 것이다.
⑤ 고려청자의 비색은 우리 민족이 추구한 이상적인 색이라 할 수 있다.

3

이 글을 바탕으로 보기 를 감상한다고 할 때, 알맞지 않은 것은 무엇인가요? (　　　)

보기

① 학 주변의 흰색 무늬는 구름을 표현한 거야.
② 학과 구름 무늬는 상감 기법으로 표현한 거야.
③ 청자 표면의 비색은 중국의 청자에서도 흔히 볼 수 있을 거야.
④ 흰색과 검은색 부분이 구분되는 건 다른 흙을 넣었기 때문이야.
⑤ 자유롭게 나는 학의 모습을 통해 고려인들의 바람을 엿볼 수 있어.

글의 종류에 따라 읽기 방법 달리하기

4 **고려청자를 조사하여 발표하기 위해 이 글을 읽는다고 할 때, 보기 에서 읽기 방법으로 알맞은 것을 모두 고르세요.**

보기
ㄱ 발표에 필요한 내용이 있는지 훑어보며 읽는다.
ㄴ 발표에 활용할 만한 내용은 밑줄을 그으며 읽는다.
ㄷ 읽으며 뜻을 모르는 단어는 모두 찾아가며 읽는다.

(,)

5 **㉠의 내용과 가장 어울리는 그림으로 알맞은 것은 무엇인가요? ( )**

① ② ③ ④ ⑤

한줄요약

6 **빈칸에 알맞은 말을 찾아 이 글의 핵심 내용을 한 문장으로 요약하세요.**

독창 상감 비색

고려청자는 아름다운 [ ] 과 무늬를 새겨 넣는 [ ] 기법을 통해 우리 민족의 [ ] 성과 예술성을 잘 보여 주는 예술품이다.

• 낱말이 한자로는 어떻게 쓰이는지 살펴보고, 예문을 참고해 빈칸을 채워 보세요.

❶ 模倣
본뜰 [모]
본뜰 [ㅂ]

예술 작품에서는 [모 | ㅂ] 보다 창조를 더 소중히 여긴다.

❷ 描寫
그릴 [ㅁ]
베낄 [사]

이 소설은 등장인물의 섬세한 심리 [ㅁ | 사] 가 돋보인다.

❸ 理想
다스릴 [ㅇ]
생각 [상]

높은 [ㅇ | 상] 을 품다.

• 낱말의 뜻을 참고하여, 다음 문장의 빈칸에 들어갈 알맞은 낱말을 완성하세요.

❹ 그는 외국과는 다른 우리나라의 [ㄷ | 자 | 적] 인 음악을 개발하는 데 인생을 바쳤다.
다른 것과 구별되는 혼자만의 특유한 것.

❺ 어머니의 당당하고도 예의 바른 태도에는 [ㄱ | 품] 이 느껴졌다.
인격이나 작품 따위에서 드러나는 고상한 품격.

❻ 이 작품을 통해 작자의 탁월한 [독 | ㅊ | 성] 을 엿볼 수 있다.
남의 것을 본뜨거나 모방하지 않고 독자적으로 새롭고 독특한 것을 만들어 내는 성질.

❼ 우리별 1호는 우리나라 우주 개척사의 [사 | ㅈ | 적] 존재가 될 것이다.
추상적인 개념이나 사물을 구체적인 사물로 나타내는 것.

자전거로 물길 따라 떠나요!

㉠자전거를 타고 새벽에 여우치 마을을 떠나 옥정 호수를 동쪽으로 돌아 나왔다. ㉡호수의 아침 물안개가 산골짝마다 퍼져서 고단한 사람들의 마음을 이불처럼 덮어 주고 있었다.

㉢27번 국도를 따라 20여 킬로미터를 남쪽으로 달렸다. 임실군 덕치면 회문리 덕치 마을 앞 정자나무 아래로 흐르는 섬진강은 아직은 강이라기보다는 큰 개울에 가까웠다.

산맥과 맞서지 못하는 어린 강은 노령산맥의 가파른 위엄을 멀리 피하면서 가장 유순한 굽이만을 골라서 이리저리 굽이쳤다. 멀리 돌아서, 마침내 멀리 가는 강은 길의 생리를 닮아 있었는데, ㉣이 어린 강물 옆으로 이제는 거의 버려진 늙은 길이 강물과 함께 굽이치고 있었다.

ⓐ강은 인간의 것이 아니어서 흘러가면 돌아올 수 없지만, 길은 인간의 것이므로 마을에서 마을로 되돌아온다. 모든 길은 그 위를 오가는 사람이 주인이어서 이 강가 마을 사람들의 사랑과 결혼도 상류와 하류 사이의 물가 길을 오가며 이루어졌다. 자전거는 길을 따라 강물을 바짝 끼고 달렸다.

겨울 섬진강은 적막하다. 돌길을 지나는 자전거의 덜커덕거리는 소리에 졸던 물새들이 놀라서 날아오른다. 겨울의 강은 흐름이 아니라 이음이었다. 강물은 속으로만 깊게 흘렀다. 가파른 산굽이를 여울져 흐르는 여름 강의 휘모리장단이나, 이윽고 하구에 이르러 아득한 산야를 느리게 휘돌아 나가는 늙은 강의 진양조장단도 들리지 않았다. ㉤산하는 본래가 인간이 연주할 수 없는 거대한 악기와도 같은 것인데, 겨울의 섬진강과 노령산맥은 수런거리던 모든 리듬을 땅속 깊이 감추고 있었다.

㉥천담 마을 앞에서 섬진강은 커다랗게 굽이치면서 방향을 틀어 구담, 싸리재, 장구목, 북대미 같은 작고 오래된 마을 옆을 흐른다. 이 구간에서 강물의 수심은 무릎 정도이다. 마주보는 마을 사이에 다리가 없어서 신발을 벗고 자전거를 끌면서 물속을 걸어서 강을 건넜다. (중략)

강물은 마을을 따라 흘러가고, 길은 길을 따라 뻗어 가는데, 노령산맥을 벗어난 섬진강은 구례, 곡성 쪽의 지리산 외곽으로 접어들었고, 지친 자전거는 순창에서 잠들었다.

- **위엄**
존경할 만한 위세가 있어 점잖고 엄숙함.
- **생리**
생물체의 생물학적 기능과 작용. 또는 그 원리.
- **산하**
산과 내라는 뜻으로, '자연'을 이르는 말.

글의 종류에 따라 읽기 방법 달리하기

1 **이와 같은 글을 읽는 방법으로 가장 알맞은 것은 무엇인가요? (　　　)**

① 글쓴이의 주장과 근거를 찾아가며 읽는다.
② 내용이 정확하고 사실인지 확인하며 읽는다.
③ 글에 드러난 운율을 파악하며 감각적으로 읽는다.
④ 글쓴이가 보고, 생각하고, 느낀 것을 살피며 읽는다.
⑤ 글에 드러난 여정에 따른 객관적 정보를 찾아가며 읽는다.

2 **이 글에 사용된 표현 방법에 대한 설명으로 알맞지 않은 것은 무엇인가요? (　　　)**

① **민영:** 물안개를 이불에 비유하여 포근한 분위기가 드러나요.
② **창수:** 강물과 길을 사람처럼 표현하고 있어서 참 재미있게 느껴져요.
③ **희진:** '이제는 거의 버려진 늙은 길'이라고 표현한 것을 보니 사람들이 거의 이용하지 않게 된 길이라는 의미인 것 같아요.
④ **지영:** 섬진강이 적막하다고 한 것으로 보아 글쓴이는 매우 외로워서 여행을 시작한 것으로 보여요.
⑤ **준혁:** 섬진강 물의 흐름을 휘모리장단이나 진양조장단에 비유한 것이 참 신선하게 느껴져요.

3 **ⓐ와 같은 표현 방법이 사용된 것은 무엇인가요? (　　　)**

① 어머니 마른 손 같은 조팝꽃
② 예술은 길고, 인생은 짧다.
③ 열렸다. 너를 향한 문이
④ 아아, 참으로 맑은 세상 저기 있으니
⑤ 말갛게 씻은 얼굴 고운 해야 솟아라.

4

㉠~㉥을 보기 의 해당하는 내용에 맞게 나누어 보세요.

보기
❶ 여행하면서 다닌 곳
❷ 여행하면서 보고 들은 것
❸ 여행하면서 생각하거나 느낀 것

❶ (　　,　　,　　) ❷ (　　,　　) ❸ (　　,　　)

5

수능에서는
자신의 감정을 다른 대상에 불어 넣어 표현하는 방법을 감정 이입이라고 해. 감정 이입을 사용하면 마치 대상이 자신의 감정을 함께 느끼는 것처럼 표현할 수 있어.

다음 두 가지 조건 에 해당하는 다섯 글자의 말을 찾아 쓰세요.

조건
- 여행으로 피로해진 글쓴이 자신의 모습을 비유한 말
- 자신의 감정을 다른 대상에 불어넣어 표현하는 감정 이입을 사용한 말

(　　　　)

한줄요약

6

빈칸에 알맞은 말을 찾아 이 글의 핵심 내용을 한 문장으로 요약하세요.

섬진강　　자전거　　여행

글쓴이는 □□□를 타고 □□하면서 보고, 느낀 겨울 □□□의 아름다운 모습을 표현하고 있다.

• 낱말이 한자로는 어떻게 쓰이는지 살펴보고, 예문을 참고해 빈칸을 채워 보세요.

1

生理 낳을 생 / 다스릴 ㄹ

그 사람은 단체 생활이 [생][ㄹ] 적으로 맞지 않는다.

2

威嚴 권위 위 / 엄격할 ㅇ

황제는 [위][ㅇ] 에 찬 목소리로 명령을 내렸다.

3

寂寞 고요할 ㅈ / 쓸쓸할 막

한 발의 총성이 밤의 [ㅈ][막] 을 깨뜨렸다.

• 낱말의 뜻을 참고하여, 다음 문장의 빈칸에 들어갈 알맞은 낱말을 완성하세요.

4 그녀는 인상만큼 성격도 [ㅇ][순] 해서 친해지기 쉽다.

성질이나 태도, 표정 따위가 부드럽고 순함.

5 [ㅎ][ㅁ][리] 장단에 맞춰 비보이가 춤을 추니 매우 흥겹다.

판소리나 산조(散調) 장단에서, 가장 빠른 속도로 처음부터 급하게 휘몰아 부르거나 연주하는 장단.

6 낙동강 [ㅎ][구] 의 드넓은 평야에는 노랗게 익은 곡식들이 물결치고 있었다.

강물이 바다로 흘러 들어가는 어귀.

7 도심지의 주거 인구가 도시 [외][ㄱ] 으로 이전하였다.

바깥 테두리.

4 WEEK
5 DAY

월 일
맞힌 개수 개

우리 몸의 청소부, 신장

우리 몸의 세포는 일종의 화력 발전소이다. 연기만 나지 않을 뿐이지 우리가 먹은 음식을 잘 분해하고 연소시켜서 에너지를 만든다. 몸은 이 에너지로 축구도 하고 달리기도 한다. 이때 여러 가지 노폐물이 발생하는데, 이 노폐물들을 몸 밖으로 내보내야만 몸이 늘 일정한 상태를 유지할 수 있다. 필요 없는 노폐물을 깨끗하게 청소해 주는 청소부 역할을 하는 우리 몸의 기관이 바로 신장이다.

신장은 등 쪽 허리의 양쪽에 있는 강낭콩 모양의 기관이며, 길이는 11.5~13cm, 폭은 6cm, 두께 3.5~4cm이고 무게는 약 150g 정도이다. 콩처럼 생기고 팥 색깔과 같아 콩팥이라고도 불린다. 우리 몸에는 혈액 속의 노폐물을 배출하기 위해서 하루에 약 1.5리터의 오줌이 만들어지는데, 이때 엄청난 에너지가 소모된다. 이러한 부담을 낮추기 위해 신장은 두 개로 나뉘어져 한쪽이 일을 할 때, 한쪽은 쉬면서 기다릴 수 있도록 ㉠구성되어 있다.

음식물 섭취 후 위장을 통하여 흡수된 영양분은 먼저 간으로 들어가서 몸의 성장과 기능을 위해 필요한 영양소로 ㉡전환되고, 이 영양소를 필요로 하는 장기에서 쓰인다. 이후 불필요한 노폐물이 신장을 거치면서 네프론이라는 장치를 통해 걸러진다. 네프론은 신장 하나에 100만 개 정도 있는 여과 장치이며, 사구체, 보먼주머니, 세뇨관으로 구성되어 있다. 노폐물은 모세 혈관 덩어리인 사구체를 통해 보먼주머니에 모이고 이것이 세뇨관을 거쳐 방광에서 오줌으로 배설된다. 보먼주머니에 모인 물질 중 필요한 영양분은 세뇨관에서 다시 모세 혈관 속으로 흡수된다. 이때 흡수되는 영양분은 혈액으로 보내져 농도, 혈압 등을 ㉢조절하거나 다른 장기들이 각자의 역할을 하는 데에 도움을 준다.

이와 같이 신장은 신체 내 노폐물을 몸 밖으로 내보내고, 필요한 것은 계속 사용할 수 있게 하는 여과와 재흡수의 기능을 하며 몸을 항상 일정한 상태로 유지한다. 신장 기능에 ㉣이상이 생기면 노폐물이 걸러지지 않고 세포가 제대로 ㉤작용하지 못하게 된다. 이는 여러 질병 문제를 일으키므로 우리 몸에서 신장의 역할은 매우 중요하다.

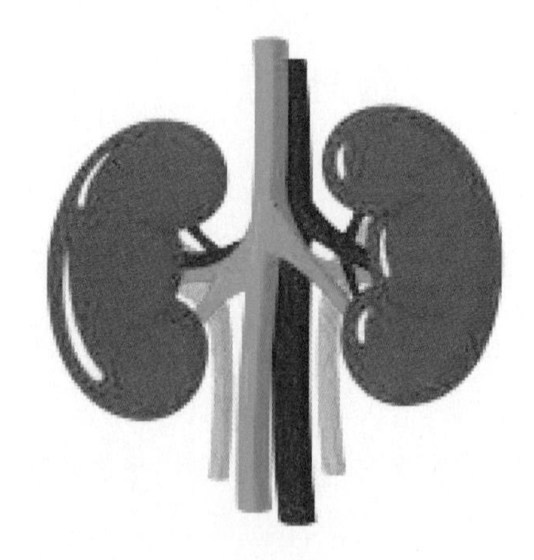

• **연소**
주로 물질이 산소와 화합할 때, 많은 빛과 열을 내는 현상.

• **여과**
거름종이나 여과기를 써서 액체 속의 침전물을 걸러 냄.

• **모세 혈관**
동맥과 정맥을 잇고 조직 속에 그물 모양으로 퍼져 있는 가는 혈관.

1

이 글은 무엇에 대해 설명한 글인가요? (　　　)

① 세포의 종류
② 신장에 좋은 음식
③ 신장의 기능과 역할
④ 신장과 관련된 질병
⑤ 우리 몸에 노폐물이 쌓이는 과정

2

이 글을 읽고, 설명 대상과 관련하여 추가적인 정보를 찾아보려고 합니다. 알맞은 것은 무엇인가요? (　　　)

① 신장은 우리 몸의 어디에 있을까?
② 혈액의 구성 요소에는 무엇이 있을까?
③ 몸속의 노폐물은 어떻게 신장을 거쳐 배출될까?
④ 신장 기능에 이상이 생기면 어떤 질병이 발생할까?
⑤ 신장이 하루에 만들어 내는 오줌의 양은 얼마나 될까?

3

이 글의 내용과 일치하지 않는 것은 무엇인가요? (　　　)

① 신장은 팥 색깔을 띤 콩 모양의 기관이다.
② 에너지를 소모하는 과정에서 여러 가지 노폐물이 발생한다.
③ 노폐물은 보먼주머니를 거쳐 모세 혈관 덩어리인 사구체로 모인다.
④ 보먼주머니에 모인 노폐물 중 필요한 영양분은 다시 몸으로 흡수된다.
⑤ 신장에 이상이 생기면 우리 몸은 평상시와 같은 일정한 상태를 유지하기 어렵다.

글의 종류에 따라 읽기 방법 달리하기

4 **지민이는 '신장'에 관한 발표를 하기 위해 자료를 찾는 과정에서 이 글을 접하고 자료로서 알맞은지 확인하기 위해 훑어보기를 하려고 합니다. 읽기 목적에 맞는 태도를 보기 에서 모두 고르세요.**

보기

㉮ 제목에서 신장을 우리 몸의 청소부라고 표현한 것은 무슨 의미일까?

㉯ 신장에 대한 정보에는 무엇이 있는지 글의 처음부터 끝까지 자세히 살펴봐야겠어.

㉰ 몸을 일정 상태로 유지하는 데에 신장이 관여한다고 들었어. 어떻게 관여하는지에 대한 부분을 다른 자료와 비교하며 주의 깊게 읽어 봐야지.

㉱ 신장을 소개하는 발표 준비에 활용할 만한 내용이 있는지 낱말들 위주로 훑어봐야겠군.

(,)

5 **㉠~㉤의 사전적 의미로 알맞지 않은 것은 무엇인가요? ( )**

수능에서는 낱말의 사전적 의미를 묻는 문제가 자주 출제돼. 사전적 의미는 말 그대로 사전에 실린 의미로, 어떤 낱말이 지니고 있는 가장 기본적이고 객관적인 의미니까 꼭 알아 둬.

① ㉠: 몇 가지 부분이나 요소들을 모아 일정한 전체를 이룸.
② ㉡: 다른 방향이나 상태로 바뀌거나 바꿈.
③ ㉢: 균형이 맞게 바로잡음. 또는 적당하게 맞추어 나감.
④ ㉣: 생각할 수 있는 가장 완전한 상태.
⑤ ㉤: 어떠한 현상을 일으키거나 영향을 미침.

한줄요약

6 **빈칸에 알맞은 말을 찾아 이 글의 핵심 내용을 한 문장으로 요약하세요.**

기관 배출 일정

신장은 몸에서 생기는 불필요한 노폐물을 [ ]시키고 이를 통해 몸이 항상 [ ]한 상태가 될 수 있게 하므로 우리 몸에 있어서 중요한 [ ]이다.

• **다음 사다리 타기에 따라 ( ) 안에 들어갈 낱말의 뜻을 보기 에서 고르세요.**

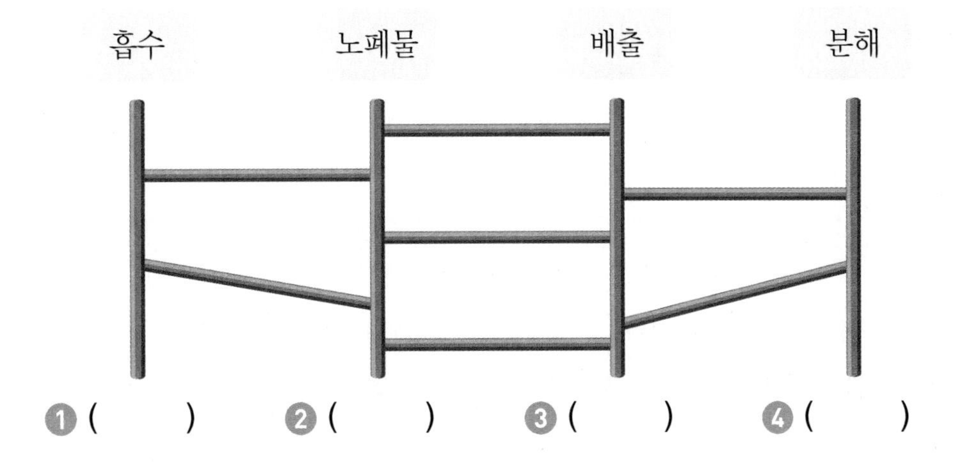

❶ ( ) ❷ ( ) ❸ ( ) ❹ ( )

보기

㉠ 안에서 밖으로 밀어 내보냄.
㉡ 내부로 빨아들임.
㉢ 인체 내에서 생성되는 물질 중 인체에 필요 없는 것.
㉣ 여러 부분이 결합되어 이루어진 것을 그 낱낱으로 나눔.

• **낱말의 뜻을 참고하여, 다음 문장의 빈칸에 들어갈 알맞은 낱말을 완성하세요.**

❺ 축구는 체력 [ㅗ][모]가 많은 운동 중 하나이다.
써서 없앰.

❻ 꾸준한 운동은 건강 [유][ㅣ]의 지름길이다.
어떤 상태나 상황을 그대로 보존함.

❼ 그 일은 어른도 하기 힘든데 아이에게 너무 큰 [ㅂ][ㅏ]을 지게 하였다.
어떠한 의무나 책임을 짐.

마무리

글의 종류에 따라 읽기 방법을 달리하려면?

글의 종류에 맞게 내용을 간추려요 ▸ 4학년

❶ 글의 종류에 따른 목적 알기

글은 정보 전달을 목적으로 하는 글, 설득을 목적으로 하는 글, 감동이나 교훈을 목적으로 하는 글로 나뉩니다. 따라서 내용을 간추릴 때에는 글의 목적에 따른 글의 종류부터 구분해야 합니다.

❷ 글의 종류에 맞게 내용 간추리기 글의 목적에 따라 중심 화제와 주장 근거를 찾고, 대강의 내용을 요약하여 쓰도록 합니다.

설명하는 글	중심 화제(소재)를 파악하고 이를 설명하는 중심 문장을 찾아 요약합니다.
주장하는 글	주장과 그것을 뒷받침하는 근거가 무엇인지를 찾아 요약합니다.

- 글을 쓴 목적에 따라 글의 종류가 달라짐.
- 글의 종류에 따라 읽기 방법이 다름.
- 글의 종류에 따른 읽기 목적과 방법을 생각하며 글을 읽어야 함.

글의 종류에 따라 읽기 방법을 달리해요 ▸ 5학년

❶ 글의 종류에 따른 읽기 방법 알기

설명하는 글	설명하려는 대상을 찾고 대상의 무엇을 자세히 설명하는지 확인하며 읽습니다.
주장하는 글	주장을 파악하고 이를 뒷받침하는 근거가 타당한지 확인하며 읽습니다.

❷ 매체의 유형을 고려하여 글 읽기 매체를 접할 때에는 글의 내용을 읽는 것뿐만 아니라, 사진이나 동영상 등의 자료도 참고할 수 있어야 합니다.

- 애니메이션이나 영화와 같은 매체: 인물의 표정이나 몸짓, 목소리의 변화, 음악 등을 통해 내용을 파악합니다.
- 인터넷에 실린 기사문: 글은 물론 사진, 동영상 등을 통해 내용을 파악합니다.

공통적으로 강조하는 독서 방법

18. 윗글과 〈보기〉에서 공통적으로 강조하는 독서 방법으로 가장 적절한 것은?

| 보기 |

현대 사회에서는 방대한 정보 속에서 필요한 정보를 탐색하고 선별하기 위한 독서가 필 첫째, 책의 차례나 서 있는 책을 선정하여 읽는 며 빠르게 훑어 읽는다. 셋째, 책의 내용을 있는 그대로 받아들이기보다 그 책의 내용과 관련한 여러 관점들을 비교·대조해 가며 책을 읽는다.

수능에는 글의 종류와 글을 읽는 목적에 따라 알맞은 읽기 방법으로 글을 읽을 수 있는지 묻는 문제가 나와요.

글을 읽는 목적부터 파악하라

설명하는 글이든, 주장하는 글이든 글을 읽는 목적은 "글쓴이가 왜, 무슨 목적에서 이 글을 쓴 걸까?"를 파악하는 것입니다. 글을 읽는 목적에 따라 선택하게 되는 글의 종류가 달라집니다. 이때 글의 종류에 맞는 읽기 방법을 적용하여 글을 읽어야 글에 담긴 생각이나 내용을 제대로 파악할 수 있습니다.

글을 읽는 목적을 생각한다. › 글을 읽는 목적에 따른 글의 종류를 파악한다. › 글의 종류에 맞는 읽기 방법을 적용한다.

수능까지 연결되는 초등 독해

WEEK 5

글의 구조에 따라 내용을 요약해요

줄거리로 말해 줘!

서준이는 어제 재미있게 본 영화를 친구에게 소개하려고 해요. 그런데 이야기가 잘 간추려지지 않아서 고민이에요. 내가 만약 서준이라면 어떻게 말해야 할까요?

서준이는 어제 본 영화를 친구에게 소개하려고 하는데, 어떻게 말해야 할지 몰라 난감해하고 있어요. 왜 그럴까요? 서준이가 내용을 잘 간추리지 못해서 짜임새 없이 말을 전달했기 때문입니다. 한 편의 이야기는 **중심 사건을 바탕으로 요약**할 수 있는데, 이야기가 아닌 글들도 **글의 구조에 따라 주요 내용을 뽑아 이를 중심으로 요약**할 수 있습니다.

글을 요약하는 방법은 글의 종류와 구조에 따라 다양합니다. 그럼 이제부터 글을 읽으며, 글의 구조를 떠올려 보고, 그에 따라 글 전체 내용을 요약해 볼까요?

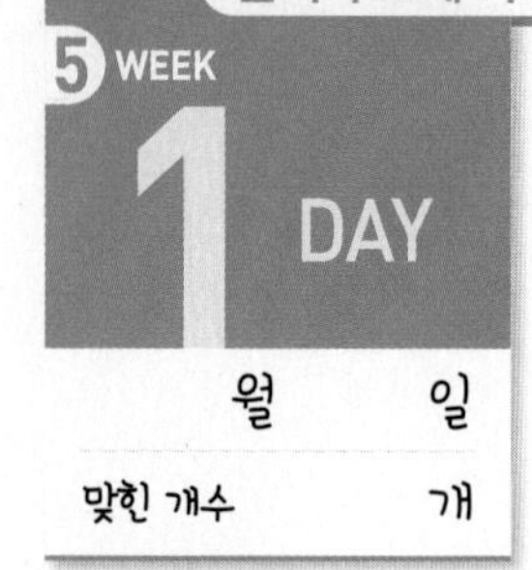

월 일

맞힌 개수 개

다 쓴 건전지를 새 건전지로

가 ○○구에서는 다 쓴 건전지의 수거율을 높이고 자원의 재활용에 대한 시민 의식을 높이기 위하여 이번 달 1일부터 폐건전지 교환 사업을 실시한다.

나 ○○구는 각 지역의 주민 센터로 다 쓴 건전지 10개를 가져오면 새 건전지 1개로 바꾸어 준다고 밝혔다. 이 사업은 각 주민 센터에서 준비해 둔 건전지가 모두 없어질 때까지 진행되며, 많은 사람들에게 혜택이 골고루 돌아가도록 개인은 새 건전지를 최대 10개, 기관이나 단체는 최대 20개까지 바꾸어 준다고 한다.

다 ○○구 관계자는 "건전지는 크기가 작아 다 쓴 후 일반 생활 쓰레기와 함께 버려지는 경우가 많습니다. 그런데 다 쓴 건전지에는 망간, 아연, 수은 등과 같은 물질들이 남아 있기 때문에, 일반 생활 쓰레기와 함께 버려 태우거나 땅에 묻으면 심각한 환경 오염을 일으키게 됩니다. 하지만 다 쓴 건전지에 남은 물질이나 건전지를 둘러싼 철은 대부분이 수입에 의존하는 자원이기 때문에, 다 쓴 건전지를 제대로 모으면 100퍼센트 재활용할 수 있는 귀중한 자원이 됩니다."라고 하며 이 사업을 하게 된 이유를 밝혔다. 그리고 이 사업을 통해 주민들이 다 쓴 건전지의 수거와 재활용에 관심을 가지면 폐건전지 분리배출에 대한 시민 의식도 높아질 것이라 기대하며, 주민들에게 ㉠환경을 보호하고 ㉡자원을 절약하는 일에 적극적으로 참여해 주기를 당부하였다.

라 한편, 다 쓴 건전지를 새 건전지로 바꾸어 주는 사업은 ○○구뿐만 아니라 전국적으로 많은 시나 군에서 실시하고 있다. ㉢지역에 따라 다 쓴 건전지뿐만 아니라 다 쓴 형광등이나 종이 팩을 가져오면 새 건전지, 종량제 봉투, 휴지 등으로 바꾸어 주기도 한다. 각 지역에서 하는 이러한 사업에 많은 사람이 관심을 가지고 참여함으로써 환경도 살리고 쓸모 있는 자원들이 다시 활용될 수 있기를 기대해 본다.

• **수거율**
재활용품이나 쓰레기 따위를 거두어 가는 비율.

• **망간**
은백색의 광택이 나는 중금속 원소.

1

이 글을 읽고 답을 확인할 수 있는 질문이 아닌 것은 무엇인가요? (   )

① 폐건전지 교환 사업이란 무엇일까?
② ○○구가 폐건전지 교환 사업을 실시하는 때는 언제부터인가?
③ 다 쓴 건전지 때문에 ○○구가 피해를 본 사례에는 어떤 것들이 있을까?
④ 폐건전지 교환 사업을 실시하면서 이를 통해 기대하는 효과는 무엇일까?
⑤ ○○구 외에도 다 쓴 건전지를 새 건전지로 바꾸어 주는 사업을 하는 지역이 또 있을까?

2

수능에서는
글의 형식 또는 짜임을 말할 때 글의 구조라는 말을 자주 사용해. 글은 종류에 따라 '머리말-본문-맺음말', '서론-본론-결론' 등과 같은 일정한 구조를 지니고 있어.

보기 는 이와 같은 글의 구조를 설명한 것입니다. 가~라 중, 밑줄 친 부분에 해당하는 것을 고르세요. (   )

보기

신문 기사는 일반적으로 '표제-부제-전문-본문'으로 이루어져 있다. '표제'는 기사의 전체 내용을 짐작할 수 있게 표현한 큰 제목이고, '부제'는 이를 보완하여 짧게 덧붙인 제목이다. 그리고 '전문'은 기사의 내용을 한 문장으로 간추려 제시하는 부분이고, '본문'은 전문의 내용을 자세하게 풀어서 설명한 부분이다. 경우에 따라 본문 뒤에는 평가나 기대 등을 제시한 '해설' 부분이 덧붙기도 한다.

3

글의 구조에 따라 요약하기

가, 나의 중심 내용을 다음과 같이 정리할 때, 그 내용이 알맞지 않은 것은 무엇인가요? (   )

- **누가:** ○○구는 ··············· ①
- **언제:** 이번 달 1일부터 ··············· ②
- **어디서:** 각 지역의 주민 센터에서
- **무엇을:** 폐건전지 교환 사업을 ··············· ③
- **어떻게:** 다 쓴 건전지 10개를 새 건전지 1개로 바꾸어 준다. ··············· ④
- **왜:** 많은 사람들이 골고루 혜택을 받도록 하기 위하여 ··············· ⑤

글의 구조에 따라 요약하기

수능에서는
글의 중심 내용을 요약하여 파악할 수 있는지를 확인하는 문제가 나와. 요약을 하면 글의 내용을 한눈에 파악할 수 있어. 저학년에서 중심 내용을 파악하는 문제가 이렇게 연결돼.

4 **다에 제시된 ○○구 관계자의 말을 다음과 같이 요약한다고 할 때, ㉠과 ㉡이 어디에 해당하는지 쓰세요.**

❶ 다 쓴 건전지에 남아 있는 물질을 거두어 모으면 중요한 자원으로 재활용할 수 있다.
❷ 다 쓴 건전지를 재활용하면 건전지에 남아 있는 해로운 물질 때문에 발생하는 환경 오염 문제를 줄일 수 있다.

❶ (　　　　　　　　)　　　❷ (　　　　　　　　)

5 **이 글을 통해 짐작할 수 있는 ㉢의 효과로 알맞지 <u>않은</u> 것은 무엇인가요? (　　　)**

① 환경을 보호하는 데 도움이 될 수 있다.
② 재활용이 가능한 자원을 많이 모을 수 있다.
③ 자원 재활용에 관한 새로운 법이 만들어질 수 있다.
④ 자원을 재활용하는 것에 대한 사람들의 관심을 끌 수 있다.
⑤ 사람들이 자원을 재활용하는 사업에 적극적으로 참여하게 할 수 있다.

한줄요약

6 **빈칸에 알맞은 말을 찾아 이 글의 핵심 내용을 한 문장으로 요약하세요.**

환경　　자원　　관심

다 쓴 건전지를 새 건전지로 바꾸어 주는 사업에 [　　]을 가지고 적극적으로 참여하여 [　　]을 보호하고 [　　]을 절약하는 일에 힘써야 한다.

• 낱말이 한자로는 어떻게 쓰이는지 살펴보고, 예문을 참고해 빈칸을 채워 보세요.

❶ 收去 — 거둘 [수] / 갈 [ㄱ]

오늘은 쓰레기를 [수][ㄱ]해 가는 날이다.

❷ 資源 — 재물 [ㅈ] / 근원 [원]

곤충이 미래의 식량 [ㅈ][원]으로 떠오르고 있다.

❸ 物質 — 물건 [ㅁ] / 바탕 [질]

유리가 어떤 [ㅁ][질]로 이루어졌는지 알아보았다.

• 낱말의 뜻을 참고하여, 다음 문장의 빈칸에 들어갈 알맞은 낱말을 완성하세요.

❹ 이번 4월에 국회 의원 선거를 [ㄹ][ㅅ]한다.

실제로 시행함.

❺ 우리 군에서는 홍수로 인해 끊어진 다리를 고치는 [ㅅ][업]을 준비하고 있다.

어떤 일을 일정한 목적과 계획을 가지고 짜임새 있게 지속적으로 경영함. 또는 그 일.

❻ 버려지는 물건 중에는 [ㅈ][ㅎ][용]이 가능한 것들이 많이 섞여 있다.

폐품 따위를 용도를 바꾸거나 가공하여 다시 씀.

❼ 어린이날에 어린이와 함께 야구장을 찾으면 다양한 [ㅎ][ㅐ]을 누릴 수 있다.

은혜와 덕택을 아울러 이르는 말.

월 일
맞힌 개수 개

화폐의 기능

[A] 오늘날 화폐는 상업 거래를 비롯하여 경제 활동의 주요 수단이 되고 있다. 과거에는 주로 물건과 물건을 맞바꾸는 형식으로 거래가 이루어졌다면, 오늘날에는 지폐나 동전, 수표, 신용 카드 등의 형태로 된 화폐를 이용해서 물건을 사는 방식으로 거래가 이루어진다. 이처럼 경제 활동의 주요 수단이 되고 우리 삶에 없어서는 안 될 화폐의 기능에 대해서 알아보자.

첫째, 화폐는 교환 매개의 기능을 한다. 이는 화폐가 교환이나 거래의 수단이 되는 것으로, 화폐를 이용하면 거래에 드는 시간과 노력이 줄어든다. 예를 들어, 생선을 가진 사람이 과일을 구하려 하고, 과일을 가진 사람은 생선을 구하려 한다고 하자. 이 두 사람이 운 좋게 만난다면 각자가 원하는 것을 바꿀 수 있다. 그러나 서로가 원하는 물건을 가진 사람을 찾으려면 많은 시간과 노력을 들여야 할 것이다. 이때 화폐를 이용하면 물건을 교환할 사람을 찾기 위한 시간과 노력을 들일 필요가 없이, 화폐를 주고 바로 원하는 물건을 구입할 수 있게 된다.

둘째, 화폐는 가치를 평가하고 측정하는 가치 척도의 기능을 한다. 앞의 사례에서 ㉠원하는 물건이 일치하는 사람을 찾았다고 해도 교환이 반드시 이루어지는 것은 아니다. 왜냐하면 서로 상대방의 물건에 부여하는 가치가 다르기 때문이다. 예를 들어, 한 사람은 생선 한 마리에 과일 한 개씩 바꾸기를 원하는데, 다른 사람은 생선 한 마리에 과일 두 개씩 바꾸려고 한다면 거래가 이루어지기 어렵다. 그러나 생선 한 마리는 2천 원, 과일 하나는 1천 원과 같이 각 상품의 가치를 화폐의 단위로 나타내면 거래 과정에서 발생하는 다툼이 줄어든다.

셋째, 화폐는 가치를 저장하는 기능을 한다. 어떤 농민이 가을에 수확한 과일을 보관했다가 다음 해에 팔려고 한다면, 보관 비용과 노력을 들여야 하며 경우에 따라 과일의 가치가 떨어질 수도 있다. 하지만 과일을 팔아 화폐로 바꾸면 보관이 쉬워지고, 물건이 가진 가치를 그대로 저장할 수 있다.

[B] 이처럼 화폐는 교환 매개로서 사람들 간의 거래를 편리하게 해 주고, 물건의 가치를 나타내는 척도가 되며, 물건이 가진 가치를 그대로 저장해 주는 다양한 기능을 한다.

• **매개**
둘 사이에서 양편의 관계를 맺어 줌.

• **척도**
평가하거나 측정할 때 근거가 될 기준.

1 **이 글을 쓰기 위해 글쓴이가 세운 계획 중, 이 글에 반영되지 않은 것은 무엇인가요? (　　)**

① 오늘날 화폐의 종류에는 어떤 것들이 있는지 제시한다.
② 화폐가 시대에 따라 어떻게 변화되어 왔는지 소개한다.
③ 과거와 오늘날의 물건 거래 방식이 어떻게 다른지 설명한다.
④ 구체적인 예를 들어 화폐의 기능에 대한 독자의 이해를 돕는다.
⑤ 물건을 교환할 때 발생하는 문제를 들어 화폐의 장점을 강조한다.

2 **보기 는 어느 분식집의 가격표입니다. 이 글을 바탕으로 보기 를 이해한 내용으로 알맞지 않은 것은 무엇인가요? (　　)**

보기
- 떡볶이 1인분 ……… 1,000원
- 김밥 1줄 ……… 2,000원
- 순대 1인분 ………… 2,000원

① 음식의 가격은 각 음식의 가치를 나타내는 기능을 하겠군.
② 떡볶이 1인분을 사기 위해 낸 1,000원은 교환의 매개가 되겠군.
③ 김밥과 순대는 주인이 좋아하는 정도에 따라 그 가치 척도가 달라지겠군.
④ 김밥과 떡볶이를 물물 교환한다면 김밥 1줄은 떡볶이 2인분과 바꿀 수 있겠군.
⑤ 음식을 팔아서 번 돈을 저축해 두었다면, 그 돈은 가치 저장의 기능을 한다고 볼 수 있겠군.

글의 구조에 따라 요약하기

수능에서는
글의 구조를 이루는 각 단계를 구성 단계라고 해. 저학년에서는 '처음-중간-끝'으로 구분했지만, 고학년에서는 더 다양한 단계로 나눈단다.

3 **[A]의 구성 단계상 특징으로 알맞은 것은 무엇인가요? (　　)**

① 글쓴이에 대해 밝힌다.
② 글에서 설명할 대상을 제시한다.
③ 설명 대상을 쉽고 자세하게 풀이한다.
④ 글 전체의 내용을 간략하게 정리한다.
⑤ 글쓴이의 주장을 다시 한 번 강조한다.

글의 구조에 따라 요약하기

4 **다음은 학생들이 이 글을 읽고 나눈 이야기입니다. [B]에 대해 잘못 이해한 학생은 누구인지 쓰세요.**

정주: [B]는 설명문에서 맺음말이 갖는 특징을 고려해서 쓴 것이군.

미정: 이 글에서 주로 다룬 내용은 '화폐의 기능'이야. [B]는 이를 자세하게 설명한 2~4문단의 내용을 간추린 것이군.

성진: 2~4문단은 각 문단의 뒷부분에 뒷받침 문장이 나오고 이어서 중심 문장이 나오는 구조로 되어 있어. 그러니 [B]는 각 문단의 마지막 문장만 모아 간추리면 되겠군.

우현: [B]에서 중요한 내용만 다시 정리해 주니까 글의 주제가 분명하게 전달되는군.

( )

5 **㉠의 이유로 가장 알맞은 것은 무엇인가요? ( )**

① 물건을 바꿀 상대방을 찾지 못했기 때문에
② 물건보다는 화폐를 받고 싶어 하기 때문에
③ 시간이 지나 물건의 가치가 떨어졌기 때문에
④ 서로가 가지고 싶어 했던 물건이 아니기 때문에
⑤ 물건의 가치에 대한 생각이 서로 다르기 때문에

한줄요약

6 **빈칸에 알맞은 말을 찾아 이 글의 핵심 내용을 한 문장으로 요약하세요.**

매개 저장 척도

오늘날 우리 삶에 필요한 수단인 화폐는 교환 [ ] 의 기능, 가치 [ ] 의 기능, 가치 [ ] 의 기능을 하고 있다.

• 보기 의 글자들을 합하여 빈칸에 들어갈 낱말을 완성하세요.

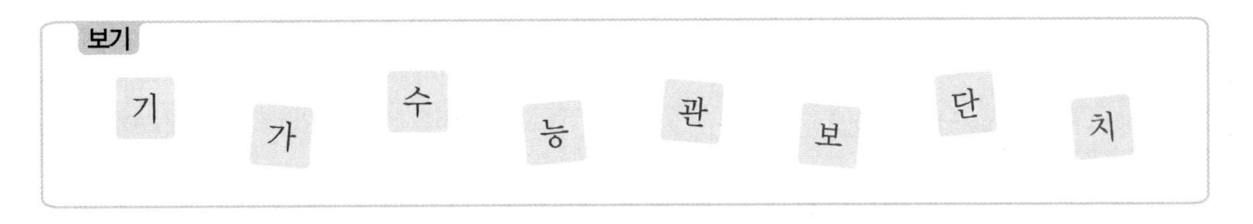

❶ [ㄱ][ㄴ] : 하는 구실이나 작용을 함. 또는 그런 것.

❷ [ㅅ][ㄷ] : 어떤 목적을 이루기 위한 방법. 또는 그 도구.

❸ [ㅂ][ㄱ] : 물건을 맡아서 간직하고 관리함.

❹ [ㄱ][ㅊ] : 사물이 지니고 있는 쓸모.

• 낱말의 뜻을 참고하여, 다음 문장의 빈칸에 들어갈 알맞은 낱말을 완성하세요.

❺ 그 우표는 수집가들 사이에서 비싼 값에 [거][ㄹ] 되고 있다.

주고받음. 또는 사고팖.

❻ 알뜰 나눔 장터는 안 쓰는 물건을 다른 사람의 물건과 [ㄱ][ㅎ] 하거나 파는 곳이다.

서로 바꿈.

❼ 석빙고는 얼음을 [ㅈ][ㅈ] 하기 위해 만든 창고이다.

물건이나 재화 따위를 모아서 간수함.

❽ 올해는 날씨가 좋아서 맛좋은 과일을 많이 [ㅅ][ㅎ] 할 수 있을 것 같다.

익은 농작물을 거두어들임. 또는 거두어들인 농작물.

5 WEEK
3 DAY
월 일
맞힌 개수 개

씨앗 소유권

사람이 살아가는 데 필요한 식량이나 생활용품, 의약품 등의 재료가 되는 생물을 '생물 자원'이라고 한다. 예전에는 이러한 생물 자원을 아무런 조건 없이 사용할 수 있었다. 그러나 2010년에 마련된 '나고야 의정서'가 2014년부터 국제적 약속으로 자리잡게 되면서 다른 나라의 생물 자원을 이용할 때에는 그 나라에 알리고 허락을 받아야 하며, 생물 자원을 이용해 얻은 이익의 일부를 돌려주어야 한다. 이 때문에 각 나라에서는 생물 자원, 특히 씨앗의 소유권을 확보하는 일이 중요해졌다.

만약 식량으로 쓰이거나 상품의 재료가 되는 식물들의 씨앗 소유권이 없다면, 그 씨앗을 이용할 때에는 소유권을 가진 나라의 허락을 받고 값을 치러야 한다. 그런데 우리나라는 씨앗 소유권에 대한 인식이 낮아 경제적으로 큰 손실을 보고 있다. 크리스마스트리로 유명한 '구상나무', '미스킴라일락'으로 불리는 '정향나무' 등은 원래 우리나라의 것이었지만, 그 씨앗이 모두 해외로 빠져나간 후 품종이 개량되어 다시 비싼 값으로 우리나라에 들여오고 있다. 또한 ㉠'배추', '무', '양파' 등의 씨앗도 해외 기업이 소유권을 가지고 있어, 이들 씨앗을 사 오는 데 매년 많은 돈을 내고 있다.

이러한 문제를 해결하기 위해서는 지금부터라도 ㉡씨앗에 대한 소유권을 확보하고 지키기 위해 노력해야 한다. 그러기 위해서 먼저 씨앗의 중요성을 알고 씨앗 소유권에 관심을 가져야 한다. 그리고 씨앗을 체계적으로 연구하는 기관들을 세워 씨앗에 대해 조사 및 연구를 하고, 씨앗들을 수집해야 한다. 또 사라져 가는 재래종 씨앗을 살리고, 우리의 씨앗들이 해외로 빠져나가지 않도록 철저히 관리해야 한다.

'농부는 굶어 죽어도 씨앗은 베고 죽는다.'라는 옛말이 있다. 이 말은 농부는 아무리 배가 고파도 농사에 쓸 씨앗은 먹지 않는다는 뜻으로, 그만큼 우리 조상들이 예로부터 씨앗을 중요하게 여겼음을 알 수 있다. 씨앗이 없는 나라는 스스로 먹고사는 문제를 해결할 수 없다. 앞으로 우리는 씨앗 소유권에 관심을 가지고 씨앗을 지키기 위해 더 많이 노력해야 한다.

- **의정서** 국가 간 회의에서 결정한 내용을 기록한 문서.
- **확보** 확실히 가지고 있음.
- **개량** 나쁜 점을 보완하여 더 좋게 고침.
- **재래종** 예전부터 전하여 내려오는 농작물이나 가축의 종자.

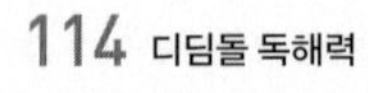

글의 구조에 따라 요약하기

1

수능에서는
중심 내용을 서술하는 과정을 내용 전개 방식이라고 말해. 이것을 주장하는 글에서는 논지 전개 방식이라고 조금 다르게 표현할 뿐이야.

이 글의 논지 전개 방식을 다음과 같이 정리할 때, 알맞지 않은 것은 무엇인가요? (   )

서론	• 중심 낱말의 뜻을 밝히며 글을 시작하고 있다. ············ ① • 문제 상황이 일어나게 된 배경을 소개하고 있다.
본론	• 문제 상황을 먼저 제시하고 그 해결 방안을 나열하고 있다. ············ ② • 글쓴이의 주장을 뒷받침하기 위해 구체적인 예를 제시하고 있다. ····· ③
결론	• 옛말을 인용하여 문제의 심각성을 강조하고 있다. ············ ④ • 글의 핵심 주장을 다시 한 번 언급하며 강조하고 있다. ············ ⑤

2

이 글을 읽고 알 수 있는 내용이 아닌 것은 무엇인가요? (   )

① 우리나라는 재래종 씨앗보다 수입 씨앗을 더 좋아하는 경향이 있다.
② 씨앗 소유권이 없으면 식량 문제를 스스로 해결하기 어려워질 수도 있다.
③ 생물 자원의 원산지일지라도 그 생물 자원에 대한 소유권이 없을 수 있다.
④ 화장품, 의약품 등을 만드는 데 사용되는 식물, 동물은 생물 자원에 포함된다.
⑤ 다른 나라에 소유권이 있는 생물 자원을 이용하기 위해서는 일정한 절차를 거쳐야 한다.

글의 구조에 따라 요약하기

3

수능에서는
각 문단이나 글 전체의 중심 내용을 파악하는 문제가 자주 나와. 저학년에서는 중심 내용이 주제를 드러낸다는 것을 배웠어. 주로 핵심어나 중심 문장 등을 중심으로 찾으면 돼.

각 문단의 중심 내용을 다음과 같이 요약할 때, 빈칸에 들어갈 알맞은 말을 찾아 쓰세요.

- **1문단:** '나고야 의정서'의 영향에 따른 [❶] 확보의 중요성
- **2문단:** 씨앗 소유권에 대한 인식 부족으로 인한 [❷] 손실
- **3문단:** 씨앗 소유권을 [❸]하고 지키기 위한 구체적인 방법
- **4문단:** 씨앗 소유권에 대한 관심과 노력을 당부

❶ (   ) ❷ (   ) ❸ (   )

4

㉠에 대해 알아보다가 보기 의 자료를 접했다고 할 때, 내용을 바르게 이해한 것은 무엇인가요? (　　　)

> **보기**
>
> 청양고추는 우리나라에서 개발한 것인데 1999년 외환 위기 때 국내 씨앗 회사들이 외국 회사로 팔리면서 씨앗 소유권을 잃게 되었다. 그런데 국내 씨앗 회사들이 새로운 품종의 청양고추 씨앗을 개발하여 그 소유권을 갖게 되었다. 현재 우리나라 사람들이 식재료로 사용하는 청양고추는 이들 품종이다.

① 품종 개발을 통해서 씨앗 소유권을 새롭게 확보할 수 있군.
② 사람들의 식생활 변화가 씨앗 소유권의 변화에도 영향을 주었군.
③ 씨앗 소유권은 돈으로 살 수 있는 것이 아니므로 소유권을 잘 지켜야겠군.
④ 우리나라 식재료에 대한 연구가 부족하여 재래종 씨앗이 사라지게 되었군.
⑤ 외국 회사에 팔린 우리 씨앗들은 대부분 품종이 개량되어 다시 수입되는군.

5

㉡을 위해 글쓴이가 제시한 방법이 아닌 것은 무엇인가요? (　　　)

① 씨앗의 중요성을 알고 씨앗 소유권에 관심을 가진다.
② 우수한 품종의 씨앗을 만들어 해외 기업에 수출한다.
③ 사라져 가는 재래종 씨앗을 온전하게 보호하기 위해 노력한다.
④ 식물의 씨앗을 체계적으로 조사하고 연구하는 기관을 많이 만든다.
⑤ 우리 씨앗이 다른 나라로 빠져나가는 일이 없도록 꼼꼼하게 관리한다.

한줄요약

6

빈칸에 알맞은 말을 찾아 이 글의 핵심 내용을 한 문장으로 요약하세요.

> 확보　　씨앗　　허락

생물 자원을 이용할 때는 그 소유권을 가진 나라의 [　　]을 받고 값을 치러야 하므로, 특히 [　　] 소유권을 [　　]하고 지키기 위해 노력해야 한다.

• 다음 사다리 타기에 따라 (   ) 안에 들어갈 낱말의 뜻을 보기 에서 고르세요.

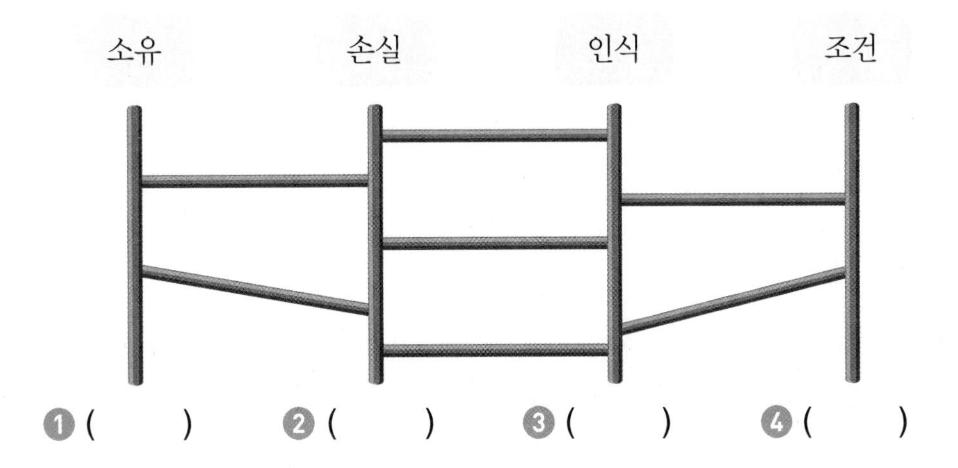

❶ (   ) ❷ (   ) ❸ (   ) ❹ (   )

보기

㉠ 가지고 있음. 또는 그 물건.
㉡ 사물을 분별하고 판단하여 앎.
㉢ 잃어버리거나 축나서 손해를 봄. 또는 그 손해.
㉣ 일정한 일을 결정하기에 앞서 내놓는 요구나 견해.

• 낱말의 뜻을 참고하여, 다음 문장의 빈칸에 들어갈 알맞은 낱말을 완성하세요.

❺ [ㅇ][ㅇ]이 남지 않은 장사는 누구도 하지 않을 것이다.

물질적으로나 정신적으로 보탬이 되는 것.

❻ 아이들은 부모의 [ㄱ][ㅅ]과 사랑을 받고 싶어 한다.

어떤 것에 마음이 끌려 주의를 기울임. 또는 그런 마음이나 주의.

❼ 담배가 건강에 나쁜 영향을 준다는 [ㅕ][ㄱ] 결과가 나왔다.

어떤 일이나 사물에 대해 깊이 있게 조사하고 생각하여 진리를 따져 보는 일.

소나기 _ 황순원

가 벌써 며칠째 소녀는, 학교에서 돌아오는 길에 물장난이었다. 그런데 어제까지는 개울 기슭에서 하더니, 오늘은 징검다리 한가운데 앉아서 하고 있다.

소년은 개울둑에 앉아 버렸다. ㉠소녀가 비키기를 기다리자는 것이다. 요행 지나가는 사람이 있어, 소녀가 길을 비켜 주었다. (중략)

소녀는 소년이 개울둑에 앉아 있는 걸 아는지 모르는지 그냥 날쌔게 물만 움켜 낸다. 그러나 번번이 허탕이다. 그래도 재미있는 양, 자꾸 물만 움킨다. 어제처럼 개울을 건너는 사람이 있어야 길을 비킬 모양이다.

그러다가 소녀가 물속에서 무엇을 하나 집어낸다. 하얀 조약돌이었다. 그러고는 벌떡 일어나 팔짝팔짝 징검다리를 뛰어 건너간다.

다 건너가더니만 홱 이리로 돌아서며,

"이 바보."

조약돌이 날아왔다.

나 "얘."

못 들은 체했다. 둑 위로 올라섰다.

"얘, 이게 무슨 조개지?"

㉡자기도 모르게 돌아섰다. 소녀의 맑고 검은 눈과 마주쳤다. 얼른 소녀의 손바닥으로 눈을 떨구었다.

"비단조개."

"이름도 참 곱다." (중략)

소녀가 걸음을 멈추며,

"너, 저 산 너머에 가 본 일 있니?"

벌 끝을 가리켰다.

"없다."

"우리, 가 보지 않으련? ㉢시골 오니까 혼자서 심심해 못 견디겠다."

• 전답
논과 밭을 아울러 이르는 말.

• 악상
수명을 다 누리지 못하고 젊어서 죽은 사람의 상사. 흔히 젊어서 부모보다 먼저 자식이 죽는 경우를 이름.

• 잔망스럽다
얄밉도록 맹랑한 데가 있음.

[중간 부분 줄거리] 소년과 소녀는 산에 놀러 갔다가 소나기를 만나는데, 비가 그친 후 도랑의 물이 불어나 소년이 소녀를 업고 건넌다. 그 후 며칠 만에 개울가에 나온 소녀는 소년에게 소나기 탓에 그동안 아팠으며 도랑에서 소년에게 업혔을 때 스웨터에 흙물이 들었던 것, 그리고 곧 이사 간다는 사실을 이야기한다.

다 그날 밤, 소년은 자리에 누워서도 같은 생각뿐이었다. 내일 소녀네가 이사하는 걸 가 보나 어쩌나. 가면 소녀를 보게 될까 어떨까.

그러다가 까무룩 잠이 들었는가 하는데,

"허, 참, 세상일도……."

마을에 갔던 아버지가 언제 돌아왔는지,

"윤 초시 댁도 말이 아니야. ㉣그 많던 전답을 다 팔아 버리고, 대대로 살아오던 집마저 남의 손에 넘기더니, 또 악상까지 당하는 걸 보면……."

남폿불 밑에서 바느질감을 안고 있던 어머니가,

"증손이라곤 계집애 그 애 하나뿐이었지요?"

"그렇지, 사내애 둘 있던 건 어려서 잃어버리고……."

"어쩌면 그렇게 자식 복이 없을까."

"글쎄 말이지. 이번 앤 꽤 여러 날 앓는 걸 약도 변변히 못 써 봤다더군. 지금 같아선 윤 초시네도 대가 끊긴 셈이지……. 그런데 참, ㉤이번 계집앤 어린것이 여간 잔망스럽지가 않아. 글쎄, 죽기 전에 이런 말을 했다지 않아? 자기가 죽거든 자기 입던 옷을 꼭 그대로 입혀서 묻어 달라고……."

글의 구조에 따라 요약하기

수능에서는

소설은 작품 전체를 아우르는 하나의 큰 사건(갈등)을 기준으로 그 흐름에 따라 내용을 구분할 수 있는데, 이를 내용 구조 혹은 내용의 구성 단계라고 해. 소설의 내용 구조는 보통 '발단–전개–위기–절정–결말'의 순서로 이루어져 있어.

1 다음은 이와 같은 글의 내용 구조를 순서와 상관없이 제시한 것입니다. 글의 구조상 가와 다가 해당하는 것의 기호를 각각 쓰세요.

- ㄱ 여운을 남기면서 사건을 마무리하는 부분
- ㄴ 사건이 본격적으로 발생하며 갈등이 일어나는 부분
- ㄷ 인물과 배경을 소개하고 사건의 실마리가 나타나는 부분
- ㄹ 인물 간의 갈등이 커지면서 긴장감이 가장 높아지는 부분

① 가: (　　　　　　)　　② 다: (　　　　　　)

2 이 글에 나온 소재들의 역할로 알맞은 것을 각각 선으로 이으세요.

❶ 비단조개 •
❷ 자기 입던 옷 •

• ㉠ 소년과의 추억을 간직하고픈 소녀의 마음을 보여 줌.
• ㉡ 소년과 소녀가 대화를 나누는 기회를 만들어 줌.

3 ㉠~㉤에 대한 설명으로 알맞지 않은 것은 무엇인가요? (　　)

① ㉠: 소년이 개울을 건너지 않고 개울둑에 앉은 의도를 알게 해 준다.
② ㉡: 행동과 달리 속으로는 소녀를 신경 쓰고 있었음을 드러낸다.
③ ㉢: 소녀가 개울가에서 물장난을 한 까닭을 짐작하게 해 준다.
④ ㉣: 소녀가 여러 날 앓았는데도 약을 변변히 못 쓴 까닭이 드러난다.
⑤ ㉤: 소녀의 활발한 성격을 부정적으로 생각하는 심리가 나타난다.

한줄요약

4 빈칸에 알맞은 말을 찾아 이 글의 핵심 내용을 한 문장으로 요약하세요.

소년　　추억　　소녀

개울가에서 만난 [　　]과 [　　]가 함께 산에 놀러 가기도 하며 많이 친해지지만, 소나기로 인해 병을 얻은 소녀는 소년과의 [　　]을 간직한 채 죽는다.

• 보기 는 본문에서 '길'이 쓰인 문장과 그 뜻을 국어사전에서 찾아본 것입니다. ㉮와 ㉯에 쓰인 '길'의 뜻풀이를 바르게 연결하세요.

보기

['길'이 쓰인 문장]

㉮ 벌써 며칠째 소녀는, 학교에서 돌아오는 길에 물장난이었다.

㉯ 요행 지나가는 사람이 있어, 소녀가 길을 비켜 주었다.

['길'의 국어사전 풀이]

㉠ 사람이나 동물 또는 자동차 따위가 지나갈 수 있게 땅 위에 낸 일정한 너비의 공간.

㉡ 어떤 자격이나 신분으로서 주어진 도리나 임무.

㉢ 어떠한 일을 하는 도중이나 기회.

1 ㉮ • • ㉠

2 ㉯ • • ㉡

• ㉢

• 낱말의 뜻을 참고하여, 다음 문장의 빈칸에 들어갈 알맞은 낱말을 완성하세요.

3 꾸준한 노력이 없이 [ㅛ][ㅎ] 만으로는 성공할 수 없다.

뜻밖에 얻는 행운.

4 오랜만에 운동을 하려고 체육관에 갔으나 체육관이 쉬는 날이어서 [ㅎ][ㅌ] 만 치고 왔다.

어떤 일을 시도하였다가 아무 소득이 없이 일을 끝냄. 또는 그렇게 끝낸 일.

5 책을 읽다가 그만 [ㄲ][ㅁ][ㅋ] 잠이 들고 말았다.

정신이 갑자기 흐려지는 모양.

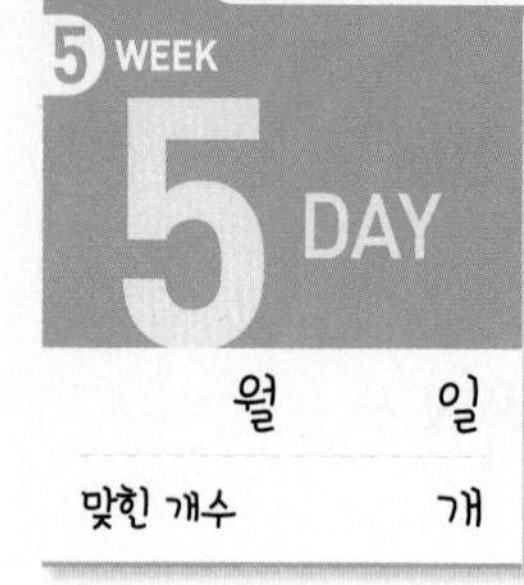

조선 최고 발명가, 장영실

㉮장영실은 노비 출신으로, 어려서부터 재주가 뛰어나 여러 물건을 잘 고쳤다. 열 살에 부산 동래현의 관노가 된 장영실은 관아에 있는 기구나 무기 등을 고치는 것은 물론 아무도 생각하지 못했던 것들을 만들어 냈다. 동래현에 가뭄이 심하게 들었을 때에는, 장영실이 수차를 만들어 멀리 있는 강물을 논까지 끌어와서 가뭄을 해결하기도 하였다.

㉯이 소식을 들은 태종은 장영실을 궁궐로 불러들여 궁중 기술자로 일하게 하였다. 궁궐에 들어온 장영실은 뛰어난 능력을 보이며 밤낮으로 열심히 일했다. 태종의 뒤를 이어 왕위에 오른 세종은 이러한 장영실의 열정을 인정하여 1421년에 천문관 관리였던 윤사웅, 최천구와 함께 중국 명나라에 유학을 보내 주었다. 그리고 1년 후 장영실이 명나라에서 돌아오자, ㉠신하들의 반대에도 불구하고 벼슬을 내려 노비 신분에서 벗어나게 하였다.

장영실은 세종의 은혜에 보답하고자 천문과 시계에 관한 연구에 온 힘을 다하였다. 그리하여 마침내 1424년에 물을 이용해 시간을 재는 물시계인 '경점지기'를 만들었다.

[A] 이후 ㉰장영실은 세종의 명을 받들어 많은 천문 기구와 시계 등을 만드는 데 참여하였다. 1433년에 해와 달, 별자리를 관찰해 위치와 시각을 알 수 있는 '간의'와 '혼천의'를 만들었다. 그리고 1434년에 물시계 장치와 자동으로 시간을 알려 주는 장치를 갖춘 표준 시계인 '자격루', 햇빛이 비칠 때 생기는 그림자의 기울기로 시간과 계절을 알려 주는 해시계인 '앙부일구'를 만들었다. 또한 1441년에 한 해 농사에 영향을 주는 비의 양을 측정할 수 있는 기구인 '측우기'를 제작하였다.

㉱이 과정에서 장영실은 세종으로부터 그 공로를 인정받아 높은 벼슬을 받고, 이후 종3품 대호군의 지위에까지 올랐다.

그러나 1442년, 세종이 장영실이 만든 가마를 타고 가던 중 가마가 부서지는 사고가 일어났다. 이 일로 ㉲장영실은 궁궐에서 쫓겨나게 되었는데, 이후 그가 어떻게 살았는지에 대한 기록은 남아 있지 않다.

- **관노**
  관가에 속하여 있던 노비.
- **수차**
  물을 떠 올리는 기계.
- **천문**
  우주와 거기에 있는 별들의 온갖 현상과 그에 내재된 법칙성.

1

다음 설명으로 보아, 이 글에서 확인할 수 없는 것은 무엇인가요? (　　　)

전기문은 인물의 생애, 업적 등을 사실에 맞게 쓴 글로, 인물, 사건, 배경, 비평 등으로 이루어진다. ①인물의 일생이 시간 순서대로 펼쳐지며, ②인물의 활동과 업적 그리고 ③이와 관련된 이야기가 나타난다. 또 ④인물이 살았던 시대의 사회적·역사적 환경이 드러나며, ⑤인물에 대한 글쓴이의 느낌이나 평가 등도 제시된다.

글의 구조에 따라 내용을 요약해요

요약하기는 단순히 글의 분량을 줄이는 것이 아니라 주요 내용(중심 문장)을 뽑아 간추리는 것입니다. 저학년에서 글에서 중심 문장을 찾는 것을 배웠다면, 고학년에서는 글의 구조에 따라 중심 문장이나 주요 내용을 찾아 전체 내용을 간략하게 요약할 수 있어야 해요.

저학년에서는 중심 문장을 찾아요	→	고학년에서는 글의 구조에 따라 내용을 요약해요

2

글의 구조에 따라 요약하기

수능에서는
문단이나 글의 핵심 내용이 들어 있는 중심 문장을 찾아 주제를 파악하는 경우가 많아. 저학년에서 중심 문장을 구분하는 내용이 이렇게 연결돼.

이 글을 다음과 같이 요약하기 위해 중심 문장을 고를 때, ㉮~㉲ 중 이에 해당하지 않는 것은 무엇인가요? (　　　)

노비로 태어났지만 손재주가 뛰어났던 장영실은 임금의 부름을 받고 궁에 들어가 많은 천문 기구와 시계를 만들었으며 높은 벼슬에까지 오를 수 있었다.

① ㉮　　② ㉯　　③ ㉰　　④ ㉱　　⑤ ㉲

3

이 글을 읽고 난 후 다음의 자료를 접한 학생이 보인 반응입니다. 빈칸에 들어갈 알맞은 낱말을 [A]에서 찾아 쓰세요.

세종은 해와 달과 별의 움직임을 관찰하여 시간의 흐름과 계절의 변화를 알아낼 수 있다면, 백성들이 제때 씨를 뿌리고 곡식을 가꾸어 풍성한 결실을 거둘 수 있다고 생각하였다. 장영실의 발명품에는 이러한 세종의 뜻이 담겨 있다.

세종은 백성들의 [　|　]에 도움을 주고자 장영실에게 천문 기구와 시계를 만들라고 한 것이겠군.

4

보기 를 참고할 때, ㉠의 이유를 바르게 짐작한 것은 무엇인가요? (   )

> 보기
>
> 조선 시대에는 신분이 양반, 중인, 상민, 천민으로 나뉘었다. 양반은 가장 높은 신분으로 벼슬을 하거나 글공부를 하였다. 중인은 벼슬을 하는 데 제한이 있어서 의원, 역관, 기술 관리 등으로만 일할 수 있었으며, 노비·광대 등의 천민은 벼슬을 할 수 없었다.

① 장영실의 실력이 뛰어남을 인정하고 싶지 않았기 때문이다.
② 천민 신분으로 유학을 다녀온 것이 못마땅하였기 때문이다.
③ 노비가 관직에 오르는 것은 있을 수 없는 일이라 생각했기 때문이다.
④ 공을 세운 사람들 중에서 오직 장영실에게만 벼슬을 주었기 때문이다.
⑤ 이미 관직에 있는 궁중 기술자는 다른 벼슬을 할 수 없었기 때문이다.

5

이 글의 내용을 바탕으로 '자격루'와 '앙부일구'를 비교한 내용입니다. 빈칸에 들어갈 시계를 차례대로 쓰세요.

> 구름이 많고 흐린 날에 시간을 알려면 [❶] 보다는 [❷] 를 보는 것이 좋고, 계절의 변화는 [❸] 보다는 [❹] 를 통해 확인하는 것이 좋다.

❶ (   )   ❷ (   )
❸ (   )   ❹ (   )

6

한줄요약

빈칸에 알맞은 말을 찾아 이 글의 핵심 내용을 한 문장으로 요약하세요.

> 천문   노비   재주

장영실은 [   ] 출신이지만 [   ]가 뛰어나 궁궐에 들어가 세종의 명을 받아 많은 [   ] 기구와 시계 등을 만들고 높은 벼슬에까지 올랐다.

• **본문에 쓰인 문장에서 밑줄 친 낱말을 다른 말로 바꿔 쓰려고 합니다. 낱말의 뜻을 참고하여 빈칸을 채워 보세요.**

1 가마가 부서지는 사고가 일어났다. → | ㅂ | 생 | 하다

어떤 일이나 사물이 생겨남.

2 한 해 농사에 영향을 주는 비의 양을 잴 수 있는 기구 → | 측 | ㅈ | 하다

일정한 양을 기준으로 하여 같은 종류의 다른 양의 크기를 잼.

3 물시계인 '경점지기'를 만들었다. → | 제 | ㅈ | 하다

재료를 가지고 기능과 내용을 가진 새로운 물건이나 예술 작품을 만듦.

• **낱말의 뜻을 참고하여, 다음 문장의 빈칸에 들어갈 알맞은 낱말을 완성하세요.**

4 그는 세계 평화에 이바지한 | ㄱ | 로 | 로 노벨상을 받았다.

일을 마치거나 목적을 이루는 데 들인 노력과 수고. 또는 일을 마치거나 그 목적을 이룬 결과로서의 공적.

5 그 사람은 활 쏘는 | 재 | ㅈ | 가 뛰어나 주몽이라고 불렸다.

무엇을 잘할 수 있는 타고난 능력과 슬기.

6 그림에 대한 박수근의 | 여 | ㅈ | 은 그 누구도 막을 수 없었다.

어떤 일에 열렬한 애정을 가지고 열중하는 마음.

7 홍길동은 | 추 | ㅅ | 이 천하여 아버지를 아버지라 부르지 못하고 형을 형이라 부르지 못했다.

출생 당시 가정이 속하여 있던 사회적 신분.

8 | ㅈ | ㅟ | 가 높아질수록 경솔하게 행동하지 말고 겸손할 줄 알아야 한다.

개인의 사회적 신분에 따르는 위치나 자리.

9 사건 | ㄱ | ㄹ | 을 살펴보면 그 사건의 전말을 알 수 있다.

주로 후일에 남길 목적으로 어떤 사실을 적음. 또는 그런 글.

마무리

글의 구조에 따라 내용을 요약하려면?

중심 문장을 찾아요 ► 3학년

❶ 문단에서 중심 문장과 뒷받침 문장 구분하기

글에서 여러 문장들이 모여 하나의 중심 생각을 나타내는 짤막한 부분을 '문단'이라고 하고, 하나의 문단에서 중심 생각을 표현하고 있는 문장을 '중심 문장', 이 문장의 내용을 자세히 설명해 주는 문장을 '뒷받침 문장'이라고 합니다.

❷ 각 문단의 중심 문장을 연결하기 중심 문장을 연결할 때에는, 문장을 그대로 옮겨 쓰기보다는 자신의 말로 바꾸어 쓰도록 합니다.

- **하나의 문단은 중심 문장과 뒷받침 문장으로 이루어짐.**
- **정보 전달의 글에서 중심 문장은 중심 제재에 대한 설명이 들어 있음.**
- **설득하는 글의 중심 문장에는 글쓴이의 핵심 주장이 담겨 있음.**

글의 구조에 따라 내용을 요약해요 ► 5학년

❶ 글의 종류에 따른 글의 구조 파악하기

설명문	'머리말－본문－맺음말'의 구조로 대상을 설명합니다.
논설문	'서론－본론－결론'의 구조로 주장과 근거를 제시합니다.
이야기 글	'발단－전개－위기－절정－결말'의 구조로 사건이 전개됩니다.

❷ 글의 단계별 특징을 고려하기 설명문과 논설문은 일반적으로 글의 처음 부분에서 글에서 다루려는 제재를 밝히고, 중간 부분에서 본격적으로 내용을 펼치며, 끝부분에서 내용을 요약하는 방식으로 전개됩니다.

일반적으로 글의 각 단계에서 다루는 내용을 고려하여, 글의 중심 제재를 파악하고 중요한 내용과 그렇지 않은 내용을 구분해 봅니다.

중심 화제

17. 윗글의 중심 화제로 가장 적절한 것은?

① 고도의 몰입을 통한 소통과 합일의 의의
② 장자의 호접몽 이야기에 담긴 물아일체의 진정한 의미
③ 정신과 육체의
④ 자아와 세계의
⑤ 마음의 두 가지 상태와 그 상보적 관계에 대한 장자의 견해

수능에는 글 전체의 중심 제재, 즉 중심 화제를 찾고 이를 바탕으로 글의 내용을 요약할 수 있는지를 묻는 문제가 나와요.

중심 화제를 먼저 확인하라

글의 구조에 따라 내용을 요약하려면 우선 글에서 중심 화제가 무엇인지 파악해야 합니다. 각 문단의 중심 문장에는 중심 화제에 대한 설명이나 생각이 담겨 있으므로 먼저 각 문단에서 중심 문장을 찾고, 문단 간의 관계를 생각하며 이들 문장을 연결해 전체 내용을 요약해 봅니다. 요약된 내용을 살펴보면 글의 구조에 따라 내용이 전개되는 과정을 쉽게 확인할 수 있습니다.

글에서 다루는 중심 화제가 무엇인지 확인한다. → 각 문단에서 중심 화제를 다룬 중심 문장을 찾아본다. → 글의 흐름과 문단 간의 관계를 생각하며 중요 내용을 요약한다.

수능까지 연결되는 초등 독해

WEEK 6

자료의 특성을 생각하며 읽어요

토끼는 별주부를 따라 용궁에 갔을까?

별주부는 용왕님의 병을 고치기 위해 육지에 사는 토끼를 찾아갔습니다. 토끼에게 용궁으로 가자고 설득하기 위해 별주부가 화려한 용궁의 모습이 담긴 영상을 보여 주고 있네요. 과연 토끼는 별주부를 따라 용궁에 갔을까요?

토끼는 별주부가 보여 준 용궁 영상을 보며 어떤 생각을 했을까요? 만약 별주부가 아무런 자료 없이 용궁에 가자고 했어도 토끼가 깊은 바닷속 용궁에 쉽게 따라 갔을까요? 이렇게 내용을 전달할 때 도와주는 수단이 되는 것을 매체라고 합니다.

매체에는 **인쇄 매체, 영상 매체, 인터넷 매체** 등이 있습니다. 주로 인쇄 매체인 글은 깊이 있는 내용을 다룰 수 있고, 영상이나 인터넷 매체는 생생한 화면을 통해 정보를 실감 나게 전달할 수 있습니다. 이처럼 전달하려는 **내용과 목적에 따라 활용**할 수 있는 매체 자료가 달라집니다. 그럼 지금부터 **다양한 매체 자료의 특성**을 알아보고, 어떤 상황에서 활용할 수 있을지 살펴볼까요?

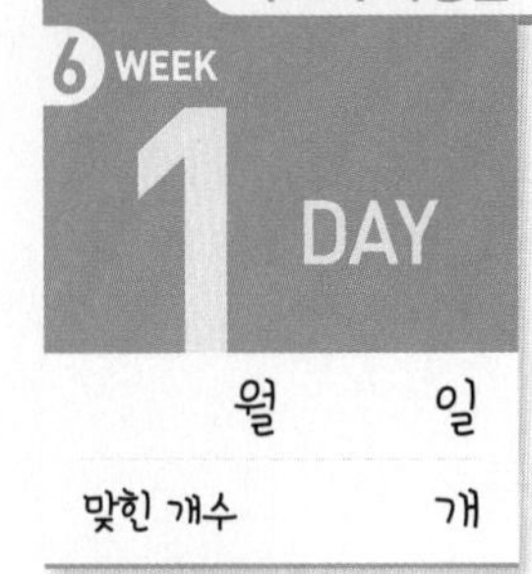

다양한 매체

가 매체란 의사소통의 매개체로서 정보와 지식, 사상과 정서를 전달하고 공유하는 수단을 말한다. 현대 사회에서는 다양한 매체로 의사소통이 이루어지고 있다. 따라서 효율적이고 합리적으로 의사소통을 하기 위해서는 다양한 매체의 유형과 특성을 이해해야 한다.

나 책은 사상, 감정, 지식 따위를 글 또는 그림으로 표현하여 적거나 인쇄한 매체로서, 주로 문자 언어로 정보를 구성한다. 일반적으로 책은 신문이나 텔레비전, 라디오, 인터넷 등에 비해 정보 제공의 속도가 떨어진다. 그러나 책은 만드는 데 시간적인 여유가 있고 지면의 제약이 크지 않아, 어떤 소재나 주제에 관한 내용을 깊이 있게 다룰 수 있다.

다 신문은 문자 언어나 사진을 중심으로 정보를 구성한다는 측면에서 책과 유사하지만 제한된 제작 시간과 지면 때문에 책에 비해 상세하고 깊이 있는 내용을 다루기가 어렵다. 하지만 책과 달리 신문은 보도 기사, 사설, 일기 예보 등 때에 맞는 정보를 신속하게 전달할 수 있다. 이는 텔레비전과도 공통적인 특성이다.

라 텔레비전은 영상, 음향, 문자 언어(자막), 음성 언어 등으로 정보를 구성한다. 영상 매체인 텔레비전은 현장 화면을 통해 실시간으로 정보를 제시할 수 있어서, 신문에 비해 정보가 생생하게 전달된다. 신문과 텔레비전은 많은 사람들에게 정보를 빠르게 전달한다는 측면에서 영향력이 크다.

마 인터넷은 문자 언어, 음성 언어, 영상, 음향 등을 복합적으로 사용하여 정보를 구성한다. 그리고 인터넷은 전문가가 아니더라도 누구나 쉽고 빠르게 다양한 분야의 정보를 제공할 수 있다. 하지만 이렇게 누구든 정보의 ㉠생산자이자 ㉡소비자가 될 수 있기 때문에, 인터넷상에는 그만큼 신뢰하기 어려운 정보들도 많이 있다. [ⓐ] 인터넷상의 정보를 받아들일 때에는 그 정보가 정확하고 믿을 만한지를 따져 볼 필요가 있다.

바 우리는 앞서 다양한 매체에 대해 살펴보았다. 매체의 유형과 특성을 정확히 알고 활용해야 올바르고 효과적인 의사소통을 할 수 있고, 현대 사회의 새롭고 다양한 문화를 이해할 수 있을 것이다.

- **매체**
어떤 작용을 한쪽에서 다른 쪽으로 전달하는 물체 또는 그런 수단.
- **공유**
두 사람 이상이 한 물건을 공동으로 소유함.
- **사설**
신문이나 잡지에서, 글쓴이의 주장이나 의견을 써내는 논설.

1 이 글의 내용과 일치하지 않는 것은 무엇인가요? (　　　)

① 텔레비전은 영상과 음향만으로 정보를 구성한다.
② 책은 어떤 소재나 주제에 관한 내용을 깊이 있게 다룰 수 있다.
③ 인터넷은 누구나 쉽고 빠르게 다양한 분야의 정보를 제공할 수 있다.
④ 신문은 제작 시간과 지면의 제약으로 책보다 상세한 내용을 다루기가 어렵다.
⑤ 책은 신문이나 텔레비전, 라디오, 인터넷 등에 비해 정보 제공의 속도가 떨어진다.

자료의 특성을 생각하며 읽어요

글쓴이는 읽는 이의 이해를 돕기 위해 여러 가지 자료를 활용하기도 합니다. 그래야 내용을 쉽게 전달할 수 있기 때문이죠. 저학년에서 글을 쓴 목적에 맞게 글을 읽는 방법을 배웠다면, 고학년에서는 매체에 따른 자료의 특성을 생각하며 글을 읽고 이해할 수 있어야 해요.

저학년에서는
글의 목적에 따라 읽는 방법이 달라요

고학년에서는
매체에 따른 다양한 읽기 방법을 이해해요

자료의 특성 생각하며 읽기

2 이 글을 참고할 때, 학생들의 반응 중 알맞지 않은 것은 무엇인가요? (　　　)

① **선호:** 어제 텔레비전에서 지진에 대한 뉴스를 봤어. 현장 영상을 보니까 지진의 피해가 생생하게 느껴지더라.
② **세창:** 나도 오늘 아침에 아빠가 읽고 계시는 신문에서 지진 기사를 봤어. 어제 일어난 지진은 우리나라에서 세 번째로 큰 지진이었대.
③ **경수:** 나는 지진이 일어났다는 소식을 듣고, 지진에 대해서 백과사전을 찾아봤어. 텔레비전으로 보는 것보다 실시간 정보를 빠르게 알 수 있었어.
④ **민경:** 사람들이 인터넷에 지진에 대한 소식을 바로바로 알려 주어서 좋은 것 같아. 피해 지역에 있는 사람들에게 많은 도움이 될 거야.
⑤ **민아:** 그런데 인터넷에는 잘못된 정보도 많아. 이번 지진의 피해라고 올라온 사진이 작년 사진인 경우도 있었어. 정확한 정보인지 잘 따져 봐야 해.

3 보기 의 내용과 관련이 깊은 문단은 무엇인가요?

보기

오늘날에는 인터넷을 통해 누구나 쉽게 정보를 공유할 수 있게 되었다. 하지만 동시에 잘못된 정보도 쉽게 퍼질 수 있게 되었다. '인포데믹스'는 정보(information)와 전염병(epidemics)의 합성어로, 근거 없는 추측이나 부정확한 정보가 인터넷을 통해 전염병처럼 빠르게 퍼지는 현상을 말한다. 이는 개인의 사생활 침해는 물론이고, 사회, 정치, 경제에도 치명적인 타격을 줄 수 있다.

(　　　　　　　)

4

다음 중 ㉠과 ㉡의 의미 관계와 같지 않은 것은 무엇인가요? (　　　)

① 작다 – 크다
② 오다 – 가다
③ 밝다 – 어둡다
④ 빠르다 – 느리다
⑤ 춥다 – 쌀쌀하다

5

ⓐ에 들어갈 접속어로 알맞은 것은 무엇인가요? (　　　)

수능에서는
문장과 문장을 이어 주는 말을 접속어라고 표현해. 처음 듣는 용어라 당황했겠지만, 저학년 때 이어 주는 말이라고 배웠던 걸 떠올리면 쉽지?

① 또한
② 한편
③ 그리고
④ 그러나
⑤ 그러므로

한줄요약

6

빈칸에 알맞은 말을 찾아 이 글의 핵심 내용을 한 문장으로 요약하세요.

유형	신문	매체

현대 사회에서 사람들이 정보를 생산하고 수용하는 [　　]에는 책, [　　], 텔레비전, 인터넷 등이 있으며 매체의 [　　]과 특성을 정확히 알고 활용해야 효과적이고 올바른 의사소통을 할 수 있다.

• 다음 문장을 읽고, ( ) 안에 공통으로 들어갈 낱말을 완성하세요.

❶
• 그는 국민에게 ( )를 받는 국회의원이다.
• 한 번 무너진 ( )는 회복하기 어렵다.

신	ㄹ

❷
• 두 사람은 형제처럼 외모가 ( )하다.
• 영희와 철수는 취향이 ( )하다.

ㅇ	사

❸
• 두 사건이 ( )으로 가지고 있는 문제가 뭐지?
• 노래는 세계 ( )의 언어이다.

공	ㅌ

• 낱말의 뜻을 참고하여, 다음 문장의 빈칸에 들어갈 알맞은 낱말을 완성하세요.

❹ 이 사건은 여러 [ㅂ 합] 요인으로 발생하였다.
두 가지 이상이 하나로 합침.

❺ 시간에 [여 ㅇ]를 두고 일을 처리해라.
물질적 · 공간적 · 시간적으로 넉넉하여 남음이 있는 상태.

❻ 단체 생활에는 여러 가지 [ㅈ 약]이 있기 마련이다.
조건을 붙여 내용을 제한함. 또는 그런 조건.

❼ 사람들의 성격에 따라 크게 두 가지 [ㅇ ㅎ]으로 나눌 수 있다.
성질이나 특징 따위가 공통적인 것끼리 묶은 하나의 틀. 또는 그 틀에 속하는 것.

씨름

'어르신 스포츠' 편견 벗는 씨름… 제2의 전성기 맞이하나?

제2의 전성기 맞은 민속 경기 씨름

한때 전 국민이 즐겼지만 대중의 관심에서 벗어나며 침체기를 겪은 씨름. 그랬던 씨름이 최근 한 TV 예능 프로그램에 등장하는 등 제2의 전성기를 맞이하고 있다.

씨름의 부흥에는 유튜브가 큰 역할을 했다. 이제껏 '씨름 선수' 하면 큰 몸집을 먼저 떠올렸지만, 유튜브와 TV에 등장하는 요즘 씨름 선수들은 상대적으로 날렵한 몸집으로 박진감 넘치는 기술을 선보이며 그간의 편견을 깨고 대중의 관심을 얻고 있다. 이렇게 대중의 관심을 다시 받게 된, 우리나라 고유의 민속 경기인 씨름에 대해 알아보며 더 알차게 즐겨 보자.

[A]

씨름은 2018년 유네스코 인류 무형 문화유산에 등재되며 세계적으로 문화적 가치를 인정받았다. 씨름은 5세기 고구려 고분인 '각저총'의 벽화에 남아 있을 만큼 오랜 전통을 자랑한다. 벽화에는 짧은 바지를 입은 사람들이 오른쪽 어깨를 맞대고 상대의 허리띠를 움켜쥔 씨름 경기 장면이 생생히 담겨 있다. 문화유산에 등재될 당시 유네스코는 "씨름은 한반도 전 지역에서 널리 행해지는 운동 경기로 예로부터 한민족은 노동에서 벗어나 휴식을 취할 때 신체를 단련하기 위한 목적으로 씨름을 즐겼다."라고 밝혔다. 씨름은 남북 공동 등재된 첫 인류 무형 문화유산이기도 하다.

백두 · 한라에서 금강 · 태백으로

씨름은 체중에 따라 태백(80㎏ 이하), 금강(90㎏ 이하), 한라(105㎏ 이하), 백두(140㎏ 이하)로 구분해 경기를 진행한다. 최근 들어 기술 씨름을 선호하는 젊은 세대 관중들로 인하여 인기 체급이 백두·한라급에서 금강·태백급으로 옮겨 가게 되었다. 체급에 관계없이 모든 선수들이 ⓐ참가한 대회에서 우승하면 '천하장사' 타이틀을 거머쥐게 된다. 씨름의 4대 대회로는 설·단오·추석·천하장사 대회가 있다.

- **침체기**
어떤 현상이나 사물이 진전하지 못하고 제자리에 머물러 있는 시기.
- **전성기**
형세나 세력 따위가 한창 왕성한 시기.
- **인류 무형 문화유산**
유네스코에서 소멸 위기에 처해 있는 문화유산의 보존과 재생을 위해서 선정한 가치 있는 문화유산. 우리나라의 인류 무형 문화유산으로는 판소리, 강릉 단오제 등이 있음.

1

이 글의 내용과 일치하지 않는 것은 무엇인가요? (　　　)

① 씨름의 모든 경기는 체중별로 계급이 나뉘어 진행된다.
② 씨름은 유네스코의 인류 무형 문화유산에 등재되었다.
③ 한민족은 신체를 단련하기 위한 목적으로 씨름을 즐겼다.
④ 씨름은 오랜 전통을 자랑하는 우리나라 고유의 민속 경기이다.
⑤ 기술 씨름을 선호하는 젊은 세대 관중들로 인해 인기 체급이 바뀌었다.

자료의 특성 생각하며 읽기

2

이 글이 지닌 특성이 아닌 것은 무엇인가요? (　　　)

① 표제를 보충하는 작은 제목인 부제가 있다.
② 내용을 쓸 때에는 육하원칙에 따라 써야 한다.
③ 글 전체 내용을 짧게 줄여 나타내는 표제가 있다.
④ 도표, 사진 등 시각적인 자료로 내용을 보충하기도 한다.
⑤ 음성과 영상을 주로 활용하여 현장감 있게 정보를 전달한다.

3

[A]에 들어갈 부제로 가장 알맞은 것은 무엇인가요? (　　　)

① 오래된 전통을 가진 씨름
② 선조들의 지혜가 담긴 씨름
③ 한반도 전역에서 행해진 씨름
④ 문화적 가치를 인정받은 씨름
⑤ 고구려 벽화에 남아 있는 씨름

수능에서는
글의 제목을 물을 때, 표제와 부제를 찾아보라고 하기도 해. 신문 기사문에서 굵게 쓴 가장 큰 제목이 표제, 그 다음으로 작은 제목이 바로 부제야.

자료의 특성 생각하며 읽기

4

이 글과 같은 종류의 글을 읽을 때 알맞은 읽기 방법을 보기 에서 모두 고르세요.

보기
- ㉮ 화면 구성과 소리에 담긴 정보 파악하기
- ㉯ 글쓴이의 체험이나 상상에 공감하며 읽기
- ㉰ 전체 내용을 훑어 읽으면서 필요한 정보를 파악하기
- ㉱ 소제목이나 핵심어를 중심으로 주요 내용을 요약하기

(,)

5

문맥상 ⓐ와 바꿔 쓰기에 가장 알맞은 말은 무엇인가요? ( )

① 참견한
② 참고한
③ 참관한
④ 참배한
⑤ 참여한

한줄요약

6

빈칸에 알맞은 말을 찾아 이 글의 핵심 내용을 한 문장으로 요약하세요.

문화적 전성기 침체기

[ ][ ][ ]를 겪다가 젊은 세대의 관심으로 새로운 [ ][ ][ ]를 맞이하고 있는 씨름은 유네스코 인류 무형 문화유산에 등재되며 세계적으로 [ ][ ][ ] 가치를 인정받았다.

• 낱말이 한자로는 어떻게 쓰이는지 살펴보고, 예문을 참고해 빈칸을 채워 보세요.

❶ 固有 — 굳을 [ㄱ] / 있을 [유]

각국 대표들은 민족 [ㄱ][유] 의상을 입었다.

❷ 無形 — 없을 [무] / 모양 [ㅎ]

그는 [무][ㅎ] 문화재가 되었다.

❸ 登載 — 오를 [ㄷ] / 실을 [재]

사설을 신문에 [ㄷ][재]하다.

• 낱말의 뜻을 참고하여, 다음 문장의 빈칸에 들어갈 알맞은 낱말을 완성하세요.

❹ [ㅍ][견]에 사로잡히면 모든 사물을 부정적으로 보게 된다.

공정하지 못하고 한쪽으로 치우친 생각.

❺ 신라는 삼국을 통일하면서 [ㅈ][ㅅ][기]를 누렸다.

형세나 세력 따위가 한참 왕성한 시기.

❻ 그는 주말이면 산에 오르며 몸과 마음을 [ㄷ][ㄹ]했다.

몸과 마음을 굳세게 함.

❼ 병아리는 성별을 [ㄱ][분]하기가 쉽지 않다.

일정한 기준에 따라 전체를 몇 개로 갈라 나눔.

말아톤

[앞부분의 줄거리] 초원이가 자폐증이라는 진단을 받게 되고, 엄마 경숙은 좌절한다. 그러나 경숙은 달리기만큼은 비장애인보다도 뛰어난 능력을 가지고 있는 초원이를 보며 희망을 품고 꾸준히 훈련시킨다. 시간이 흘러 어느덧 스무 살 청년이 된 초원이는 행동이나 말투는 영락없는 다섯 살 어린아이지만 달리기 실력만큼은 여전히 최고이다. 경숙은 전직 마라토너인 정욱에게 초원이의 훈련을 부탁한다.

S# 47 구민 운동장

경숙: (공책을 내밀며) 이거 드리려고 왔어요. 초원이 운동 기록인데요, 그동안 연습한 게 다 적혀 있거든요. 앞으로 할 것도 제가 계획을 세워 봤는데…….

정욱: 계획? 누구 맘대로 계획을 세워요? (공책을 빼앗아 훑어보다가) 풀코스?

경숙: 네. 한 달 후에 대회가 있어요.

정욱: (ⓐ) 마라톤이 폼 나죠? 그렇죠? 인간 승리하는 거 같아서? 하긴 어떤 놈은 풀코스 100번 완주했다고 자랑하고 다니데. (침을 찍 뱉으며) 그거 다 현실 도피예요. 사는 게 갑갑하니까 그딴 걸로 대리 만족하는 거라고.

경숙: (잠시 침묵하다) 코치님은 왜 뛰셨어요? 갑갑해서요?

정욱, "이 여자가 정말……." 하며 눈을 부릅뜨는데, 순간 달리던 초원이가 풀썩 쓰러진다. 초원이에게 달려가는 경숙. 정욱도 짜증 나는 표정으로 뒤쫓아 간다. 다리에 쥐가 났는지 앉아서 고통스러워하는 초원.

정욱: (주물러 주며) 애 잡겠군, 잡겠어. 싫은지 좋은지 말도 못 하는 애를.

경숙: 누가요? 얘도 뛰는 거 좋아해요.

정욱: 뛰는 게 좋다……. (웃으며) 그건 엄마 생각이지. 그게 문제라니까.

경숙: 예? (약간 화가 난다.) 그걸 코치님이 어떻게 알죠?

정욱: (경숙을 빤히 보며) 어떻게 알 거 같아요?

(중략)

정욱: 나야 금메달이든 1등이든 목표가 있어서 그랬다 치고, 쟨 뭡니까? 뜀박질한다고 병이 나아요? 병이 아니고 장애라면서요? 솔직히, 이거 엄마 욕심 아닙니까? 마라톤이 뭐 죽어라 뛰면 되는 건 줄 알아요? 그러다 진짜 죽어요. 마라톤은 페이스 조절 못 하면 심장 터져 죽는다니까요? 애 죽이고 싶어요?

- **자폐증**
  다른 사람과 상호 관계가 형성되지 않고 정서적인 유대감도 일어나지 않는 발달 장애.
- **완주**
  목표한 지점까지 다 달림.
- **페이스**
  육상 경기의 장거리나 마라톤에서, 달리기의 속도.

1

이 글을 통해 알 수 있는 내용이 아닌 것은 무엇인가요? (　　　)

① 정욱은 예전에 마라톤을 했었다.
② 초원이는 달리기에 소질을 가지고 있다.
③ 초원이는 달리기를 그만두고 싶어 한다.
④ 경숙은 초원이가 달리기를 좋아한다고 생각한다.
⑤ 경숙은 초원이를 마라톤 대회에 출전시키고 싶어 한다.

2

경숙을 바라보는 정욱의 마음으로 가장 알맞은 것은 무엇인가요? (　　　)

① 아들을 위하는 모성애가 뛰어난 엄마라고 생각한다.
② 아들의 장애를 극복하려는 의지의 엄마라고 생각한다.
③ 아들이 하고자 하는 일을 지원해 주는 엄마라고 생각한다.
④ 아들의 입장에서 생각하지 않는 이기적인 엄마라고 생각한다.
⑤ 아들에게 자신의 못 다한 꿈을 이루게 하려는 욕심 많은 엄마라고 생각한다.

자료의 특성 생각하며 읽기

수능에서는
시나리오 대본을 영화로 직접 연출해 보게 하는 문제가 출제돼! 시나리오는 영화 상영을 목적으로 하는 대본이니까 당연히 대사, 소리, 영상 등이 잘 어우러지게 지시해야겠지?

3

이 글을 영화로 연출하려고 할 때 연출가의 지시 내용으로 알맞지 않은 것은 무엇인가요? (　　　)

① 경숙이 정욱에게 공책을 내밀 때는 조심스럽게 내밀어 주세요.
② 두 인물의 대화에 집중할 수 있도록 효과음은 넣지 않는 게 좋겠어요.
③ 정욱의 마지막 대사에서 경숙을 걱정하는 마음이 드러나게 해 주세요.
④ 경숙과 정욱이 쓰러진 초원이에게 달려갈 때, 다급하게 달려가 주세요.
⑤ 경숙과 정욱의 갈등이 극명하게 드러나도록 인물을 클로즈업해 주세요.

4 내용을 미루어 보아 ⓐ에 들어갈 말로 알맞은 것은 무엇인가요? (　　　)

① 고민스런 표정으로
② 경숙을 빤히 노려보며
③ 갑자기 벌떡 일어서며
④ 초원의 손을 잡아끌며
⑤ 경숙을 향해 활짝 웃으며

5 다음은 경숙과 정욱의 갈등을 정리한 것입니다. 빈칸에 알맞은 말을 써 보세요.

경숙	↔	정욱
• 정욱에게 초원을 ❶ [　][　] 해 줄 것을 부탁함. • 초원이 ❷ [　][　] 만 받으면 마라톤 풀코스를 완주할 수 있다고 생각함.	↔	• 경숙과 초원을 귀찮게 여기며 초원을 가르치지 않으려고 함. • 마라톤 ❸ [　][　] 에 대한 경숙의 생각을 무시함.

한줄요약

6 빈칸에 알맞은 말을 찾아 이 글의 핵심 내용을 한 문장으로 요약하세요.

자폐증　　마라톤　　달리기

경숙은 [　][　][　] 을 지닌 아들 초원이 [　][　][　] 에 재능이 있음을 발견하고 전직 마라토너인 정욱에게 [　][　][　] 에서 완주할 수 있도록 훈련을 부탁하지만 정욱은 마라톤을 시키려는 것이 엄마의 욕심이라고 생각한다.

• 제시된 낱말의 의미가 반대인 것끼리 알맞게 이어 보세요.

① 승리하다 •	• ㉠ 걷다
② 쓰러지다 •	• ㉡ 패배하다
③ 갑갑하다 •	• ㉢ 일어서다
④ 뛰다 •	• ㉣ 시원하다

• 낱말의 뜻을 참고하여, 다음 문장의 빈칸에 들어갈 알맞은 낱말을 완성하세요.

⑤ 그는 마라톤 [와][ㅜ]에 성공하였다.

목표한 지점까지 다 달림.

⑥ 그는 그런 일이 있은 후 고향으로 잠시 [ㅗ][ㅍ]했다.

적극적으로 나서야 할 일에서 몸을 사려 빠져나감.

⑦ 아버지는 건강을 위해 체중 [ㅗ][ㄹ]을 시작하셨다.

균형에 맞게 바로잡음. 또는 적당하게 맞추어 나감.

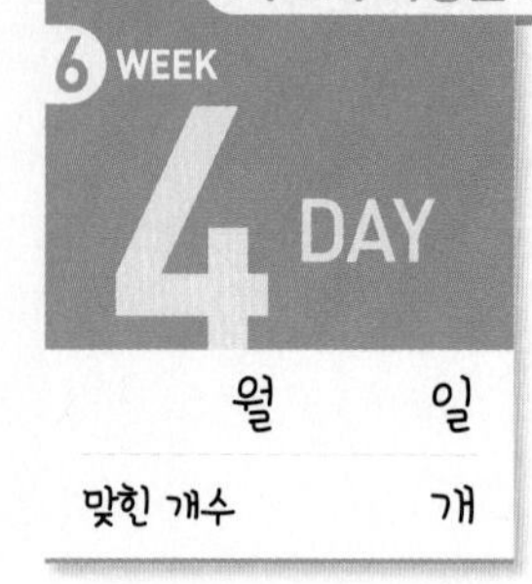

월 일

맞힌 개수 개

라면의 과학

라면이 국수나 우동과 다른 점은 면을 한 번 튀겨서 익혔다는 것! 그래서 끓이지 않고도 먹을 수 있고, 금방 익혀 먹을 수 있다. 심지어 컵라면은 지속적으로 끓일 필요도 없고 단지 끓는 물을 붓기만 해도 먹을 수 있다. 그런데 왜 하필 3분을 기다려야 하는 걸까? 더 빨리 먹을 수 있으면 좀 좋아? 컵라면을 먹을 때마다 3분이 얼마나 긴 시간인지를 새삼 깨닫는다.

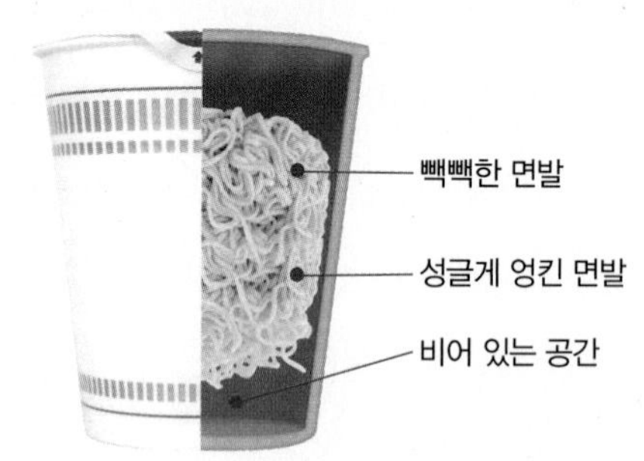

컵라면의 면발은 봉지 라면에 비해 더 가늘거나 납작하다. 면발의 표면적을 넓혀 뜨거운 물에 더 많이 닿게 하기 위해서다. 그리고 컵라면의 면을 꺼내 보면 위쪽은 면발이 빽빽하지만, 아래쪽은 면발이 성글게 엉켜 있다. 이는 따뜻한 물은 위로, 차가운 물은 아래로 내려가는 대류 ⓐ현상 때문이다. 컵라면 용기에 물을 부으면 위쪽보다 아래쪽이 덜 식는다. 따라서 뜨거운 물이 위로 올라가려고 하는데 이때 면발이 아래쪽부터 빽빽하게 들어차 있으면 물이 이동하는 데에 ⓑ방해가 된다. 이처럼 위아래가 다른 컵라면의 면발 형태는 뜨거운 물의 대류 현상을 ⓒ원활하게 하여 면발이 고르게 익도록 하는 과학의 산물이다.

대류 현상은 다음 링크에서 확인해 보자! https://sciencelove.com/1919

컵라면 면발에는 화학적 비밀도 숨어 있다. 봉지 라면과 비교했을 때 컵라면 면발에는 밀가루 그 자체보다 전분이 더 많이 들어가 있다. 전분을 많이 넣을수록 면이 붇는 시간이 짧아져 더 빨리 먹을 수 있게 된다. 하지만 전분이 너무 많이 들어가면 면발이 불어 터지는 속도도 빨라져 금방 곤죽이 되고 만다. 따라서 컵라면의 '3분'은 ⓓ절묘한 ⓔ균형 감각하에 탄생한 마법의 시간인 셈이다.

- **표면적**
  물체 겉면의 넓이.
- **전분**
  감자, 고구마, 물에 불린 녹두 따위를 갈아서 가라앉힌 앙금을 말린 가루.
- **곤죽**
  몹시 질어서 질퍽질퍽해진 상태.

야식소녀 좋은 정보 감사해요! 오늘 야식은 컵라면!^^
ㄴ **날씬이** 야식소녀님 뚱뚱하실 듯!
ㄴ **야식소녀** 날씬이님, 얼굴 안 보인다고 말씀이 심하시네요. 상처받았어요 ㅜㅜ

라면좋아 혹시 컵라면에 물은 얼마나 부어야 제일 맛있는지 아시나요?
ㄴ **통통이** 용기 안쪽의 표시선을 기준으로 붓는 것이 가장 맛있습니다!

1

이 글에서 알 수 있는 내용이 아닌 것은 무엇인가요? (　　　)

① 컵라면의 면발 형태
② 라면과 국수·우동의 차이점
③ 컵라면 스프의 화학적 비밀
④ 컵라면과 봉지 라면의 면발의 차이점
⑤ 컵라면이 끓는 물을 붓고 3분을 기다리도록 제조된 까닭

자료의 특성 생각하며 읽기

2

이 글의 특성을 다음과 같이 나타낼 때, 알맞지 않은 것은 무엇인가요? (　　　)

시각 자료	① 컵라면 면발 그림을 통해 독자의 이해를 돕고 있다. ② 첨부한 그림의 출처를 밝혀 내용의 신뢰성을 높이고 있다.
링크	③ 대류 현상을 확인할 수 있도록 동영상 주소를 연결하고 있다.
댓글	④ 글의 소재인 컵라면에 대해 독자들이 다양한 의견을 교환하고 있다. ⑤ 본명을 밝히지 않고 글을 쓸 수 있어 예절을 지키지 않는 경우가 있다.

3

다음은 이 글을 바탕으로 컵라면의 과학적 원리를 정리한 것입니다. 빈칸에 들어갈 알맞은 말을 쓰세요.

수능에서는
과학이나 기술과 관련된 글이 나올 때 설명 대상과 관련된 원리나 단계를 묻는 문제가 자주 나와. 따라서 글에서 중점적으로 다루는 과학이나 기술 원리를 정리하며 읽어야 해.

- 봉지 라면에 비해 면발이 더 가늘거나 납작함.
- 면발의 위아래 면발 형태가 다름.

→

뜨거운 물에 닿는 ❶ □□□ 을 넓히고, ❷ □□ 현상을 원활하게 함.

4 컵라면 면발에 전분을 많이 넣을수록 어떻게 될까요? (　　　)

① 면이 고르게 익게 되어 맛이 좋아진다.
② 끓는 물이 아니라도 조리가 가능해진다.
③ 물의 대류 현상이 빨라져 면이 빨리 익게 된다.
④ 물을 부으면 위쪽보다는 아래쪽이 덜 익게 된다.
⑤ 면이 익는 시간이 빨라지고, 불어 터지는 속도도 빨라진다.

5 ⓐ~ⓔ를 이용하여 만든 문장으로 적절하지 <u>않은</u> 것은 무엇인가요? (　　　)

① ⓐ: 그는 현상 수배자인 범인을 경찰에 신고하였다.
② ⓑ: 공부에 방해가 되니까 나가서 놀아라.
③ ⓒ: 교통이 원활하게 되었다.
④ ⓓ: 조상들의 절묘한 솜씨에 감탄이 나왔다.
⑤ ⓔ: 그는 균형을 잃고 쓰러졌다.

한줄요약

6 빈칸에 알맞은 말을 찾아 이 글의 핵심 내용을 한 문장으로 요약하세요.

대류	전분	원리

컵라면의 면발에는 [　|　] 현상과 관련된 과학적 [　|　]가 숨어 있으며, 컵라면의 조리 시간 '3분'에는 [　|　]의 양과 관련된 화학적 비밀이 숨어 있다.

• 다음 사다리 타기에 따라 ( ) 안에 들어갈 낱말의 뜻을 보기 에서 고르세요.

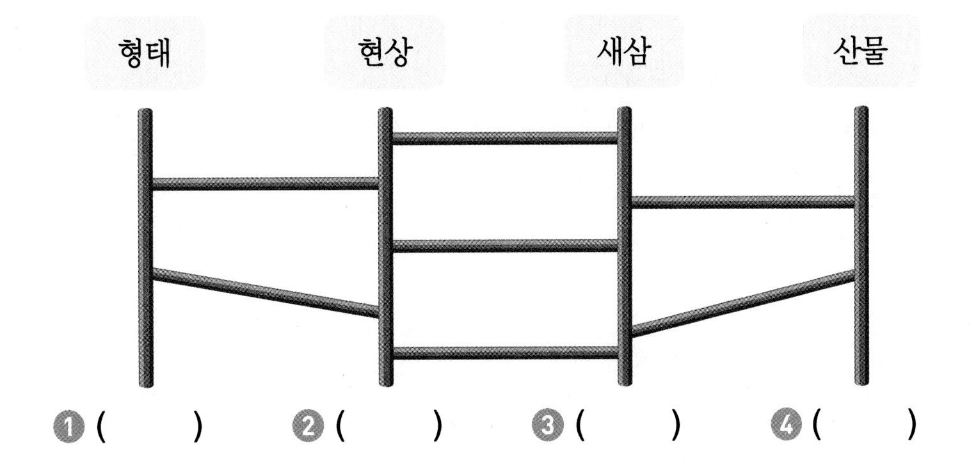

❶ ( ) ❷ ( ) ❸ ( ) ❹ ( )

보기
㉠ 사물의 생김새나 모양.
㉡ 이전의 느낌이나 감정이 다시금 새롭게.
㉢ 인간이 지각할 수 있는, 사물의 모양과 상태.
㉣ 어떤 것에 의하여 생겨나는 사물이나 현상을 비유적으로 이르는 말.

• 낱말의 뜻을 참고하여, 다음 문장의 빈칸에 들어갈 알맞은 낱말을 완성하세요.

❺ 그의 예상은 [ㅈ][묘]하게 맞아떨어졌다.

비할 데가 없을 만큼 아주 묘하다.

❻ 공사는 수개월 더 [ㅈ][속]될 예정이다.

어떤 상태가 오랜 계속됨.

❼ 언론은 여론을 [균][ㅎ]있게 전달하는 객관성을 유지해야 한다.

어느 한쪽으로 기울거나 치우치지 않고 고른 상태.

떡볶이의 유래

안녕하세요! 저는 오늘 떡볶이의 유래에 대해 발표하려고 합니다. 학교 앞 떡볶이 가게에 옹기종기 모여 앉아 떡볶이를 먹어 보지 않은 학생이 있을까요? 아마 없을 겁니다. 과연 이 떡볶이는 언제부터 만들어 먹기 시작했을까요? 저는 먼저 국어사전에서 떡볶이의 뜻을 찾아보았습니다.

> **떡-볶이** – 인터넷 국어사전
>
> 「명사」 가래떡을 적당한 크기로 잘라 여러 가지 채소를 넣고 양념을 하여 볶은 음식

이와 같이 떡볶이는 볶음 요리라는 이름을 가지고 있습니다. 떡볶이는 임금님이 즐겨 드시던 궁중 요리였는데 그 형태는 오늘날의 '간장 떡볶이'와 비슷합니다.

다음은 한 방송에서 소개된 떡볶이의 유래 관련 영상입니다. (영상을 본 후)

오늘날 우리가 먹고 있는 대부분의 음식이 시작된 때는 조선 시대입니다. 특히 궁중에는 수많은 재료와 조리법으로 만들어진 다양한 요리들이 있었는데 그 요리들은 여러 문헌을 통해 오늘날까지 전해지고 있습니다. 그런데 이 중에서도 우리에게 매우 친숙한 음식을 발견할 수 있는데요, 떡과 고기, 채소를 듬뿍 넣고 버섯과 당근, 달걀지단 등을 넣어 간장으로 양념한 음식, 바로 떡볶이입니다. ㉠궁중떡볶이는 애초에 궁중 요리인 잡채에서 유래한 음식으로, 고기와 각종 채소가 주재료이지만 당면 대신 쌀떡을 넣은 것이지요.

궁중떡볶이

잡채

먼 옛날 궁중에서 즐기던 떡볶이는 오늘날 대중적인 음식으로 ⓐ바뀌어 치즈 떡볶이, 카레 떡볶이, 국물 떡볶이 등 다양한 형태로 등장하고 있습니다. 떡볶이가 앞으로도 다양한 형태로 발전하여 한국인의 입맛뿐 아니라 세계인의 입맛을 사로잡는 날이 오기를 바랍니다. 이상으로 발표를 마칩니다.

• **유래**
사물이나 일이 생겨남.

• **문헌**
옛날의 제도나 문물을 아는 데 증거가 되는 자료나 기록.

1 **이 발표에서 확인할 수 없는 내용은 무엇인가요? (   )**

① 떡볶이의 뜻
② 떡볶이의 유래
③ 궁중떡볶이의 영양가
④ 궁중떡볶이와 잡채의 차이점
⑤ 궁중떡볶이와 비슷한 오늘날의 떡볶이 예

자료의 특성 생각하며 읽기

수능에서는
글의 내용에 대한 이해나 판단이 적절한지를 확인하기 위해 읽는 이의 반응이 적절한지를 묻는 문제가 나와. 반응을 묻지만 글의 내용을 제대로 이해했는지 확인하는 문제라는 걸 알아둬.

2 **이 발표를 들은 학생의 반응으로 알맞지 않은 것은 무엇인가요? (   )**

① **정국:** 국어사전에서 찾은 떡볶이의 뜻을 밝혀 발표 내용을 명확하게 했어.
② **은호:** 궁중떡볶이의 사진 자료가 있어서 내용을 이해하는 데 도움이 되었어.
③ **세리:** 잡채 사진은 궁중떡볶이의 유래를 이해하는 데 도움이 되었어.
④ **정혁:** 떡볶이에 대한 영상을 통해 다른 사람들과 소통을 할 수 있어서 좋았어.
⑤ **치수:** 오늘날의 다양한 떡볶이의 형태들을 시각 자료로 보여 주었으면 더 좋았을 것 같아.

3 **이 발표에 대한 설명으로 알맞지 않은 것은 무엇인가요? (   )**

① 떡볶이의 세계화에 대한 바람을 드러내고 있다.
② 다양한 떡볶이의 종류를 예로 들어 설명하고 있다.
③ 떡볶이를 만드는 과정을 시간 순서에 따라 제시하고 있다.
④ 떡볶이에 대한 매체 자료를 적절히 활용하여 발표를 뒷받침하고 있다.
⑤ 발표를 시작할 때 질문을 통해 떡볶이에 대한 호기심을 유발하고 있다.

4

이 발표를 바탕으로 ㉠에 대해 이해한 내용으로 알맞지 않은 것은 무엇인가요?

( )

① 궁중 요리인 잡채에서 유래하였다.
② 고기와 각종 채소, 쌀떡이 주재료이다.
③ 각종 재료를 한데 넣고 간장으로 양념한다.
④ 조선 시대 궁중에서 만들어 먹던 요리이다.
⑤ 우리나라뿐 아니라 해외에서도 사랑받고 있다.

5

다음 중 ⓐ와 바꿔 쓰기에 알맞은 것은 무엇인가요? ( )

① 교환하여
② 대신하여
③ 변화하여
④ 수정하여
⑤ 정리하여

한줄요약

6

빈칸에 알맞은 말을 찾아 이 글의 핵심 내용을 한 문장으로 요약하세요.

떡볶이 대중적 임금님

[ ]는 원래 [ ]이 즐겨 드시던 궁중 음식이었으나 오늘날에는 [ ]인 음식으로 바뀌어 다양한 형태로 등장하고 있다.

• 다음 문장을 읽고, ( ) 안에 공통으로 들어갈 낱말을 완성하세요.

❶

• 곰바위란 지명은 전설에 (   )를 두고 있다.
• 이 말은 고대 그리스인들에게서 (   )하였다고 한다.

ㅠ	래

❷

• 세호는 언제나 자기 (   )을 위해 노력한다.
• 우리나라는 경제적으로 눈부신 (   )을 이뤘다.

ㅂ	전

❸

• 탁구가 생활 체육으로 (   )화 되었다.
• 그는 (   )의 전폭적인 지지를 얻었다.

ㄷ	중

• 낱말의 뜻을 참고하여, 다음 문장의 빈칸에 들어갈 알맞은 낱말을 완성하세요.

❹ 풍물패의 [ㄷ | 장]은 관객들의 흥을 돋우는 역할을 했다.

어떤 사건이나 분야에서 새로운 제품이나 현상, 인물 등이 세상에 처음으로 나옴.

❺ 우리 도서관에는 오래되고 값진 [ㄷ | ㅓ]이 많습니다.

옛날의 제도나 문물을 아는 데 증거가 되는 자료나 기록.

❻ 그 일은 [ㅇ | 초]부터 불가능한 것이었다.

맨 처음.

독해 원리 학습

자료의 특성을 생각하며 읽으려면?

글의 목적에 따라 읽는 방법이 달라요 ▶ 4학년

❶ 목적이 다른 글을 파악하기

정보 전달을 목적으로 하는 글은 다루고 있는 중심 화제가 무엇인지 파악하여 이를 설명하는 중심 문장을 찾는 것이 중요하고, 설득을 목적으로 하는 글일 때에는 주장과 그것을 지지하는 근거가 무엇인지를 구분하는 것이 중요해요.

❷ 다양한 글의 유형 살펴보기

- 모든 글은 글의 목적이 다름.
- 목적이 다른 글은 읽기 방법이 달라야 함.
- 내용을 전달하는 매체에 따라서도 읽기 방법이 달라져야 함.

매체에 따른 다양한 읽기 방법을 이해해요 ▶ 5학년

❶ 매체의 특성 파악하기 매체에 따라 정보 전달 방법이 달라집니다. 그렇다면 당연히 읽는 방법도 달라져야 겠죠?

매체	정보 전달 방법
인쇄 매체	글, 그림, 사진
영상 매체	영상
인터넷 매체	글, 그림, 사진, 영상

❷ 매체의 특성을 생각하며 글 읽기

인쇄 매체 자료는 글, 그림, 사진으로 나타낸 시각 정보를 잘 살펴봐야 하고, 영상 매체 자료는 화면 구성을 잘 살피고 소리에 담긴 정보도 파악해야 합니다. 인터넷 매체 자료를 읽을 때에는 인쇄 매체 자료와 영상 매체 자료를 읽는 방식을 모두 활용해야 하겠지요.

자료를 활용하여

7. 〈보기〉의 자료를 활용하여 초고를 보완하고자 할 때, 적절하지 않은 것은? [3점]

| 보기 |

(가) 우리 학교 자료(급식 인원 1,729명, 연간 290회 급식)

1.

연간 1인당 평균 잔반
연간 잔반 처리

2. 160 g

A: 1일 평균
('잔반 없는 날' 포함)

수능에는 주어진 자료를 분석하고 이를 적절하게 활용할 수 있는지를 묻는 문제가 나와요.

전달하려는 내용과 목적을 파악하라

글의 내용을 효과적으로 전달하기 위해 글쓴이는 문자 외에도 읽는 사람의 이해를 도울 수 있는 갖가지 자료를 사용합니다. 그중 하나가 그림이나 사진, 영상 등의 매체 자료이죠. 이때 자료들의 특성을 생각하며 글을 읽으려면, 우선 자료가 쓰인 상황과 사용 목적을 파악합니다. 그 다음 사용된 자료가 글의 내용과 통하는지를 판단합니다.

자료가 담고 있는 내용이나 상황을 분석한다. > 주어진 자료가 글의 내용과 통하는지 파악한다. > 자료의 활용이 적절한지 판단한다.

수능까지 연결되는 초등 독해

WEEK 7

인물, 사건, 배경의 관계를 이해해요

백설공주는 어디 있지?

백설공주를 질투한 마녀가 독사과를 들고 백설공주를 찾아갔습니다. 문 앞에 서서 초인종을 눌렀는데, 집에서 나온 건 인어공주였습니다. 어떻게 된 일일까요?

독사과를 든 마녀를 보고 백설공주 이야기를 떠올리셨나요? 문을 열고 나온 건 인어공주였고, 독사과를 먹은 인어공주가 목소리를 되찾다니, 우리가 아는 백설공주 이야기와는 너무 다르죠? 이 이야기가 어색하게 느껴지는 이유는 인물, 사건, 배경이 서로 관련이 없기 때문입니다. 이야기가 자연스럽게 흘러가기 위해서는 **인물, 사건, 배경의 세 요소**가 **조화**를 이루어야 합니다.

소설에서 인물, 사건, 배경은 서로 **유기적인 관계**를 맺고 있어요. '인물'은 '배경' 없이 존재할 수 없고, '배경'을 토대로 인물들이 만들어 가는 이야기가 바로 '사건'이기 때문입니다. 그러므로 이 세 가지 요소들의 관계를 파악하면서 글을 읽어야겠죠?

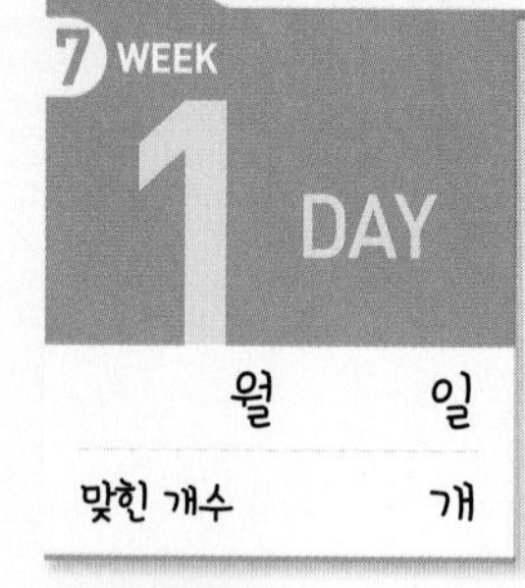

나비 _ 헤르만 헤세

[앞부분의 줄거리] 어린 시절 '나'는 나비 수집에 열중했다. '나'는 에밀에게 보기 드문 푸른 날개의 나비를 자랑스럽게 보여 줬지만 그는 '나'의 나비에 대해 결점을 늘어놓았고, 그 후로 '나'는 에밀에게 다시는 자신의 나비를 보여 주지 않는다. 그러던 중 에밀이 번데기에서 나비 '점박이'를 길러 냈다는 소문을 듣고 '나'는 에밀이 없는 방에 들어가 점박이를 갖고 나온다. 자신의 행동이 잘못되었다는 것을 깨닫고 돌려놓지만 나비는 산산이 부서진 후였다.

가 에밀이 그 날개를 손질하느라고 무척 고심한 흔적이 역력히 보였다. 그는 부서진 날개를 정성껏 주워 모아서 작은 압지 위에 펴 놓았다. 그러나 그것은 도저히 본디 모양으로 바로잡힐 가망이 없었다. 촉각도 떨어진 그대로이다.

나는 그제서야 그것이 나의 소행인 것을 밝혔다. 그랬더니 에밀은 격분한다거나 나를 큰소리로 꾸짖지도 않고, 혀를 차며 한동안 나를 지켜보다가, 나직한 소리로 말하였다. / ㉠"알았어. 말하자면 너는 그런 자식이란 말이지."

나는 그에게 내 장난감을 모두 주겠다고 하였다. 그래도 그는 듣지 않고 냉담하게 도사리고 앉아, 여전히 나를 비웃는 눈으로 지켜보고만 있으므로, 이번에는 내가 수집한 나비의 전부를 주겠다고 하였다.

"뭐, 그렇게까지 하지 않아도 좋아. 나는 네가 모은 것이 어떤 것인지 잘 알고 있어. 게다가 오늘은 네가 나비를 다루는 성의가 어떻다는 것을 알 만큼은 알았어."

나 그 순간 나는 녀석의 멱살을 움켜쥐고 늘어지고 싶었다. 이제는 아무런 도리가 없음을 알았다. 나는 아주 나쁜 놈으로 결정이 나고 에밀은 천하에 정직한 사람이 되어, 냉정히 정의를 방패로 하고 모멸적인 태도로 내 앞에 버티는 것이다. 그는 욕설을 늘어놓지도 않았다. 다만 나를 바라보면서 경멸할 따름이었다. 그때 나는 비로소, 한 번 저지른 일은 이미 어떻게도 바로잡을 도리가 없다는 것을 깨달았다.

다 나는 그 자리를 물러섰다. 경과를 물어보려고도 하지 않고, 나에게 키스만을 하고 내버려 두는 어머니가 고마웠다. 어머니는 나더러 그만 잠자리에 들라고 하였다. 여느 날보다는 시간이 늦어진 편이기는 하였다. 그러나 나는 그 전에 가만히 식당으로 가서, 갈색으로 된 두껍고 커다란 종이 상자를 찾아가지고 와서 침대 위에 올려놓고, 어둠 속에서 뚜껑을 열었다. ㉡그리고 그 속에 든 나비들을 하나하나 끄집어내어 손끝으로 비벼서 못쓰게 가루를 내어 버렸다.

- **압지**
잉크나 먹물 따위로 쓴 것이 번지거나 묻어나지 아니하도록 위에서 눌러 물기를 빨아들이는 종이.
- **촉각**
더듬이.
- **격분**
몹시 분하고 노여운 감정이 북받쳐 오름.
- **도사리다**
두 다리를 꼬부려 각각 한쪽 발을 다른 한쪽 무릎 아래에 괴고 앉다.
- **모멸**
업신여기고 얕잡아 봄.

1

이 글의 내용과 일치하는 것은 무엇인가요? (　　　)

① '나'가 점박이를 망가뜨렸다.
② 에밀은 점박이를 버리려고 한다.
③ 에밀은 격분하여 '나'에게 화를 내었다.
④ '나'는 에밀이 나비를 손질하는 것을 돕는다.
⑤ 에밀은 '나'에게 피해를 보상하라고 요청한다.

2

수능에서는
말이나 글 속에 담긴 함축적 의미를 묻는 문제가 출제돼. 글의 정확한 의미를 파악하기 위해서는 겉으로 드러나 있는 의미뿐 아니라 앞뒤 내용을 통해 짐작할 수 있는 숨은 의미까지 파악해야 하는데, 이것을 함축적 의미라고 해.

㉠에서 '그런'이 담고 있는 함축적 의미로 가장 알맞은 것은 무엇인가요? (　　　)

① 남을 신뢰하지 못하는
② 친구와의 약속을 깨는
③ 나비를 함부로 대하는
④ 나비 수집에 싫증을 내는
⑤ 습관적으로 거짓말을 하는

3

나에서 '나'가 깨달은 내용을 찾아 한 문장으로 쓰세요.

(　　　　　　　　　　　　　　　　　　　　　　　　　　)

인물, 사건, 배경의 관계 이해하기

4 **보기 는 소설 속에서 일어난 사건들입니다. 이 글의 내용을 고려해 ㉮~㉲를 시간 순서에 따라 바르게 나열하세요.**

보기
㉮ '나'는 '에밀'의 나비를 망가뜨렸다.
㉯ 에밀은 '나'를 비웃는 눈으로 지켜본다.
㉰ '나'는 '에밀'에게 내가 한 행동을 고백한다.
㉱ 어머니는 '나'에게 별다른 말을 묻지 않는다.
㉲ '나'는 그동안 나비를 모아 둔 상자를 꺼낸다.

( )

5 **㉡에 담긴 '나'의 속마음으로 가장 알맞은 것은 무엇인가요? ( )**

① 나는 더 이상 나비 수집을 하지 않겠어.
② 에밀과 화해할 수 없다면 나비 수집은 의미가 없어.
③ 어머니께서 나를 용서하실 수 있다면 무엇이든 하겠어.
④ 사과를 받아 주지 않는 친구를 믿고 지냈던 세월이 슬퍼.
⑤ 나는 평생 에밀보다 더 좋은 나비를 수집할 수 없을 거야.

한줄요약

6 **빈칸에 알맞은 말을 찾아 이 글의 핵심 내용을 한 문장으로 요약하세요.**

나비 성장 경험

어린 시절 [ ] 수집에 열중했던 '나'는 에밀의 나비를 망가뜨리는 [ ]을 통해 한 번 저지른 잘못은 쉽게 돌이키기 어렵다는 것을 깨달으며 [ ]한다.

• 낱말이 한자로는 어떻게 쓰이는지 살펴보고, 예문을 참고해 빈칸을 채워 보세요.

❶ 所行 — 바 [ㅅ] / 다닐 [행]

그는 자신의 [ㅅ][행]을 반성하고 있다.

❷ 激忿 — 과격할 [격] / 성낼 [ㅂ]

모욕적인 눈빛에 나는 [격][ㅂ]했다.

❸ 侮蔑 — 업신여길 [ㅁ] / 업신여길 [멸]

이유도 없이 [ㅁ][멸]당한 것이 분하였다.

• 낱말의 뜻을 참고하여, 다음 문장의 빈칸에 들어갈 알맞은 낱말을 완성하세요.

❹ 그는 [고][ㅅ] 끝에 어려운 결정을 내렸다.

몹시 애를 태우며 마음을 씀.

❺ 친구의 무관심과 [ㄴ][담]한 반응에 서운함을 느꼈다.

태도나 마음씨가 동정심 없이 차가움.

❻ 어떻게 된 일인지 전혀 알 [도][ㄹ]가 없다.

어떤 일을 해 나갈 방도.

❼ 올 여름은 [ㅕ][느] 여름보다 더 더운 것 같아.

그 밖의 예사로운. 또는 다른 보통의.

동백꽃 _ 김유정

[앞부분의 줄거리] '나'의 가족들에게 호의를 베풀고 농사지을 땅을 빌려준 마름 집의 딸인 점순은 무슨 일인지 '나'의 암탉을 때리고, 자기네 수탉과 닭싸움을 붙인다. 나흘 전 일하고 있는 '나'에게 점순이 다가와 감자를 쥐어 준다.

가 "느 집엔 이거 없지?" 하고 생색 있는 큰소리를 하고는, 제가 준 것을 남이 알면은 큰일 날 테니 여기서 얼른 먹어 버리란다. 그리고 또 하는 소리가

"너, 봄 감자가 맛있단다."

"난 감자 안 먹는다, 니나 먹어라."

나는 고개도 돌리지 않고 일하던 손으로 그 감자를 도로 어깨 너머로 쑥 밀어 버렸다.

그랬더니 그래도 가는 기색이 없고, 뿐만 아니라 쌔근쌔근하고 심상치 않게 숨소리가 점점 거칠어진다. 이건 또 뭐야 싶어서 그때서야 비로소 돌아다 보니 나는 참으로 놀랐다. 우리가 이 동리에 들어온 것은 근 삼 년째 되어 오지만, 여태껏 가무잡잡한 점순이의 얼굴이 이렇게까지 홍당무처럼 새빨개진 법이 없었다. 게다가 눈에 독을 올리고 한참 나를 요렇게 쏘아보더니 나중에는 눈물까지 어리는 것이 아니냐.

나 점순이가 저희 집 봉당에 홀로 걸터앉았는데, 이게 치마 앞에다 우리 씨암탉을 꼭 붙들어 놓고는

"이놈의 닭! 죽어라, 죽어라." 요렇게 암팡스레 패 주는 것이 아닌가.

나는 대뜸 달려들어서 나도 모르는 사이에 큰 수탉을 단매로 때려 엎었다. 닭은 푹 엎어진 채 다리 하나 꼼짝 못 하고 그대로 죽어 버렸다. 그리고 나는 멍하니 섰다가 점순이가 매섭게 눈을 홉뜨고 닥치는 바람에 뒤로 벌렁 나자빠졌다. 나는 비슬비슬 일어나며 소맷자락으로 눈을 가리고는 얼김에 엉 하고 울음을 놓았다. 그러자 점순이가 앞으로 다가와서

"그럼, 너 이담부턴 안 그럴 테냐?" 하고 물을 때에야 비로소 살길을 찾은 듯싶었다. 나는 눈물을 우선 씻고 뭘 안 그러는지 명색도 모르건만

"그래!" 하고 무턱대고 대답하였다.

다 "닭 죽은 건 염려 마라. 내 안 이를 테니."

그리고 뭣에 떠다밀렸는지 나의 어깨를 짚은 채 그대로 펵 쓰러진다. 그 바람에 나의 몸뚱이도 겹쳐서 쓰러지며 한창 피어 퍼드러진 노란 ㉠동백꽃 속으로 폭 파묻혀 버렸다. 알싸한 그리고 향긋한 그 냄새에 나는 땅이 꺼지는 듯이 온 정신이 고만 아찔하였다.

• 호의
친절한 마음씨. 또는 좋게 생각하여 주는 마음.

• 생색
다른 사람 앞에 당당히 나설 수 있거나 자랑할 수 있는 체면.

• 어리다
눈에 눈물이 조금 괴다.

1

수능에서는
겉으로 드러난 인물의 말이나 행동을 파악하는 것을 넘어서 그렇게 말하고 행동한 이유를 생각해 보는 것이 중요해. 인물의 말과 행동은 인물의 속마음을 파악하는 가장 중요한 열쇠거든. 속마음은 심리라는 말로도 표현해.

가를 통해 알 수 있는 점순이의 심리로 알맞은 것은 무엇인가요? (　　)

① 부모님께 이야기할까 봐 몹시 불안해한다.
② 친하지 않은 사이어서 낯설고 부담스럽다.
③ 생색내고 싶은 마음을 들켜서 매우 화가 난다.
④ 자꾸만 자신을 오해하는 '나'에게 짜증이 치민다.
⑤ 용기를 내어 전한 진심이 거절당한 것에 부끄러움을 느낀다.

2

인물, 사건, 배경의 관계 이해하기

수능에서는
작품 속 갈등의 모습을 묻는 문제가 자주 출제돼. 갈등은 서로의 생각과 입장이 달라서 일어나는 충돌로, 이 갈등을 중심으로 사건이 어떻게 발생하고 전개되는지를 파악할 수 있어야 해.

점순이와 '나'가 갈등하는 이유를 가장 바르게 이해한 것은 무엇인가요?
(　　)

① 사람들이 '나'와 점순이를 비교하며 차별하기 때문이야.
② 매사에 신경질적인 점순이가 '나'를 무시하기 때문이야.
③ 신분 차이로 인해 점순이가 '나'를 어렵게 생각하기 때문이야.
④ '나'가 점순이에게 열등감을 가지고 있어서 불친절하게 굴어서야.
⑤ '나'가 점순이의 마음을 몰라주고 어리숙하게 행동하기 때문이야.

3

다음 설명에 해당하는 소재를 이 글에서 찾아 쓰세요.

- '나'에 대한 점순이의 관심을 보여 준다.
- '나'가 점순이의 기분을 상하게 하는 소재로서의 역할도 한다.

(　　　　　　)

4 이 글에서는 소년인 '나'가 직접 자신의 이야기를 하고 있습니다. 이를 통해 얻을 수 있는 효과로 알맞지 않은 것은 무엇인가요? (   )

① '나'의 기분이 생생하게 표현된다.
② '나'의 순수한 면이 부각되어 나타난다.
③ '나'의 어수룩함이 독자들에게 웃음을 준다.
④ '나'가 생각하는 다른 인물의 속마음이 정확히 드러난다.
⑤ 상황 판단이 미숙한 '나'의 속마음이 솔직하게 드러난다.

인물, 사건, 배경의 관계 이해하기

5 ㉠의 의미에 대해 잘못 설명한 것은 무엇인가요? (   )

① 계절적 배경을 보여 준다.
② 향토적이고 아름다운 분위기를 형성한다.
③ 창작 당시의 사회 · 문화적 배경을 보여 준다.
④ '나'와 '점순이'의 갈등이 해소되었음을 뜻한다.
⑤ '나'로 하여금 점순이에 대한 묘한 감정을 불러일으킨다.

한줄요약

6 빈칸에 알맞은 말을 찾아 이 글의 핵심 내용을 한 문장으로 요약하세요.

갈등   감자   관심

'나'는 점순이가 건네준 [ ] 가 '나'에 대한 [ ] 의 표현인 줄을 모르고 거절했다가 점순이와 닭싸움을 벌이게 되고, 점순이가 자기네 수탉을 죽게 한 '나'의 잘못을 용서해 주면서 [ ] 이 해소된다.

• 주어진 낱말과 그 의미를 바르게 연결하세요.

① 생색 •
② 근 •
③ 노하다 •
④ 알싸하다 •

• ㉠ 매운맛이나 독한 냄새 따위로 코 속이나 혀끝이 알알하다.
• ㉡ 다른 사람 앞에 당당히 나설 수 있거나 자랑할 수 있는 체면.
• ㉢ 그 수량에 거의 가까움을 나타내는 말.
• ㉣ '화내다' 또는 '화나다'를 점잖게 이르는 말.

• 낱말의 뜻을 참고하여, 다음 문장의 빈칸에 들어갈 알맞은 낱말을 완성하세요.

⑤ 마음이 따스한 분들이 베풀어 주신 [호][ㅇ] 덕에 이 자리에 올 수 있었다.

친절한 마음씨. 또는 좋게 생각하여 주는 마음.

⑥ 어머니는 나의 갑작스런 고백에 놀란 [ㄱ][색]이 역력했다.

마음의 작용으로 얼굴에 드러나는 빛.

⑦ 주원이는 무슨 일만 생기면 [무][ㅌ][ㄷ][고] 나를 찾아왔다.

잘 헤아려 보지도 아니하고 마구.

월 일
맞힌 개수 개

홍길동전 _ 허균

가 어느 칠월 보름날, 길동은 밝은 달을 쳐다보며 뜰을 배회하고 있었다. 쓸쓸한 가을바람 사이로 들려오는 기러기 울음소리가 마음에 외로움을 더했다. 길동의 가슴에는 절로 탄식이 일어났다.

나 "대장부가 세상에 태어나서 공자, 맹자의 학문을 익힌 뒤에, 나가서는 장수가 되고 들어와서는 재상이 되며, 대장인을 허리춤에 차고 단 위에 높이 앉아 수많은 군사를 마음대로 지휘하며, 남쪽으로 초나라를 치고, 북쪽으로 중원을 평정하며, 서쪽으로 촉나라를 쳐 업적을 쌓은 후에, 얼굴을 기린각에 그려 빛내고 이름을 후세에 전함이 대장부의 떳떳한 일일 것이다. 옛사람이 이르기를 '왕후장상의 씨가 따로 없다.'라고 하였는데 이는 나를 두고 말함인가? 아무리 하찮은 사람도 아버지를 아버지라 부르고 형을 형이라 부르는데, 나만 홀로 그리하지 못하는구나. 내 인생은 어찌하여 이리도 기박한가?"

다 길동은 가슴에 차오르는 답답함을 걷잡을 수가 없었다. 달빛 아래서 칼을 잡고 한바탕 춤을 추듯 몸을 날래게 움직이며 장한 기운을 다스리고 있었다.

그때 홍 대감 역시 밝은 달빛을 즐기고자 창문을 열고 비스듬히 기대어 앉아 있다가 이런 길동의 모습을 보았다. 대감이 크게 놀라며 물었다.

"밤이 이미 깊었는데 너는 무슨 흥이 있어 이러고 있느냐?"

라 길동이 칼을 던지고 엎드려 대답하였다.

"소인이 대감의 정기를 받고 당당한 남자로 태어났으니 이만한 즐거움도 없습니다. 그러나 늘 서러운 것은 아버지를 아버지라 부르지 못하고 형을 형이라 부르지 못하는 신세이옵니다. 하인들까지 모두 천하게 보며, 친지와 친구조차도 아무개의 천생이라고 이릅니다. 이런 원통한 일이 어디 있겠습니까?"

마 길동은 대성통곡하였다. 대감은 속으로는 길동이 불쌍했지만 일부러 꾸짖어 말하였다. 만일 그 마음을 드러내서 위로하면 오히려 버릇이 없어질까 염려하였던 것이다.

"재상의 집안에서 천한 노비에게 태어난 사람이 너뿐이 아니다. 그러니 방자하게 굴지 마라. 다시 그런 말을 입 밖에 꺼내면 내 앞에 서지도 못하게 할 것이다."

- **배회**
  아무 목적도 없이 어떤 곳을 중심으로 어슬렁거리며 이리저리 돌아다님.
- **탄식**
  한탄하여 한숨을 쉼. 또는 그 한숨.
- **대장인**
  대장이 가지던 도장.
- **기박하다**
  팔자, 운수 따위가 사납고 복이 없다.
- **원통하다**
  분하고 억울하다.
- **대성통곡**
  큰 소리로 몹시 슬프게 곡을 함.
- **방자하다**
  어려워하거나 조심스러워하는 태도가 없이 무례하고 건방지다.

인물, 사건, 배경의 관계 이해하기

수능에서는
단순히 소설 속 사건이 언제, 어디에서 일어났는지를 묻는 것을 넘어서 이러한 배경이 인물의 성격이나 사건의 흐름에 어떠한 영향을 미치는지를 묻는 문제가 출제돼. 시간적, 공간적 배경 외에 작품이 쓰여진 사회적 배경이라는 것도 중요하니까 함께 살펴봐야 해.

1 **이 글의 배경이 되는 사회에 대한 설명으로 알맞지 않은 것은 무엇인가요? (　　　)**

① 신분과 계급이 엄격하게 구분되었다.
② 사회 진출은 신분에 상관없이 가능했다.
③ 아버지를 아버지라고 부를 수 없는 사람도 있었다.
④ 공자, 맹자의 학문을 익히는 삶을 가치 있게 여겼다.
⑤ 신분에 따라 다르게 대접받는 것을 당연하게 여기는 사람도 있었다.

2 **이 글을 읽고 알 수 있는 내용으로 알맞은 것은 무엇인가요? (　　　)**

① 길동은 자신의 처지를 비관한다.
② 길동은 아버지의 진심을 궁금해한다.
③ 길동은 장수가 되기보다 학자로 살고 싶어 한다.
④ 홍 대감은 양반으로서의 삶에 회의감을 느끼고 있다.
⑤ 홍 대감은 길동이 중국의 발달된 문화를 배우기를 바란다.

3 **가~마의 길동의 심리 변화를 가장 바르게 설명한 것은 무엇인가요? (　　　)**

① 괴로움 → 서운함 → 죄송함
② 원통함 → 외로움 → 감사함
③ 외로움 → 답답함 → 서글픔
④ 기대함 → 불안함 → 안심함
⑤ 초조함 → 염려함 → 그리워함

4 이 글의 서술상 특징에 대한 설명으로 알맞은 것은 무엇인가요? (   )

① 주인공이 직접 겪은 내용을 서술하고 있다.
② 장면에 따라 다른 서술자가 등장하여 내용을 서술하고 있다.
③ 작품 속 '나'가 주변 인물들의 행동을 관찰해 서술하고 있다.
④ 작품 밖 서술자가 인물의 행동 및 심리에 대해 서술하고 있다.
⑤ 작품 밖 서술자가 인물의 행동을 객관적으로 관찰해 서술하고 있다.

인물, 사건, 배경의 관계 이해하기

5 마 의 내용으로 미루어 보아 길동과 홍 대감이 갈등하는 이유는 무엇인가요? (   )

① 각자 생각하는 성공의 기준이 달라서
② 당시 신분 제도에 대한 생각이 달라서
③ 길동의 형이 아버지와 길동의 사이를 이간질해서
④ 효도하려고 노력하는 길동의 진심을 아버지가 몰라주어서
⑤ 길동은 매사를 긍정적으로 생각하는 아버지를 이해할 수 없어서

한줄요약

6 빈칸에 알맞은 말을 찾아 이 글의 핵심 내용을 한 문장으로 요약하세요.

호부호형　　노비　　버릇

길동은 재상 집안의 천한 [   ]에게서 태어나 [   ]을 하지 못하는 자신의 신세를 괴로워하지만, 아버지는 길동의 [   ]이 없어질까 염려하여 길동을 나무란다.

• 주어진 낱말과 그 의미를 바르게 연결하세요.

1 배회 •
2 방자하다 •
3 기박 •
4 원통하다 •

• ㄱ 팔자, 운수 따위가 사납고 복이 없음.
• ㄴ 아무 목적도 없이 어떤 곳을 중심으로 어슬렁거리며 이리저리 돌아다님.
• ㄷ 어려워하거나 조심스러워하는 태도가 없이 무례하고 건방지다.
• ㄹ 분하고 억울하다.

• 낱말의 뜻을 참고하여, 다음 문장의 빈칸에 들어갈 알맞은 낱말을 완성하세요.

5 믿을 수 없는 상황에 여기저기에서 [ㅌ][식]의 소리가 들렸다.
한탄하여 한숨을 쉼. 또는 그 한숨.

6 잘못한 게 없으니 [ㄸ][ㄸ][ㅎ][게] 행동하렴.
굽힐 것이 없이 당당함.

7 아버지는 그 전화를 받자마자 [ㄷ][ㅅ][통][ㄱ]하였다.
큰 소리로 몹시 슬프게 곡을 함.

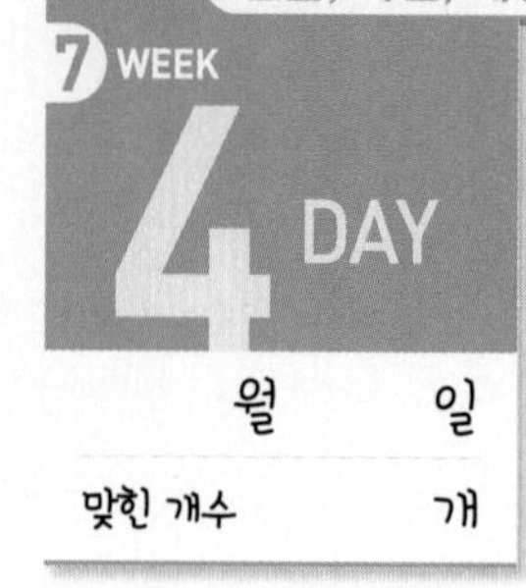

자전거 도둑 _ 박완서

[앞부분의 줄거리] 수남이는 고향을 떠나 청계천 세운상가 전기용품 도매상에서 점원으로 성실하게 일한다. 어느 날 배달을 간 수남이의 자전거가 바람에 쓰러져 한 신사의 고급 자동차와 부딪히는 사고가 난다. 신사는 수남에게 돈을 가져오라고 하며 자물쇠로 수남의 자전거를 잡아 놓는다.

가 수남이는 바보가 돼 버린 아이처럼 조용히 멍청히 서 있었다. 누군가가 나직이 속삭였다.

"토껴라 토껴. 그까짓 것 갖고 토껴라."

그것은 악마의 속삭임처럼 은밀하고 감미로웠다. 수남이의 가슴은 크게 뛰었다. 이번에는 좀 더 점잖고 어른스러운 소리가 나섰다.

"그래라, 그래. 그까짓 거 들고 도망가렴. 뒷일은 우리가 감당할게."

그러자 모든 구경꾼이 수남이의 편이 되어 와글와글 외쳐 댔다.

"도망가라, 어서어서 자전거를 번쩍 들고 도망가라, 도망가라."

수남이는 자기편이 되어 준 이 많은 사람들을 도저히 배반할 수 없었다. 이상한 용기가 솟았다. 수남이는 자전거를 마치 검부러기처럼 가볍게 옆구리에 끼고 질풍같이 달렸다.

나 수남이는 겨우 숨을 가라앉히고 자초지종을 주인 영감님께 고해바친다. 다 듣고 난 주인 영감님은 무엇이 그리 좋은지 무릎을 치면서 통쾌해한다.

"잘했다, 잘했어. 만날 촌놈인 줄만 알았더니 제법인데, 제법이야."

그러고는 가게에서 쓰는 드라이버니 펜치를 가지고 자전거에 채운 자물쇠를 분해하기 시작한다. 엎드려서 그 짓을 하고 있는 주인 영감님이 수남이의 눈에 흡사 도둑놈 두목 같아 보여 속으로 정이 떨어진다. ㉠주인 영감님 얼굴이 누런 똥빛인 것조차 지금 깨달은 것 같아 속이 메스껍다.

다 소년은 아버지가 그리웠다. 도덕적으로 자기를 견제해 줄 어른이 그리웠다. 주인 영감님은 자기가 한 짓을 나무라기는커녕 손해 안 난 것만 좋아서 "오늘 운 텄다."라고 좋아하지 않았던가. 수남이는 짐을 꾸렸다. 아아, 내일도 바람이 불었으면. 바람이 물결치는 보리밭을 보았으면. 마침내 ㉡결심을 굳힌 수남이의 얼굴은 누런 똥빛이 말끔히 가시고, 소년다운 청순함으로 빛났다.

• **도매상**
물건을 모개(죄다 한데 묶은 수효)로 파는 장사. 또는 그런 장수.

• **검부러기**
마른 풀이나 낙엽 따위의 부스러기.

• **질풍**
몹시 빠르고 거세게 부는 바람.

• **자초지종**
처음부터 끝까지의 과정.

1

이 글의 내용으로 알맞지 않은 것은 무엇인가요? (　　　)

① 자전거 사고 때문에 수남이는 당황스러웠다.
② 구경꾼들은 수남이에게 도망가라고 외쳐 댔다.
③ 수남이는 주인 영감에게 사실대로 말하지 못했다.
④ 수남이는 주인 영감의 행동을 보고 그만 정이 떨어졌다.
⑤ 수남이는 아버지가 그리워져서 서울을 떠나기로 결심했다.

2

수능에서는
작품 속에서 인물과 인물이 또는 인물과 사회가 어떠한 관계를 맺고 있는지를 파악하는 문제가 나와. 이것을 갈등이라고 하는데, 갈등은 사건을 이끌어 가는 중요한 요소이므로 이 갈등의 진행 과정을 알면 작품의 주제를 이해하는 데 도움이 돼.

가에 나타난 갈등을 모두 골라 바르게 짝지은 것은 무엇인가요? (　　　)

가 수남은 도망가야 하나 말아야 하나 마음속으로 고민함.
나 수남은 구경꾼들의 말을 들어야 하나 말아야 하나 고민함.
다 수남이를 바보라고 생각하는 구경꾼들과 그를 걱정하는 사람들끼리 대립함.
라 수남이가 잘못했다고 생각하는 구경꾼들과 수남이는 잘못이 없다고 생각하는 사람들끼리 갈등함.

① 가, 나　② 가, 다　③ 나, 다　④ 나, 라　⑤ 다, 라

3

나에서 수남이가 ㉠과 같이 생각한 이유로 알맞은 것은 무엇인가요? (　　　)

① 자기편을 들어주지 않는 주인 영감에게 화가 나서
② 자신에게 소중한 자전거를 주인 영감이 망가뜨려서
③ 주인 영감만은 자신을 믿어 줄 거라고 생각했기 때문에
④ 잘못된 행동을 꾸짖지 않는 주인 영감의 태도에 실망해서
⑤ 사정을 잘 알지도 못하면서 자신을 도둑놈이라고 몰아세워서

4 다음은 아버지와 주인 영감을 비교하여 설명한 것입니다. (   ) 안에 공통적으로 들어갈 말을 이 글에서 찾아 쓰세요.

> 아버지는 먹고살기 힘들어도 사람은 (   )으로 살아야 한다고 생각하지만, 주인 영감은 (   )으로 사는 것보다 당장 손해를 보지 않는 것이 더 중요하다고 생각한다.

(   )

인물, 사건, 배경의 관계 이해하기

5 **다**의 ㉡의 이유로 가장 알맞은 것은 무엇인가요? (   )

① 양심과 순수함을 회복했기 때문에
② 주인 영감의 진심을 알았기 때문에
③ 아버지에 대한 사랑을 깨달았기 때문에
④ 고향으로 돌아갈 수 있게 되었기 때문에
⑤ 소중한 자전거를 되찾을 수 있었기 때문에

한줄요약

6 빈칸에 알맞은 말을 찾아 이 글의 핵심 내용을 한 문장으로 요약하세요.

> 도덕적   자전거   도망

수남이는 자신의 [   ][   ][   ]가 쓰러져 고급 자동차에 흠집이 나자 자전거를 들고 [   ][   ]치는데, 주인 영감이 오히려 자신의 행동을 칭찬하자 [   ][   ][   ]으로 자기를 견제해 줄 어른을 그리워하며 짐을 꾸린다.

• 본문에 쓰인 낱말의 뜻을 칠판에 적어 놓았습니다. 그 뜻을 생각하면서 짧은 글을 지어 보세요.

[감미롭다] 달콤한 느낌이 있다.
[질풍] 몹시 빠르고 거세게 부는 바람.
[자초지종] 처음부터 끝까지의 과정.

① 감미롭다 ....

② 질풍 ....

③ 자초지종 ....

• 낱말의 뜻을 참고하여, 다음 문장의 빈칸에 들어갈 알맞은 낱말을 완성하세요.

④ 상대팀의 적극적인 [ㄱ][제]에도 불구하고 수완이는 결승골을 넣었다.

일정한 작용을 가함으로써 상대편이 지나치게 세력을 펴거나 자유롭게 행동하지 못하게 억누름.

⑤ 장난감을 [분][ㅎ]하고 다시 조립하는 것이 취미이다.

여러 부분이 결합되어 이루어진 것을 그 낱낱으로 나눔.

⑥ 우리는 믿었던 친구에게 [ㅂ][반]당한 것을 알고 정말 화가 났다.

믿음과 의리를 저버리고 돌아섬.

월 일

맞힌 개수 개

들판에서 _ 이강백

[앞부분의 줄거리] 들판에서 평화롭게 살아가던 형과 아우가 민들레꽃을 주고받으며 우애를 맹세한다. 그런데 측량 기사가 측량 실습을 핑계로 들판을 이등분하여 밧줄을 쳐 놓는다. 밧줄을 사이에 두고 줄넘기 놀이를 하던 형제는 서로 다투게 되고, 측량 기사의 농간으로 벽을 쌓게 된다. 측량 기사는 형제에게서 들판을 빼앗아 땅을 팔겠다고 말한다.

가 30. 형, 요란한 총 소리에 놀라 전망대에서 황급히 내려온다. 그는 두려움에 질린 모습이 되어 움츠리고 앉는다. ㉠측량 기사, 가죽 가방을 든 두 명의 조수와 함께 등장한다.

측량 기사: 저쪽 동생이 미쳤군요. 형님에게 총질을 하다니!

조수들: (웃으며) 완전히 미쳤어요.

형: 무서워요…….

측량 기사: 이젠 동생이 아니라, 적이라고 생각하는 게 좋겠어요. 철저히 무장하고 자신을 지켜야지, 가만있다간 죽게 됩니다. (조수들에게) 여봐, 이분에게 총을 드려.

조수들: 네.

나 36. 형과 아우, 그들 사이를 가로막은 벽을 안타까운 표정으로 바라본다. 비가 그치면서 구름 사이로 한 줄기 햇빛이 비친다. (중략)

형: 이 꽃을 꺾어서 벽 너머로 던져 주어야지. 동생이 이 민들레꽃을 보면, 진짜 내 마음을 알아줄 거야.

아우: 형님에게 이 꽃을 드리겠어. 벽 너머의 형님이 이 꽃을 받으면, 동생인 나를 생각하겠지.

다 37. 형과 아우, 민들레꽃을 여러 송이 꺾는다. 그리고 벽으로 다가가서 민들레꽃을 벽 너머로 서로 던져 준다. 형은 아우가 던져 준 꽃들을 주워 들고 반색하고, 아우는 형이 던진 꽃들을 주워 들고 기뻐한다. 서로 벽을 두드리며 외친다.

아우: 형님, 내 말 들려요? / **형:** 들린다, 들려! 너도 내 말 들리냐?

아우: 들려요! / **형:** 우리, 벽을 허물기로 하자!

아우: 네, 그래요. 우리 함께 빨리 벽을 허물어요!

무대 조명, 서서히 암전한다. 다만, 무대 뒤쪽의 들판 풍경을 그린 걸개 그림만이 환하게 밝다. 막이 내린다.

- **우애**
  형제간 또는 친구 간의 사랑이나 정분.
- **농간**
  남을 속이거나 남의 일을 그르치게 하려는 간사한 꾀.
- **무장**
  전투에 필요한 장비를 갖춤.
- **반색**
  매우 반가워함. 또는 그런 기색.
- **암전**
  연극에서, 무대를 어둡게 한 상태에서 무대 장치나 장면을 바꾸는 일.

1

이 글의 내용을 잘못 이해한 것은 무엇인가요? (　　　)

① 형과 아우는 들판에서 사이좋게 살고 있었다.
② 측량 기사는 들판을 빼앗으려고 농간을 부린다.
③ 형은 동생이 쏜 총 소리에 큰 두려움을 느낀다.
④ 측량 기사는 조수들을 시켜 형에게 총을 건넨다.
⑤ 형제를 가로막은 벽은 이전으로 돌이킬 수 없는 상황을 상징한다.

인물, 사건, 배경의 관계 이해하기

수능에서는
작품 속 인물의 성격이 사건 전개에 미치는 영향을 다뤄. 이때의 성격은 단순히 개인이 가지는 고유의 성질이나 품성에 그치는 것이 아니라, 사건을 일으키고 전개해 나가는 바탕이 돼. 인물의 성격에 따라 사건의 흐름이 달라지기도 하지.

2

㉠에 대한 설명으로 올바른 것을 골라 바르게 짝지은 것은 무엇인가요? (　　　)

> ㉮ 성격이 교활하다.
> ㉯ 작품의 주제 형성을 돕는다.
> ㉰ 형제들을 갈등하게 만드는 인물이다.
> ㉱ 작품을 이끌어 가는 인물 중 하나이다.
> ㉲ 등장인물의 특징을 소개하는 역할을 한다.

① ㉮
② ㉮, ㉯
③ ㉮, ㉯, ㉰
④ ㉮, ㉯, ㉰, ㉱
⑤ ㉮, ㉯, ㉰, ㉱, ㉲

인물, 사건, 배경의 관계를 이해해요

소설은 주로 어떤 사람이 언제, 어디서, 무엇을 하며 어떻게 살았는지에 대한 이야기입니다. 즉 인물, 배경, 사건의 3요소가 가장 중요하지요. 저학년에서는 작품 속 인물, 사건, 배경이 무엇인지 파악했다면, 고학년에서는 이 요소들이 서로 어떠한 영향을 미치며 관계를 맺는지를 살펴보며 작품을 이해하게 됩니다.

저학년에서는 인물, 사건, 배경을 이해해요		고학년에서는 인물, 사건, 배경의 관계를 이해해요

3

이 글에서 보기 에 해당하는 부분을 찾아 한 문장으로 쓰세요.

> **보기**
> 이 작품은 날씨의 변화를 통해 사건 및 형제간 갈등의 흐름을 파악할 수 있다. 그래서 이 부분을 바탕으로 형제가 각자의 행동을 반성하고 앞으로 화해가 이루어질 것임을 예측할 수 있다.

(　　　　　　　　　　　　　　　　)

4 이 글에서 보기 에 해당하는 소재로 알맞은 것은 무엇인가요? (   )

보기

형과 아우가 갈등을 해소하는 매개체이자 서로에게 자신의 진심을 전하여 우애를 회복하게 하는 역할을 한다.

① 땅 ② 총 ③ 벽
④ 들판 ⑤ 민들레꽃

5 다음은 작가의 창작 의도입니다. 이를 고려하여 작품을 바르게 이해한 학생은 누구인가요? (   )

작가는 이 작품을 통해 분단된 남과 북이 서로 화합하여 통일하기를 바라는 소망을 보여 주고자 했다.

① **다희:** 들판에서 생활하는 형제의 모습을 통해 땅의 소중함을 깨달았어.
② **지율:** 형제가 갈등하는 장면을 통해 가족이란 무엇인가 생각해 보게 되었어.
③ **산이:** 측량 기사가 자신의 잘못을 뉘우치는 장면을 통해 사과의 가치를 알게 되었어.
④ **가윤:** 측량 기사가 형을 괴롭히는 장면을 통해 그들이 상징하는 남과 북의 갈등 상황을 알게 되었어.
⑤ **주원:** 형제가 굳건한 벽을 허물기로 한 장면에서 화합을 소망하는 작가의 의도를 읽을 수 있었어.

한줄요약

6 빈칸에 알맞은 말을 찾아 이 글의 핵심 내용을 한 문장으로 요약하세요.

벽 위기 우애

형제는 측량 기사의 계략에 속아 다투게 되지만, 마침내 [   ][   ]를 극복하고 [   ]을 허물며 [   ][   ]를 회복한다.

• **다음 두 낱말 중, 밑줄 친 말과 뜻이 통하는 낱말에 ○표 하세요.**

❶ 시골에서 온 전화를 받고 언니는 황급히 집을 나섰다.

[급박하게 / 진지하게]

❷ 할머니는 오랜만에 놀러 온 나를 반색하며 안으셨다.

[당황하며 / 반가워하며]

❸ 무슨 농간이 있지 않고서야 네가 하룻밤 새 그렇게 마음을 바꿀 수가 있니?

[속임수 / 농담]

• **낱말의 뜻을 참고하여, 다음 문장의 빈칸에 들어갈 알맞은 낱말을 완성하세요.**

❹ 우리 아버지의 형제분들은 항상 [ㅇ|애]가 좋으셨다.

형제간 또는 친구 간의 사랑이나 정분.

❺ 어떤 방법을 써야 건물의 높이를 정확하게 [ㅊ|량]할 수 있을까?

기기를 써서 물건의 높이, 깊이, 넓이, 방향 따위를 잼.

❻ [암|ㅈ]이 끝나고 무대가 다시 환해졌다.

연극에서, 무대를 어둡게 한 상태에서 무대 장치나 장면을 바꾸는 일.

❼ 전쟁에서 돌아온 군인들이 [ㅁ|장]을 풀기 시작했다.

전투에 필요한 장비를 갖춤. 또는 그 장비.

마무리

인물, 사건, 배경의 관계를 이해하려면?

독해 원리 학습

인물, 사건, 배경을 이해해요 ► 4학년

❶ 인물, 사건, 배경으로 이야기가 구성된다는 것 알기

인물, 사건, 배경을 육하원칙을 적용해 이해하면 인물은 '누가'에, 사건은 '무엇을, 왜, 어떻게'에, 배경은 '언제, 어디서'에 해당합니다.

❷ 작품 속 인물, 사건, 배경 파악하기 인물, 사건, 배경을 파악하며 작품을 읽어야 정확하고 깊이 있게 감상할 수 있어요.

- 서사 문학은 인물, 사건, 배경으로 구성됨.
- 인물, 사건, 배경은 서로 유기적인 관계를 맺고 있음.
- 인물, 사건, 배경을 파악하고 각각의 관계를 이해하는 것은 작품을 깊이 있게 감상하기 위해 꼭 필요함.

인물, 사건, 배경의 관계를 이해해요 ► 5학년

❶ 인물, 사건, 배경(소설 구성의 3요소)의 특징 알기

인물	– 사건과 행동의 주체 – 역할에 따라: 주동 인물 vs 반동 인물 / 특성에 따라: 전형적 인물 vs 개성적 인물
사건	– 구체적으로 전개되는 이야기로 인물들 간의 갈등이 사건의 중심이 됨. – 갈등의 종류: 외적 갈등, 내적 갈등
배경	– 사건이 일어나는 구체적인 시간과 공간 – 시간적 배경, 공간적 배경, 사회적 배경 등

❷ 인물, 사건, 배경의 관계 파악을 통해 작품의 주제 이해하기

작품 속 인물과 사건, 배경을 파악하고 각각이 작품 속에서 어떤 역할을 하고 있는지 또한 서로 어떤 관계를 맺고 있는지 살펴보면 작품의 주제를 이해할 수 있습니다.

〈보기〉를 참고하여

36. 〈보기〉를 참고하여 윗글을 감상한 내용으로 적절하지 않은 것은?]

| 보기 |

「조웅전」은 조선 시대에 창작되어 독자들에게 많이 읽힌 소설이다. 이 소설은 두 가지 면에서 ... 보여주었기 때문에 그들의 ... (忠)이라는 가치관을 바탕으 ... (善人)과 악인(惡人)의 대결 구도 를 만들어 선인이 악인의 횡포를 이기는 과정을 재미있게 보여주었기 때문이다.

수능에는 작품에 제시된 배경을 구체적으로 제시하고 이를 바탕으로 작품을 감상하는 문제가 나와요.

사건의 인과 관계를 이해하라

작가는 작품을 통해 주제를 효과적으로 드러내기 위해서 이야기를 하나의 흐름으로 얽어매는데, 이것을 소설의 구성이라고 합니다. 줄거리가 시간 순서에 따라 사건이 진행되는 데 중점을 둔 것이라면, 구성은 사건이 전개되는 과정을 원인과 결과로 이해하는 것입니다. 사건의 인과 관계를 알면 인물과 인물이 활동하는 배경, 그리고 인물들 사이에 벌어지는 사건이 어떻게 짜여 있는지를 정확하게 파악하고 작품의 주제 또한 바르게 이해할 수 있습니다.

소설 속 인물과 배경, 사건을 각각 파악한다. › 사건들의 인과 관계를 통해 전체 흐름을 이해한다. › 인물, 사건, 배경의 관계와 주제를 파악한다.

수능까지 연결되는 초등 독해

WEEK 8

여러 가지로 해석되는 낱말의 뜻을 짐작해요

피아노 경연 대회가 있는 날

그런데 위 대화를 보면 '먹다'라는 말이 여러 번 나오네요. '먹다'라는 말은 '음식을 먹다'라는 기본적인 의미 외에도, '겁내다', '나이를 먹다' 등 다양한 주변 의미를 갖고 있습니다. 이렇게 한 가지 낱말이 비슷한 여러 가지 의미로 쓰이는 것을 **다의어**라고 합니다. 반대로 형태는 같지만 서로 관련이 없는 의미를 여럿 가지고 있는 낱말을 **동형어**라고 합니다. 다의어와 동형어는 글의 앞뒤 내용을 읽으며 그 **뜻**을 짐작할 수 있습니다. 지금부터 다의어와 동형어에는 어떤 것들이 있는지 살펴보고 **낱말의 뜻을 짐작하는 방법**에 대해서 알아볼까요?

대화의 기술

대화란 마주 대하여 이야기를 주고받는 의사소통의 행위를 ㉠말한다. 즉 대화는 단순한 이야기 전달이 아니라 상대의 말을 이해하고 이에 대한 자신의 의견을 잘 전달하는 과정인 것이다. 그런데 이 과정에서 대화의 내용뿐만 아니라 말하고 듣는 이의 표정, 말투, 반응, 자세 등 여러 가지 요소들이 복합적으로 작용하기 때문에 대화에도 기술이 필요하다.

대화에서 가장 중요한 기술은 바로 '경청'이다. 누구나 자신의 이야기를 듣지 않는 사람과는 말하고 싶어 하지 않을 것이다. 또한 상대의 말을 경청하지 않으면 내용을 잘못 이해하게 되고 그렇게 되면 대화를 이어 나가기 어려워진다. 경청을 위해서는 상대의 말을 중간에 끊지 않고 끝까지 듣는 것이 중요하다. 간단해 보이지만 많은 사람들이 상대의 말을 들으며 떠오르는 생각을 상대의 말이 끝나기도 전에 말하는 경우가 많고 이 때문에 대화의 흐름이 끊기기도 한다. 따라서 이야기를 끝까지 듣고 충분히 이해한 후에 자신의 의사를 표현하는 것이 좋다.

또한 상대방에게 적절한 반응을 보여 주는 것이 필요하다. 대화를 할 때에는 눈맞춤을 하면서 대화를 이어 가는 것이 좋다. 눈만 마주 보고도 서로 교감할 수 있을 정도로 눈은 섬세한 감정들을 표현할 수 있기 때문이다. 따라서 눈을 맞추며 상대의 말에 귀 기울이고 있다는 느낌을 전해 주는 것이 중요하다. 적절한 추임새나 고개를 끄덕이는 것도 상대의 말에 공감하고 있다는 것을 보여 주는 좋은 반응이다. 이때 과장된 반응보다는 상대의 말에 자연스럽게 생겨나는 반응을 보이는 것이 좋다. 이러한 반응은 상대로 하여금 자신의 이야기가 전달되고 있다는 믿음을 주기 때문에 대화가 ㉡촉진될 수 있다.

대화는 혼자서 하는 것이 아니라 상대와의 상호 작용으로 이루어지는 것이기 때문에 상대를 배려하기 위한 노력이 필요하다. 경청과 반응도 결국 상대를 배려하는 행동이며 이를 실천하기 위한 연습을 반복한다면 좀 더 긍정적인 흐름의 대화를 할 수 있게 될 것이다.

- **경청**
귀를 기울여 들음.
- **의사**
무엇을 하고자 하는 생각.

1

이 글에서 알 수 있는 내용으로 알맞은 것은 무엇인가요? (   )

① 상대의 말에 반응을 보일 때는 과장되게 하는 것이 좋다.
② 대화는 자신의 의견만 잘 전달되면 성공이라고 할 수 있다.
③ 대화에서는 말하는 것도 중요하지만 듣는 것도 매우 중요하다.
④ 대화에서 상대의 눈을 쳐다보는 것은 예의에 어긋나는 행위이다.
⑤ 상대의 말을 듣다가 떠오르는 생각이 있으면 바로 말하는 것이 좋다.

2

이 글을 바탕으로 보기 의 대화에 대해 평가한 내용으로 알맞지 않은 것은 무엇인가요? (   )

수능에서는
글의 내용에 대해 읽는 사람이 어떤 생각을 하고 받아들이는가, 즉 독자의 반응이나 평가를 묻는 문제가 나와. 따라서 글의 내용을 있는 그대로뿐만 아니라 비판적으로 생각하며 읽는 태도가 필요해.

보기

미나: 내가 실수로 친구를 속상하게 한 일이 있는데 어떻게 사과를 해야 할까?
지혜: ⓐ(인상을 쓰며) 으이그, 조심 좀 하지.
미나: 정말 일부러 그런 건 아니야. 친구 책상 옆을 지나다가 친구 물통을 떨어뜨렸는데,
지혜: ⓑ뭐? 뭘 떨어뜨렸다고? 미안 못 들었어.
미나: 잘 좀 들어. 물통을 떨어뜨렸는데 깨지고 말았어. 그런데 친구가 엄청 아끼던 물통이었더라고.
지혜: ⓒ정말? 아이고, 너도 놀랐겠네. ⓓ그래서 어떻게 했어?
미나: 일단 사과를 하긴 했는데 한 번 더 사과를 하고 싶어.
지혜: ⓔ(고개를 끄덕이며) 그럼 편지를 써 보는 건 어떨까?

① ⓐ는 상대의 마음을 배려하지 못한 잘못된 반응인 것 같아.
② ⓑ는 상대의 말에 집중하지 않아서 나오는 반응인 것 같아.
③ ⓒ는 상대에게 공감하고 있음을 보여 주는 적절한 반응인 것 같아.
④ ⓓ는 상대에게 부담을 주는 질문으로 잘못된 반응인 것 같아.
⑤ ⓔ는 상대의 이야기에 긍정하는 신호를 보내는 적절한 반응인 것 같아.

여러 가지로 해석되는 낱말의 뜻 짐작하기

3

㉠과 같은 뜻으로 쓰인 것은 무엇인가요? (   )

① 힘센 걸로 말하면 영철이를 따라갈 친구가 없다.
② 사람들에게 자신의 느낌을 말하는 일은 쉽지 않다.
③ 한 전문가가 그 자동차에 대해 좋게 말하는 것을 보았다.
④ 친구는 단순히 나이가 비슷한 사이만을 말하는 것은 아니다.
⑤ 친구에게 미리 말해 두었으니 오늘 찾아가면 무슨 말이 있을 것이다.

4

㉡과 바꿔 쓸 수 있는 단어로 알맞은 것은 무엇인가요? (   )

① 더 지연될
② 더 보류될
③ 더 잘 진행될
④ 더 잘 유인될
⑤ 더 잘 발달될

한줄요약

5

빈칸에 알맞은 말을 찾아 이 글의 핵심 내용을 한 문장으로 요약하세요.

반응　　배려　　경청

좋은 대화를 이끌기 위해서는 상대방에 대한 [   ]의 자세가 필요하며, 대화의 기술 중에서는 상대의 말을 [   ]하고, 적절한 [   ]을 보이는 것이 중요하다.

• 낱말이 한자로는 어떻게 쓰이는지 살펴보고, 예문을 참고해 빈칸을 채워 보세요.

❶ 複合 — 겹칠 [복] / 합할 [ㅎ]

요즘 감기는 여러 증상이 [복][ㅎ]적으로 나타난다.

❷ 交感 — 주고받을 [교] / 느낄 [ㄱ]

대화를 나누며 서로 [교][ㄱ]할 수 있었다.

❸ 反應 — 돌이킬 [반] / 응할 [ㅇ]

그는 작은 소리에도 예민하게 [반][ㅇ]하였다.

• 낱말의 뜻을 참고하여, 다음 문장의 빈칸에 들어갈 알맞은 낱말을 완성하세요.

❹ 나는 그가 어떤 [ㅇ][사]를 가지고 있는지 전혀 알 수 없었다.

무엇을 하고자 하는 생각.

❺ 그의 모습은 [과][ㅈ]이 없는 있는 그대로의 모습이었다.

사실보다 지나치게 불려서 나타냄.

❻ 아이와 부모 간의 [상][ㅎ][작][ㅇ]은 아이의 성장에 중요한 역할을 한다.

둘 이상의 사물이나 현상이 서로 원인과 결과가 되는 작용.

8 WEEK 2 DAY

월 일

맞힌 개수 개

세금이 생겨난 까닭

인간은 원시 시대부터 혼자 생활하지 않고 부족이라는 집단을 이루며 생활하였다. 여럿이 모여 살 때 의식주를 보다 쉽게 해결할 수 있었고 삶의 안정감이 더 컸기 때문이다. 그런데 이렇게 집단생활을 하면서 부족에 도둑이 ㉠들거나 다른 부족의 침입을 받는 일들이 생겨났다. 이를 해결하기 위해 부족의 안전을 지키는 사람들이 필요하게 되었고, 이 사람들이 부족을 위한 일을 하면서도 생계를 유지할 수 있도록 다른 사람들이 도와야 했다. 이를 위해 사람들은 규칙을 정하여 필요한 비용을 나누어 부담하며 부족 공동체를 위해 쓰게 되었고 이것이 지금의 세금으로 발전하게 되었다.

원시 사회가 여러 단계의 발전 과정을 거쳐 국가에 이르게 되면서 공동체의 규모는 더 복잡해지고 커지게 되었다. 그리고 이러한 발전과 함께 국가가 국민을 위해 해야 할 일도 점점 많아지게 되었다. 따라서 세금은 국가가 주는 많은 혜택을 누리기 위한 대가로 볼 수 있으며, 이러한 세금에 대하여 미국의 케네디 전 대통령은 ⓐ"세금은 시민권의 연회비"라고 말하기도 하였다. 이처럼 세금은 사회의 질서를 지키고 국민의 행복을 위해 걷는 것이기 때문에 세금을 많이 냈다고 많은 혜택을 주고, 적게 냈다고 적은 혜택을 주는 것은 아니다. 예를 들어 소득이 없어 세금을 적게 내는 가난한 사람에게 병원의 이용을 제한한다면 결코 좋은 나라라고 할 수 없을 것이다. 이렇게 모든 국민들이 혜택을 ㉡볼 수 있게 하기 위해 법이 정하는 바에 의해 세금을 걷는 것이다.

우리나라 헌법 제38조에는 "모든 국민은 법률이 정하는 바에 의하여 납세의 의무를 진다."라고 되어 있는데, 납세의 의무는 국방의 의무, 교육의 의무, 근로의 의무, 환경 보전의 의무와 함께 국민의 5대 의무에 해당한다. 따라서 세금은 국가가 발전하고 국민들이 다 같이 풍요로운 삶을 살기 위한 것으로 국민으로서 당연히 내야 하는 것이다.

- **부담**
  어떠한 의무나 책임을 짐.
- **대가**
  노력이나 희생을 통하여 얻게 되는 결과.
- **연회비**
  회원으로 가입한 단체나 모임에 회원의 자격을 유지하는 대가로 일 년에 한 번씩 내는 일정액의 돈.
- **납세**
  세금을 냄.

1

이 글에서 답을 찾을 수 있는 질문이 아닌 것은 무엇인가요? (　　　)

① 인간은 왜 집단생활을 하게 되었을까?
② 세금을 내는 액수의 차이에 따라 받는 혜택이 달라질까?
③ 사람들이 공동체를 위한 비용을 내게 된 이유는 무엇일까?
④ 국가의 혜택이 필요하지 않다면 세금은 내지 않아도 될까?
⑤ 법에서는 무엇을 기준으로 세금의 액수를 정하는 것일까?

2

여러 가지로 해석되는 낱말의 뜻 짐작하기

보기 는 ㉠의 단어를 이용한 글짓기 수업의 일부입니다. 보기 의 빈칸에 들어갈 말을 골라 ○표 하세요.

보기

선생님: ㉠의 '들다'는 '밖에서 속이나 안으로 향해 가거나 오거나 하다.'의 의미로 사용되었죠. 이번엔 '들다'의 다른 의미를 활용해서 간단한 문장을 만들어 볼까요?

기은: '그 선수는 역도를 번쩍 들었다.'로 문장을 만들었습니다.

영호: 저는 '잘 드는 칼로 잘라라.'로 만들어 보았습니다.

선생님: 모두 잘했네요. 같은 글자의 '들다'인데 뜻이 다양하네요. 이런 경우처럼 글자는 [❶] 서로 의미가 [❷] 낱말을 '동형어'라고 합니다.

❶ (같지만 , 다르지만)　　　❷ (같은 , 다른)

3

여러 가지로 해석되는 낱말의 뜻 짐작하기

㉡의 사전적 의미로 알맞은 것은 무엇인가요? (　　　)

① 맡아서 보살피거나 지키다.
② 점 따위로 운수를 알아보다.
③ 상대편의 형편 따위를 헤아리다.
④ 눈으로 대상을 즐기거나 감상하다.
⑤ 어떤 일을 당하거나 겪거나 얻어 가지다.

4 세금을 ⓐ처럼 말할 수 있는 이유는 무엇인가요? (　　　)

① 선택적으로 낼 수 있는 비용이기 때문이다.
② 국민으로서 혜택을 누리기 위해 내는 비용이기 때문이다.
③ 지불한 비용에 따라 다른 혜택을 받을 수 있기 때문이다.
④ 다른 국가와의 차별성을 위해 필요한 비용이기 때문이다.
⑤ 내가 낸 비용이 다른 사람을 위해서 쓰일 수 있기 때문이다.

5 이 글에 사용된 내용 전개 방식을 모두 골라 기호를 쓰세요.

수능에서는
글의 중심 내용을 제시해 나가는 방법을 내용 전개 방식이라고도 표현해. 글 전체의 내용을 전개하는 방법은 물론 문단별로 내용을 전개하는 방법을 물어보기도 하는데, 이때 글의 짜임에 따라 내용이 어떻게 전개되는지 파악하는 것이 중요해.

㉮ 대상이나 장면을 그림 그리듯이 자세하게 설명하고 있다.
㉯ 둘 이상의 개념의 공통점과 차이점을 밝히며 설명하고 있다.
㉰ 개념을 보다 쉽게 이해할 수 있도록 예를 들어 설명하고 있다.
㉱ 어떤 일이 왜 일어났는지에 대한 원인과 결과를 따져 가며 설명하고 있다.

(　　　,　　　)

6 빈칸에 알맞은 말을 찾아 이 글의 핵심 내용을 한 문장으로 요약하세요.

한줄요약

의무　　법　　대가

세금은 국가가 주는 혜택을 누리는 [　][　]이며, [　]이 정하는 바에 의해 모든 국민은 납세의 [　][　]가 있다.

• 다음 사다리 타기에 따라 (   ) 안에 들어갈 낱말의 뜻을 보기 에서 고르세요.

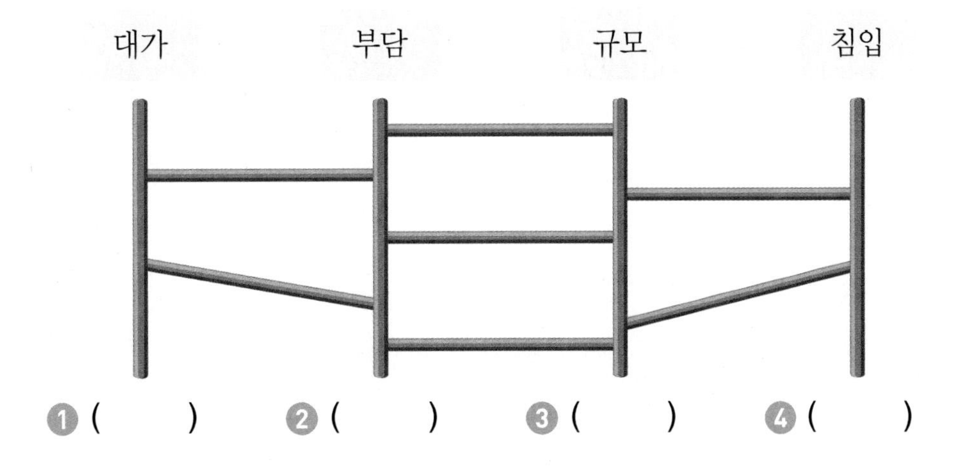

❶ (   ) ❷ (   ) ❸ (   ) ❹ (   )

보기
㉠ 물건의 값으로 치르는 돈.
㉡ 어떠한 의무나 책임을 짐.
㉢ 침범하여 들어가거나 들어옴.
㉣ 사물이나 현상의 크기나 범위.

• 낱말의 뜻을 참고하여, 다음 문장의 빈칸에 들어갈 알맞은 낱말을 완성하세요.

❺ 그 지역은 차량의 통행을 [ㅈ 한]하기로 정하였다.

일정한 한도를 정하거나 그 한도를 넘지 못하게 막음. 또는 그렇게 정한 한계.

❻ 1년 농사를 실패하면서 우리 가족은 [생 ㄱ]를 위해 다른 일을 해야 했다.

살림을 살아 나갈 방도. 또는 현재 살림을 살아가고 있는 형편.

황제펭귄의 허들링

황제펭귄은 현재 지구상에 존재하는 펭귄 중 몸집이 가장 큰 펭귄이다. 턱과 ㉠목의 경계가 노란색을 띠고, 전체적으로는 회색이지만 머리와 부리는 검은색을 띠고 있어 마치 턱시도를 입고 황금색 목도리를 두른 듯한 모습이라 하여 '남극의 신사'라고 불리기도 한다.

황제펭귄은 주로 남극에서 군집 생활을 하며 알을 낳고 새끼를 키운다. 그런데 남극은 한겨울에 기온이 영하 50도를 넘나들고 시속 100km의 눈보라가 몰아칠 정도로 추위가 극심하다. 이러한 남극의 혹한을 황제펭귄은 '허들링'이라는 독특하고 위대한 생존 방식으로 이겨 낸다. 허들링이란 황제펭귄들이 한데 모여 서로의 체온을 나누는 방법이다. 남극에 맹추위가 찾아오면 황제펭귄들은 한 자리에 모여 서로 몸을 밀착시킨 채 나선 형태로 무리 짓는다. 가로 1m, 세로 1m의 좁은 면적에 20마리 정도가 빼곡히 들어가 체온을 유지하는 것도 대단한데 더 대단한 것은 일정한 시간 간격을 두고 무리 전체가 ㉡돌면서 안에 있던 펭귄은 밖으로 움직이고 밖에 있던 펭귄은 안으로 질서 정연하게 움직인다는 것이다. 모여 있다 보면 무리의 한가운데는 따뜻하지만 바깥쪽은 추위에 노출되기 때문에 허들링을 하면서 서로의 자리를 맞바꾸며 겨울 내내 일정한 체온을 유지해 함께 살아남는다.

이러한 황제펭귄의 모습에서 우리는 올바른 공동체적 삶의 자세를 배울 수 있다. 서로 안쪽 자리를 차지하려고 싸우는 이기적인 모습보다는 협력을 통해 서로 매서운 눈보라를 막아 줄 때 모두가 온기를 유지하며 살아남을 수 있다. 또한 바깥에 있는 펭귄들이 추위를 이겨 내지 못한다면 안쪽의 펭귄들도 살아남기 어려울 것이다. 이는 각자의 자리에서 자신의 역할을 충분히 해냄으로써 자신이 속한 공동체를 지켜 내는 것으로, 우리들이 살아가면서 기억해야 할 삶의 지혜일 것이다.

• **군집**
여러 종류의 생물이 자연계의 한 지역에 살면서 유기적인 관계를 가지고 생활하는 개체군의 모임.

• **혹한**
몹시 심한 추위.

• **정연하게**
가지런하고 질서가 있게.

1

이 글에서 배울 수 있는 교훈으로 가장 알맞은 것은 무엇인가요? (　　　)

① 자연에 맞서 싸우는 용기가 필요하다.
② 부모는 자식에 대한 책임감이 필요하다.
③ 서로 협력하고 배려하는 자세가 필요하다.
④ 한 가지 일에 최선을 다하는 태도가 필요하다.
⑤ 주변에 관심을 갖고 살아가는 자세가 필요하다.

2

이 글에 대해 잘못 이해한 내용은 무엇인가요? (　　　)

① 황제펭귄은 평소에는 독립적인 생활을 한다.
② 황제펭귄은 남극의 혹한을 견딜 수 있는 생존 방식을 지니고 있다.
③ 허들링을 할 때 일정한 시간 간격으로 움직이며 서로 자리를 맞바꾼다.
④ 허들링을 할 때 안과 밖의 자리를 맞바꾸기 위해 무리 전체가 움직인다.
⑤ 허들링은 좁은 면적에 최대한 붙어 눈보라를 막으며 체온을 유지하는 방식이다.

여러 가지로 해석되는 낱말의 뜻 짐작하기

3

보기 는 ㉠이 지닌 여러 가지 의미입니다. 보기 에 제시된 의미가 사용되지 않은 문장은 무엇인가요? (　　　)

보기

척추동물의 머리와 몸통을 잇는 잘록한 부분.

목을 통해 나오는 소리.

자리가 좋아 장사가 잘되는 곳이나 길 따위.

어떤 물건에서 동물의 목과 비슷한 부분.

① 목이 칼칼하게 아프다.
② 그 여자는 목이 긴 편이다.
③ 아이는 목이 쉬도록 울고 있었다.
④ 일을 하려면 목이 긴 장화가 필요하다.
⑤ 목이 좋은 가게를 두고 다른 곳을 정해야 했다.

여러 가지로 해석되는 낱말의 뜻 짐작하기

4

수능에서는
단어의 의미를 묻는 문제가 자주 나와. 그중 다의어는 두 가지 이상의 뜻을 가진 단어를 말해. 다의어가 사용된 앞뒤 내용을 보면 정확한 뜻을 알 수 있어.

보기 를 참고할 때, 다음에서 설명한 다의어 관계인 단어는 무엇인가요? (　　　)

> **보기**
>
> 다의어란 두 가지 이상의 의미를 가진 낱말을 말한다. 다의어에서 기본이 되는 핵심 의미를 중심 의미라고 하고, 중심 의미에서 확장된 의미를 주변 의미라고 하는데 의미들 간에 서로 관련성을 갖는다. 예를 들어 이 글에서 ㉡의 '돌다'는 '물체가 일정한 축을 중심으로 원을 그리면서 움직이다.'라는 중심 의미가 사용된 것이고, '눈이 핑핑 돌다.'의 '돌다'는 '정신을 차릴 수 없도록 아찔하여지다.'라는 주변 의미가 사용된 것으로 이러한 '돌다'는 다의어라고 할 수 있다. 반면 '배'는 '교통수단으로서의 배', '먹는 배', '사람의 배'를 뜻하는데 의미상 서로 관련이 없으므로 다의어가 아닌 동형어에 해당한다.

① 맛있는 밤 – 깜깜한 밤
② 말을 탔다. – 말을 잘 한다.
③ 눈이 나빠졌다. – 눈이 내린다.
④ 차를 마시다. – 차를 운전하다.
⑤ 머리에 모자를 썼다. – 머리가 좋다.

한줄요약

5

빈칸에 알맞은 말을 찾아 이 글의 핵심 내용을 한 문장으로 요약하세요.

> 공동체　　허들링　　협력

남극의 혹한을 이겨 내는 황제펭귄의 [　　　] 에서 우리는 [　　] 을 통해 함께 생존하는 [　　　] 적 삶의 자세를 배울 수 있다.

• 다음 문장을 읽고, 두 낱말 중 알맞은 것을 찾아 ◯표 하세요.

1. 붉은빛을 [띠는 / 띄는] 장미들이 가득 피었다.

2. 빨간 지붕이 눈에 [띠는 / 띄는] 집이었다.

3. 우리 집 소가 송아지를 [낳는 / 낫는] 광경을 처음 보았다.

4. 감기가 [낳는 / 낫는] 것 같더니 다시 심해졌다.

5. 이제는 눈물 [로써 / 로서] 호소하는 수밖에 없다.

6. 그것은 의사 [로써 / 로서] 할 수 있는 일이 아니다.

• 낱말의 뜻을 참고하여, 다음 문장의 빈칸에 들어갈 알맞은 낱말을 완성하세요.

7. 그 지역은 태풍으로 인한 피해가 [극|ㅅ]하다.
매우 심하다.

8. [혹|ㅎ]으로 인해 많은 군인들이 동상에 걸렸다.
몹시 심한 추위.

9. 자리를 좁히기 위해 그와 [ㅁ|착]하여 섰다.
빈틈없이 단단히 붙다.

월 일
맞힌 개수 개

탄소 배출권 거래 제도

지구 온난화는 지속적으로 생태계의 변화를 ㉠초래하며 지구를 위협하고 있다. 최근에는 지구 온난화의 영향으로 폭염과 가뭄이 심해지면서 호주에서 산불이 5개월 이상 지속되어 최소 30명 이상이 사망하고 10억 마리가 넘는 야생 동물과 약 3만 마리의 코알라가 희생되는 일도 있었다. 이처럼 지구 온난화는 우리 삶에 직접적인 영향을 주고 있으므로 전 세계가 지구 온난화의 주원인인 온실가스를 줄이기 위해 움직이고 있는데, 이를 위한 방안 중 하나가 바로 '탄소 배출권 거래 제도'이다.

[A] 탄소 배출권 거래 제도란 국가가 온실가스를 배출하는 기업들의 탄소 배출량을 정하여 배출권을 할당하고, 그 배출권의 거래를 허용하는 제도이다. 즉 탄소 배출권이 모자라는 기업은 남는 기업으로부터 배출권을 사서 ㉡쓰고, 배출권이 남는 기업은 필요한 기업에 팔 수 있도록 하는 제도이다. 우리나라 역시 2015년부터 탄소 배출권을 거래할 수 있는 제도가 시행되고 있다.

이러한 탄소 배출권 거래 제도는 탄소 배출량 감소를 통해 지구 온난화를 막는 환경적인 목적과 함께 신재생 에너지 사업을 촉진할 수 있는 원동력이 될 수 있어 의미가 있다. 단순히 탄소 배출을 줄이자는 법적인 제재를 넘어서 배출되는 탄소에 경제적 가치를 부여한 것으로 기업이 탄소 배출로 인한 비용 낭비를 막기 위해 탄소 배출량 감축을 위한 노력을 하게 될 것이기 때문이다. 또한 이 과정에서 탄소를 배출하지 않는 신재생 에너지에 대한 투자가 확대될 것이고 이와 함께 관련 산업의 성장까지 기대해 볼 수 있다는 점에서 탄소 배출권 거래 제도를 통한 긍정적인 효과를 기대하고 있다.

하지만 온실가스를 줄이기 위해서는 개인적인 노력도 함께 필요하다. 실내 온도 적정하게 유지하기, 물 아껴 쓰기, 쓰레기 줄이고 재활용하기 등은 우리가 충분히 실천할 수 있는 방법들이다. 개인의 작은 실천이 지구 전체에 영향을 줄 수 있을 것이라 생각하고 지구 온난화를 멈출 수 있는 활동들에 적극적으로 참여하는 자세가 필요할 것이다.

- **폭염** 매우 심한 더위.
- **할당** 몫을 갈라 나눔.
- **촉진** 다그쳐 빨리 나아가게 함.
- **부여** 사람에게 권리 · 명예 · 임무 따위를 지니도록 해 주거나, 사물이나 일에 가치 · 의의 따위를 붙여 줌.
- **감축** 덜어서 줄임.

1 **이 글에서 언급한 내용이 아닌 것은 무엇인가요? ( )**

① 지구 온난화로 인한 피해 사례
② 탄소 배출권 거래 제도의 부작용
③ 탄소 배출권 거래 제도 도입의 배경
④ 탄소 배출권 거래 제도의 긍정적인 효과
⑤ 온실가스 감축을 위해 필요한 개인의 노력

2 **글쓴이가 이 글에서 문제 해결을 위해 내세우는 주장은 무엇인가요? ( )**

① 기업들의 탄소 배출을 완전히 막아야 한다.
② 온실가스 감축을 위한 법이 더 강화되어야 한다.
③ 강제적인 법보다는 자율적인 개인의 노력이 더 필요하다.
④ 신재생 에너지를 대체할 수 있는 에너지 개발이 필요하다.
⑤ 제도를 통해 온실가스를 줄이는 노력과 함께 개인의 실천도 필요하다.

3 **다음 중 [A]에 사용된 주된 논지 전개 방식이 활용된 것은 무엇인가요? ( )**

수능에서는
글을 쓴 취지를 논지라고 말해. 따라서 논지 전개 방식이란 우리가 알고 있는 글쓰기 전략 또는 내용 전개 방식과 같다고 생각하면 돼.

① 초는 불빛을 내는 데 쓰는 물건이다.
② 시, 소설, 희곡, 수필은 문학에 해당한다.
③ 연극은 공간의 제약이 있지만 영화는 공간으로부터 자유로운 편이다.
④ 사막 어딘가에 오아시스가 있듯이 힘든 상황 속에서도 희망은 있을 것이다.
⑤ 먼저 고기를 넣고, 물이 끓으면 김치와 양념을 넣은 후 먹기 전에 파를 넣는다.

4 ㉠과 바꿔 쓸 수 있는 단어는 무엇인가요? (　　　)

① 가져오며　② 유지하며　③ 재촉하며
④ 퍼뜨리며　⑤ 제거하며

여러 가지로 해석되는 낱말의 뜻 짐작하기

5 보기 는 ㉡의 뜻을 알아보기 위해 사전에서 찾아본 것입니다. 빈칸에 들어갈 말을 쓰세요.

보기

선생님: 동형어는 소리가 같을 뿐 의미는 전혀 상관 없는 단어이기 때문에 사전에서도 다른 표제어로 나뉘어 있습니다. 반면 다의어는 의미가 서로 관련이 있기 때문에 사전에서도 한 표제어 아래에 번호로 묶여 있습니다. 다음에서 ⓐ와 ⓑ, ⓒ와 ⓓ는 동형어와 다의어 중 어떤 것에 해당할까요?

쓰다 Ⅰ 「동사」 […에 …을] ………… ⓐ
「1」 붓, 펜, 연필과 같이 선을 그을 수 있는 도구로 종이 따위에 획을 그어서 일정한 글자의 모양이 이루어지게 하다.
「2」 머릿속의 생각을 종이 혹은 이와 유사한 대상 따위에 글로 나타내다.
쓰다 Ⅱ 「동사」 […에 …을] ………… ⓑ
「1」 모자 따위를 머리에 얹어 덮다. ………… ⓒ
「2」 얼굴에 어떤 물건을 걸거나 덮어쓰다. ………… ⓓ

학생: ⓐ와 ⓑ는 [　　　] 이며, ⓒ와 ⓓ는 [　　　] 로 볼 수 있습니다.

한줄요약

6 빈칸에 알맞은 말을 찾아 이 글의 핵심 내용을 한 문장으로 요약하세요.

신재생　　온실가스　　온난화

탄소 배출권 거래 제도는 지구 [　|　|　] 의 주원인인 [　|　|　|　] 를 줄이기 위한 방안이며, [　|　|　] 에너지 사업을 촉진할 수 있는 제도이다.

• 낱말이 한자로는 어떻게 쓰이는지 살펴보고, 예문을 참고해 빈칸을 채워 보세요.

1

施行 실시할 [ㅅ] 행할 [행]

개정된 법률의 [ㅅ][행]으로 도시 정책의 큰 변화가 생겼다.

2

減縮 덜 [감] 줄일 [ㅊ]

그 회사는 인원 [감][ㅊ]을 결정하였다.

3

制裁 절제할 [ㅈ] 마를 [재]

아무런 [ㅈ][재]도 안 받고 무사히 통과하였다.

• 낱말의 뜻을 참고하여, 다음 문장의 빈칸에 들어갈 알맞은 낱말을 완성하세요.

4 몇 가지 작업을 각 조별로 [ㅎ][당]했다.

몫을 갈라 나눔.

5 독서는 창조의 [ㅇ][ㄷ][력]이 될 수 있다.

어떤 움직임의 근본이 되는 힘.

6 그가 책임지기에는 쉽지 않은 임무를 [부][ㅇ]받았다.

사람에게 권리 · 명예 · 임무 따위를 지니도록 해 주거나, 사물이나 일에 가치 · 의의 따위를 붙여 줌.

월 일
맞힌 개수 개

대청마루의 원리

가 우리나라는 사계절이 뚜렷하여 더운 여름에는 시원하고 추운 겨울에는 따뜻한 집이 필요했다. 따라서 이 둘을 모두 충족할 수 있는 집을 고민하게 되었고, 이러한 고민 끝에 만들어진 것이 바로 여름에 시원한 대청마루, 겨울에 따끈따끈한 구들과 아랫목이다. 특히 선풍기도 에어컨도 없던 시절에 우리 조상들은 무더위를 어떻게 이겨 냈을지 대청마루의 원리를 알아보도록 하자.

나 한옥의 중심을 차지하고 있는 대청마루는 방과 방 사이를 연결하는 통로이자 바람의 길목 역할을 하였다. 찬 공기는 아래로, 뜨거운 공기는 위로 ㉠올라가려는 성질이 있다. 한여름 앞마당의 흙이 달궈지면서 뜨거워진 공기가 위로 올라가게 된다. 그러면 뜨거운 공기가 빠져나간 자리를 채우기 위해 뒷마당의 시원한 공기가 대청마루를 통해 몰려들고 이때 시원한 바람을 느끼게 된다. 즉 공기의 대류 현상을 이용하여 바람이 자연스럽게 실내를 지나가도록 유도한 것이다.

다 또한 대청마루를 살펴보면 마루 아래에 빈 공간이 있어 지면과 조금 ㉡떨어져 있는 것을 볼 수 있다. 이는 지면에서 떨어질수록 지열에서 멀어질 수 있으며, 마루 밑의 빈 공간으로 들어온 시원한 바람이 마룻바닥의 널빤지 틈으로 새어 나와 바닥은 항상 시원함을 유지할 수 있었다. 이렇게 조상들은 자연의 원리를 통해 시원한 바람을 만들어 내는 방법을 알고 있었다.

라 대청마루처럼 공기의 흐름을 이용해 에어컨 없이 더위를 이겨 내는 빌딩이 있다고 한다. 바로 아프리카 짐바브웨에 있는 '이스트게이트센터'라는 쇼핑몰이다. 이 빌딩 옥상에는 굴뚝이 있고, 1층이 비어 있다. 굴뚝은 연기가 아닌 뜨거운 공기를 내보내기 위해 설치된 것이다. 기온이 올라 건물 안의 공기가 뜨거워지면, 그 뜨거운 공기가 위로 올라가면서 옥상의 굴뚝을 통해 빠져나가는 것이다. 이렇게 공기가 빠져나간 빈 공간에는 1층에 머물고 있던 시원한 공기가 채워지게 된다. 이러한 구조 덕분에 여름 기온이 40℃까지 올라가기도 하는 짐바브웨에서 공기의 순환을 도와주는 몇 대의 선풍기만으로 시원한 온도를 유지할 수 있는 것이다.

마 이처럼 자연과 어우러지며 자연을 거스르지 않고 오히려 수용할 줄 아는 여유를 지녔던 조상들의 지혜에서 현대에도 적용할 수 있는 친환경적인 공간 구조를 만들어 낼 수 있을 것이다.

- **대류**
기체나 액체에서, 물질이 이동함으로써 열이 전달되는 현상.
- **유도**
사람이나 물건을 목적한 장소나 방향으로 이끎.
- **지열**
햇볕을 받아 땅 표면에서 나는 열.

1

가~마의 중심 내용으로 잘못된 것은 무엇인가요? (　　　)

① 가: 대청마루에 대한 소개
② 나: 공기의 대류 현상을 이용한 대청마루
③ 다: 인공적으로 바람을 만들어 내는 대청마루
④ 라: 대청마루의 원리와 유사한 현대 빌딩의 사례
⑤ 마: 조상들에게서 배울 수 있는 지혜

2

수능에서는
내용 일치 문제라고 해서 수능 독서 지문에 반드시 나오는 문제 유형이 있어. 글에서 언급한 내용인지를 확인하는 문제로 생각하면 돼.

이 글의 내용과 일치하는 것은 무엇인가요? (　　　)

① 찬 공기는 위로 올라가려는 성질이 있다.
② 대청마루의 주 기능은 바람을 막는 것이다.
③ 대청마루는 방과 방 사이에 닫혀 있는 공간이다.
④ 대청마루의 널빤지는 겨울에 난방을 위한 것이었다.
⑤ 의도적으로 대청마루 아래에 빈 공간이 있게 만들었다.

3

다음은 대청마루의 원리를 요약한 문장입니다. (　)에 들어갈 알맞은 말을 골라 ○표 하세요.

대청마루는 공기가 ❶ (뜨거워지면 , 차가워지면) 위로 상승하고 그 빈자리를 ❷ (따뜻한 , 시원한) 공기가 채우는 공기의 순환을 이용한 공간 구조이다.

여러 가지로 해석되는 낱말의 뜻을 짐작해요

낱말의 뜻을 정확히 알려면 사전에 대표적으로 나와 있는 뜻 외에도 글 속에서 다양하게 사용되는 뜻을 파악할 수 있어야 합니다. 저학년에서는 모양이 비슷한 낱말을 구분하였다면, 고학년에서는 글의 앞뒤 내용에 따라 다양한 뜻으로 사용되는 낱말의 뜻을 파악하는 것을 배우게 됩니다.

저학년에서는
낱말의 뜻을 정확히 알아요

고학년에서는
여러 가지로 해석되는 낱말의 뜻을 짐작해요

여러 가지로 해석되는 낱말의 뜻 짐작하기

4 ㉠의 의미와 동일하게 사용된 것은 무엇인가요? (　　　)

① 꾸준히 성적이 올라갔다.
② 집값이 자꾸 올라가서 큰 걱정이다.
③ 서울에 올라가면 바로 연락하기로 했다.
④ 장군의 격려에 병사들의 사기가 크게 올라갔다.
⑤ 어머니는 빨래를 널기 위해 옥상으로 올라가셨다.

5 ㉡의 반의어로 알맞은 것은 무엇인가요? (　　　)

수능에서는
서로 반대되는 뜻을 가진 낱말을 반의어라고 말해. 하나의 단어에 의미가 여러 가지인 경우 반의어도 여러 가지가 될 수 있으니 먼저 해당 단어의 정확한 뜻을 파악하는 게 중요해.

① 붙다　② 앞서다　③ 빨라지다
④ 벌어지다　⑤ 내려가다

 한줄요약

6 빈칸에 알맞은 말을 찾아 이 글의 핵심 내용을 한 문장으로 요약하세요.

자연　　대류　　친환경적

대청마루는 공기의 [　|　] 현상을 이용한 공간으로 [　|　]의 원리를 통해 만든 [　|　|　|　] 공간이다.

• 다음 사다리 타기에 따라 (   ) 안에 들어갈 낱말의 뜻을 보기 에서 고르세요.

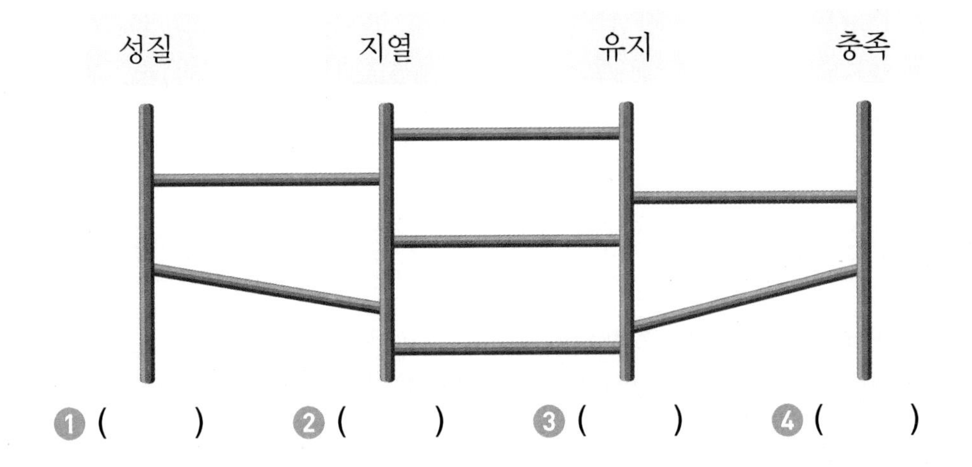

❶ (   )   ❷ (   )   ❸ (   )   ❹ (   )

보기
ㄱ 넉넉하여 모자람이 없음.
ㄴ 햇볕을 받아 땅 표면에서 나는 열.
ㄷ 사물이나 현상이 가지고 있는 고유의 특성.
ㄹ 어떤 상태나 상황을 그대로 보존하거나 변함없이 계속하여 지탱함.

• 낱말의 뜻을 참고하여, 다음 문장의 빈칸에 들어갈 알맞은 낱말을 완성하세요.

❺ 비행기는 지상의 [유][ㄷ]에 따라 착륙하였다.
사람이나 물건을 목적한 장소나 방향으로 이끎.

❻ 전통 예술의 현대적 [ㅅ][용]은 새로운 시도로 볼 수 있다.
어떠한 것을 받아들임.

마무리

여러 가지로 해석되는 낱말의 뜻을 파악하려면?

낱말의 뜻을 정확히 알아요 ► 1학년

❶ 모양이 비슷한 낱말의 뜻 구분하기

글자의 모양이 비슷한 낱말은 낱말의 뜻을 정확히 알고 구분하여 사용해야 합니다.

❷ 낱말의 뜻을 정확히 알아야 하는 까닭

글을 읽을 때 문장을 정확히 이해할 수 있고, 전달하고자 하는 내용을 잘 전달할 수 있습니다.

- 낱말의 뜻을 정확히 알아야 글의 의미를 이해할 수 있음.
- 낱말은 모양이 다르고, 모양이 같아도 상황에 따라 다양한 의미를 지님.

여러 가지로 해석되는 낱말의 뜻을 짐작해요 ► 5학년

❶ 다양하게 쓰이는 낱말의 의미 파악하기

저학년 때는 각 단어의 개별적인 의미 파악이 중점이었다면 고학년 때는 하나의 단어가 문맥에 따라 어떻게 다양하게 쓰이는지를 파악할 수 있어야 해요.

낱말은 상황의 구체적 맥락이나 문맥에 따라 여러 가지로 해석될 수 있습니다.

❷ 동형어와 다의어에 대해 알아보기

하나의 낱말에 의미가 여러 가지이며 그 의미들이 서로 연관성이 있으면 다의어, 글자는 같으나 뜻이 서로 다르고 그 의미들이 서로 연관성이 없으면 동형어라고 합니다.

문맥적 의미

25. 밑줄 친 단어 중, ⓐ와 문맥적 의미가 가장 유사한 것은?

① 운동을 해서 다리에 힘을 붙였다.
② 그는 나에게 다정하게 말
③ 아이와 정을 붙이고 나니
④ 아이들에게 희망을 붙이고
⑤ 그는 자기 소설에 어떤 제목을 붙일까 고민 중이다.

수능에는 문맥을 통해 낱말의 의미를 파악하고, 이와 유사하게 쓰인 낱말을 찾는 문제가 나와요.

앞뒤 내용 파악이 먼저다

여러 가지로 해석될 수 있는 낱말의 의미를 파악하려면 낱말이 쓰인 앞뒤 내용을 정확히 이해해야 합니다. 낱말의 의미는 문맥에 의해 달라지기 때문입니다. 따라서 문맥을 먼저 파악하고 낱말이 지닌 다양한 의미를 넣어 보아 문맥에 맞게 문장이 해석되는지를 확인하는 과정이 필요합니다.

글의 문맥을 파악한다. › 낱말의 의미를 넣어 문장을 해석해 본다. › 맞지 않다면 문맥을 다시 살펴본다.

Memo

상위권의 기준

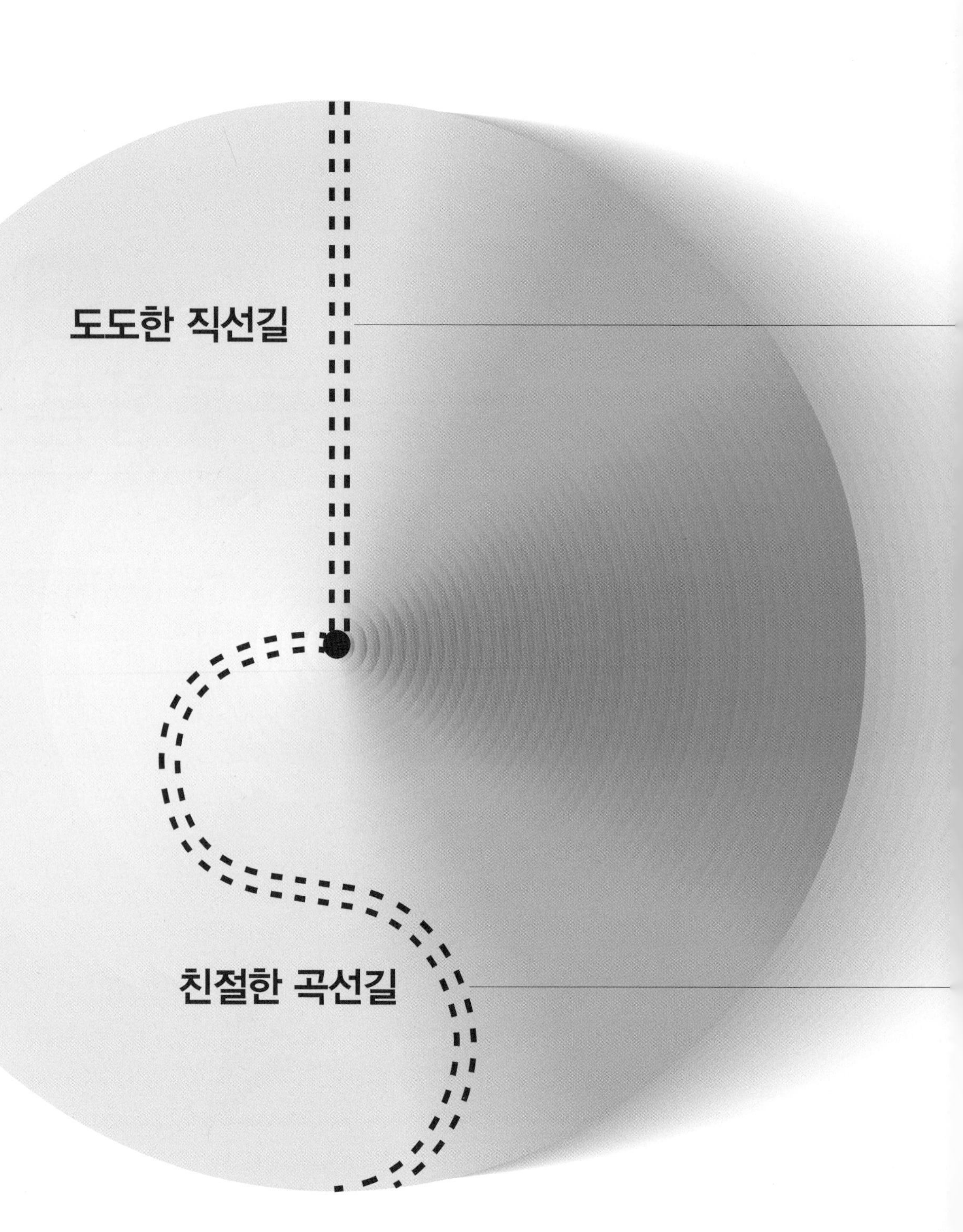

5

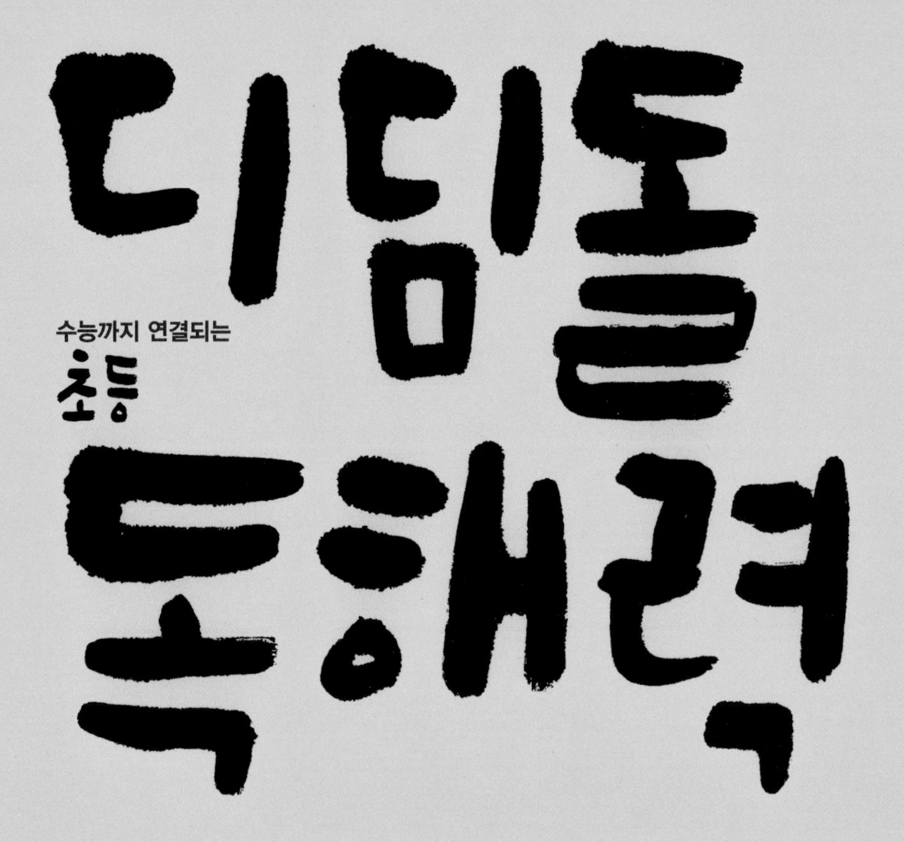

정답과 해설

WEEK 1

글쓴이가 말하고자 하는 생각을 파악해요

10~13쪽

1 DAY 재상 정홍순 이야기

1 ③
2 ㉮
3 ⑤
4 ④
5 ㉡
6 혼례, 낭비, 교훈

독해력을 기르는 어휘

❶ 태평 ❷ 불만 ❸ 간소 ❹ 비용
❺ 야속 ❻ 노릇 ❼ 여간

글의 내용과 짜임 다시보기

● **글의 내용**

조선 정조 때 유명한 재상이었던 정홍순에 관한 이야기로, 불필요한 낭비보다는 꼭 필요한 곳에 물질을 사용하는 것이 더 중요하다는 교훈을 일깨워 주고 있습니다.

● **글의 짜임**

딸의 혼례가 다가왔는데도 정홍순이 태평하기만 하자 부인은 야속한 마음이 듦.

정홍순은 혼례 날짜에 맞추어 잔치에 쓸 물건들을 주문하겠다고 했지만 혼례 당일이 되어도 아무것도 들어오지 않음.

딸과 사위는 집에 있는 것으로 혼례를 치렀고 사위는 몹시 섭섭해 처가에 발길을 끊음.

몇 년 뒤 정홍순이 딸과 사위를 불러 혼례를 간소하게 치른 대신 그 비용으로 기와집과 땅을 사 두었다고 말했고, 사위는 정홍순에게 큰절을 올림.

1 주원이는 글을 읽고 정홍순이 꼭 필요한 곳에 돈을 쓴 것과 비슷한 경험을 떠올렸습니다.

2 ㉠은 정홍순의 검소한 성격을 알 수 있는 말입니다. 따라서 ㉮와 같은 생각이 적절합니다.

오답 피하기 ㉯ 혼례 당일까지 물건과 음식이 도착하지 않은 이유는 정홍순이 애초에 혼례에 큰돈을 사용할 생각이 없었기 때문입니다. '재상인 내게 돈을 받기가 곤란해서', '소인배들과 큰소리로 싸울 수도 없는 노릇이니' 등의 말은 자신의 생각대로 하기 위해 우선 둘러 댄 말이라고 볼 수 있지요.

3 정홍순이 혼례를 간소하게 치르고 그 비용으로 기와집과 땅을 사 둔 행동을 통해 이 글의 주제를 짐작할 수 있습니다.

4 정홍순이 딸과 사위에게 한 말을 통해 정홍순이 꼭 필요한 곳에 돈을 쓰는 것을 중요하게 여긴다는 것을 알 수 있습니다. 이와 같은 소비를 '합리적인 소비'라고 말합니다.

5 정홍순이 딸의 혼례에 쓸 돈을 아껴 기와집과 땅을 장만한 것에서 불필요한 낭비보다는 앞날을 대비하는 것이 더 낫다는 것을 알려 주고 있습니다. 이것은 이 글의 주제라고 할 수 있습니다.

6 이 글은 정홍순이 딸의 혼례에 쓸 물건과 음식을 살 비용으로 기와집과 땅을 마련한 이야기를 통해 불필요하게 낭비하기보다는 앞날을 대비하자는 교훈을 주고 있습니다.

14~17쪽

2 DAY 우리나라의 쌀 소비

1 쌀, 감소	2 ③
3 ㉯, ㉱	4 ②
5 ①, ③	6 아침, 밀, 쌀

독해력을 기르는 어휘

❶ 소비 ❷ 추세 ❸ 증가 ❹ 급격히
❺ 전망 ❻ 과잉 ❼ 방안

글의 내용과 짜임 다시보기

● 글의 내용

우리나라의 쌀 소비량이 급격히 줄고 있으므로, 쌀 소비량을 늘릴 수 있도록 국민, 농업 관련 단체, 정부의 노력이 필요하다는 내용의 기사문입니다.

● 글의 짜임

문제 상황	급격히 줄어들고 있는 우리나라의 쌀 소비량

원인	아침 식사를 거르거나 다른 음식으로 대신하고, 밀 소비량이 증가하고 있기 때문임.

해결 방안	쌀 소비량을 늘릴 수 있도록 국민과 농업 관련 단체, 정부의 노력이 필요함.

1 이 글의 첫 문장에서 우리나라의 쌀 소비량이 급격히 줄고 있다는 문제를 제기하고 있습니다.

2 이 글에서 쌀 소비량이 감소하는 원인 중 하나로 아침 쌀 소비량 감소를 들었습니다.

3 이 글은 우리나라 쌀 소비량이 급격히 줄고 있으므로 쌀 소비량을 늘리자는 내용입니다. 따라서 연도별 1인당 쌀 소비량 감소를 보여 주는 도표나 쌀밥을 먹으며 대화를 나누는 가족의 모습을 담은 사진을 덧붙이기에 알맞습니다.

오답 피하기 각 시도별 식품 회사의 수를 비교한 지도나 국내산 쌀과 미국산 쌀의 가격을 비교한 그래프는 기사의 내용과는 관련이 없는 자료입니다.

4 글쓴이는 이 글의 마지막 문장에서 쌀 소비량을 늘릴 수 있도록 국민, 농업 관련 단체, 정부의 노력이 필요하다고 하였습니다.

5 이 글에서는 쌀 소비량이 줄고 있는 문제 상황, 특히 1970년에 136.4 kg였던 1인당 연간 쌀 소비량이 2018년에 61 kg로 반토막 난 상황을 문제로 인식하여 제시하고 있으므로, 글의 내용에 어울리는 제목으로 알맞은 것은 ①과 ③입니다.

6 이 글은 아침 쌀 소비량 감소와 밀 소비량 증가로 인해 우리나라의 쌀 소비량이 급격히 줄고 있으므로, 쌀 소비량을 늘리기 위해 개인과 단체, 정부가 함께 노력하자는 내용의 기사문입니다.

18~21쪽

3 DAY 조선 왕조 의궤

1 ㉮
2 ②
3 ① ㉯, ㉱ ② ㉲, ㉳ ③ ㉮, ㉰
4 ④
5 ㉢
6 그림, 왕실, 가치

독해력을 기르는 어휘

① 일상 ② 재현 ③ 훼손 ④ 의례
⑤ 직후 ⑥ 복원 ⑦ 등재

글의 내용과 짜임 다시보기

- **글의 내용**

조선 시대 왕실이나 국가의 중요한 행사를 글과 그림으로 기록한 책인 조선 왕조 의궤의 종류와 역사적 가치에 대해 설명하는 글입니다.

- **글의 짜임**

조선 왕조 의궤는 조선 시대 왕실 의례를 다음 세대의 사람들이 참고할 수 있도록 글과 그림으로 기록한 책임.	조선 왕조 의궤의 뜻
조선 왕조 의궤는 왕실의 행사에 관한 의궤, 나라의 행사에 관한 의궤, 건축물에 관한 의궤 등이 있음.	조선 왕조 의궤의 종류
조선 왕조 의궤는 역사적 자료로서 가치가 높음.	조선 왕조 의궤의 가치

1 이 글은 조선 왕조 의궤의 종류와 역사적 가치에 대해 설명하고 있습니다.

2 마지막 문단에 조선 왕조 의궤는 2007년 6월에 세계 기록 유산으로 등재되었다는 내용이 나옵니다. 2016년 5월에는 국가 문화재로 지정되었습니다.

3 왕실의 행사와 관련한 의궤에는 왕의 출생이나 세자 책봉, 왕실 구성원의 결혼식, 장례식 등의 진행 과정이, 나라의 행사와 관련된 의궤에는 돌아가신 왕에게 제사를 지내는 일이나 외국의 사신을 맞이하는 일 등이 기록되어 있습니다. 건축물에 관한 의궤에는 성곽이나 궁궐을 짓거나 수리하는 내용이 기록되어 있습니다.

4 조선 왕조 의궤는 다음 세대의 사람들이 참고할 수 있도록 기록한 책이라는 설명에서 우리 조상들이 후손들에게 국가의 주요 행사에 대해 알려 주고 싶었음을 미루어 짐작할 수 있습니다.

5 설명하는 글에서 중심 생각을 파악하기 위해서는 먼저 문단들의 중심 문장을 찾고, 이를 통해 중심 내용을 파악해야 합니다. ㉠~㉣ 중 문단의 중심 문장에 해당하는 것은 ㉠, ㉡, ㉣입니다. ㉢은 ㉡의 내용 중 일부를 자세히 풀어 쓴 문장입니다.

6 조선 왕조 의궤는 조선 시대 왕실이나 국가의 중요한 행사를 글과 그림으로 기록한 책으로, 기록된 행사의 성격에 따라 왕실의 행사에 관한 의궤, 나라의 행사에 관한 의궤, 건축물에 관한 의궤가 있으며 역사적 자료로서 가치가 높다는 내용의 설명문입니다.

22~25쪽

4 DAY 슬로푸드

1 ㉠ 2 ②, ⑤
3 ⑤ 4 ㉠
5 ㉯ 6 건강, 전통, 슬로

독해력을 기르는 어휘

❶ ㉢ ❷ ㉣ ❸ ㉡ ❹ ㉠
❺ 인위적 ❻ 첨가물 ❼ 제한

글의 내용과 짜임 다시보기

● **글의 내용**

슬로푸드를 먹으면 좋은 점을 근거로 들어 슬로푸드에 관심을 갖고 패스트푸드 대신 슬로푸드를 먹자고 주장하는 내용의 논설문입니다.

● **글의 짜임**

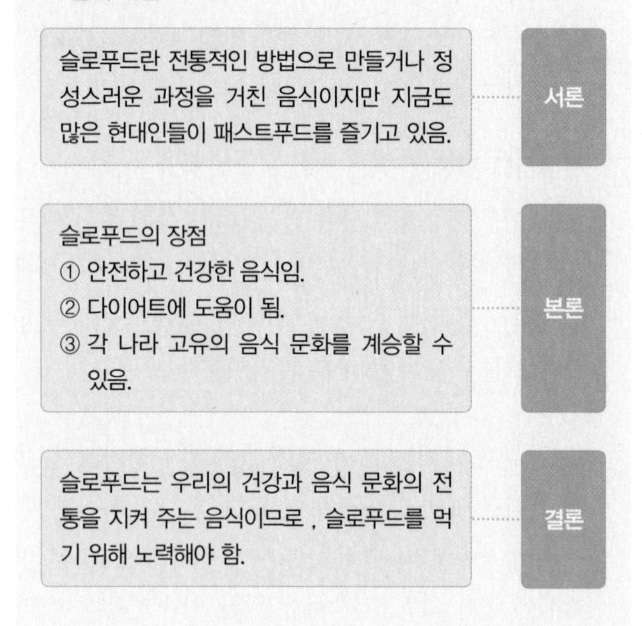

1 ㉮는 도입부로서 글의 도입부에서는 주로 중심 소재를 소개하고 문제를 제기하거나 이야기를 이끌어 나갈 방향을 제시합니다. 이 글에서는 ㉮에서 중심 소재인 슬로푸드의 의미를 밝히고 슬로푸드에 대해서 앞으로 이야기할 방향을 제시하고 있습니다.

2 ㉯에서 '슬로푸드는 안전하고 건강한 음식'이라는 글쓴이의 주장을 뒷받침하는 논거로 슬로푸드는 조미료와 첨가물을 거의 사용하지 않는다는 점, 화학 비료와 농약 등을 사용하지 않고 키운 유기농 재료로 만든다는 점을 들었습니다.

오답 피하기 ①, ④ ㉱에 나오는 내용입니다.
③ ㉰에 나오는 내용입니다.

3 이 글은 슬로푸드의 여러 가지 장점들을 소개하며 슬로푸드를 먹자고 주장하는 글입니다. ㉲에서 글쓴이의 주장을 확인할 수 있습니다.

4 논설문의 제목은 글쓴이의 주장이 잘 드러나는 것으로 붙여야 합니다. 따라서 이 글의 제목으로 가장 알맞은 것은 ㉠입니다.

5 ㉮~㉰ 중에서 글쓴이와 반대되는 주장을 뒷받침하기에 알맞지 않은 내용을 골라야 합니다. ㉯는 패스트푸드의 단점에 대한 내용으로 오히려 글쓴이의 주장을 뒷받침하는 내용으로 적절합니다.

6 오늘날 패스트푸드를 먹는 사람들이 많은데 패스트푸드를 먹는 것보다는 우리의 건강과 음식 문화의 전통을 지켜 주는 슬로푸드를 먹자고 주장하는 글입니다.

26~29쪽

5 DAY 올바른 비판 문화

1 ③
2 ❶ 라 ❷ 나
3 ④
4 ④
5 무열
6 비판, 갈등, 문제

독해력을 기르는 어휘

❶ 혼동 ❷ 대안 ❸ 경청
❹ 예 감기와 독감은 엄연히 다르다.
❺ 예 누가 더 옳은지 판단을 내리지 못했다.
❻ 예 실패는 인생의 디딤돌이 될 것이다.

글의 내용과 짜임 다시보기

• 글의 내용
비판의 의미를 이해하고, 올바른 비판 문화를 만들어 가자고 주장하는 내용의 논설문입니다.

• 글의 짜임

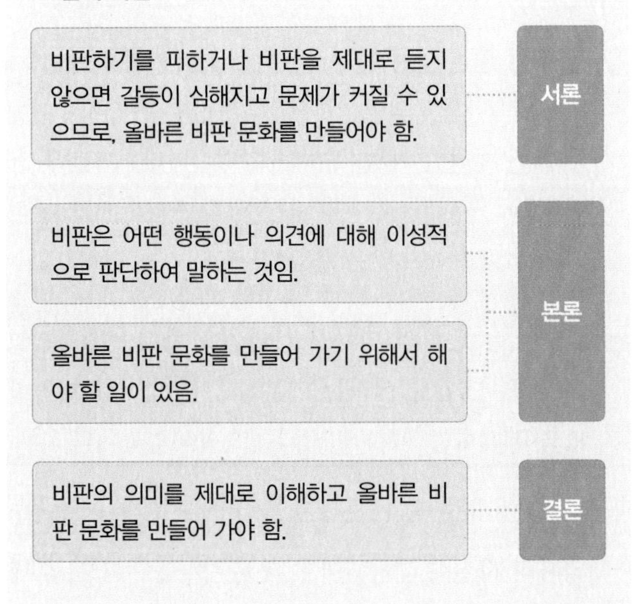

1 가는 서론, 나와 다는 본론, 라는 결론에 해당됩니다.

2 가~라 중에서 어떤 행동이나 의견에 대해 이성적으로 판단한 비판의 말에 해당하는 것은 라, 감정만 앞세워서 상대방을 이유 없이 헐뜯는 비난의 말에 해당하는 것은 나입니다.

3 올바른 비판 문화를 만들어 가기 위해서는 비판을 할 때 문제를 해결할 수 있는 대안도 함께 제시해야 한다고 하였습니다.

4 올바른 비판 문화를 만들어 가자는 글쓴이의 주장이 잘 드러난 제목은 '올바른 비판 문화를 만들어 나가기 위한 노력'입니다.

5 글쓴이처럼 좋은 비판은 개인과 사회를 성숙하고 아름답게 만드는 디딤돌이 된다고 생각하는 사람은 '무열'입니다.

오답 피하기 태준: 이 글에서 비난은 감정만 앞세워서 상대방을 이유 없이 헐뜯는 것이고, 비판은 어떤 행동이나 의견에 대해 이성적으로 판단하여 말하는 것이라고 설명하고 있으므로 알맞지 않습니다.
예서: 이 글에서 비판하기를 피하거나 비판을 제대로 듣지 않으면 오히려 갈등이 심해지고 문제가 커 질 수 있다고 말하고 있으므로 알맞지 않습니다.

6 비판을 피하거나 제대로 듣지 않으면 갈등이 심해지고 문제가 더 커질 수 있으므로 올바른 비판 문화를 만들어 가야 한다고 주장하는 글입니다.

WEEK 2

여러 가지 설명 방법을 이해해요

34~37쪽

1 DAY 일본 교과서의 역사 왜곡

1 ④　2 ④
3 ①　4 ⓜ
5 다, 라　6 사실, 불리, 왜곡

독해력을 기르는 어휘

❶ 병합　❷ 위령탑　❸ 학계　❹ 저격
❺ 합리화　❻ 둔갑　❼ 왜곡　❽ 주권

글의 내용과 짜임 다시보기

● 글의 내용

일본이 자신들의 역사 교과서에서 우리나라와 관련된 역사적 사실을 여전히 의도적으로 숨기거나 축소·왜곡하고 있음을 구체적인 사례를 들어 설명하고 있는 글입니다.

● 글의 짜임

내용	구분
여전히 한국 관련 역사를 왜곡하고 있는 일본 역사 교과서	머리말
한국사의 기원을 설명할 때 고조선 부분을 제외하고 있음.	본문
임진왜란의 원인과 귀무덤의 의미도 왜곡하고 있음.	본문
'이씨 조선', '이조', '병합' 등 왜곡된 용어를 사용하고 있음.	본문
근대 역사에 관해서도 여전히 고쳐지지 않은 부분이 많았음. → 경찰권을 빼앗은 원인, 위안부에 대한 서술 등이 왜곡되었음.	본문
일본 역사 교과서에 대한 감시와 항의를 게을리해서는 안 됨.	맺음말

1 이 글은 일본의 역사 교과서가 우리 역사를 여전히 왜곡하고 있다는 사실을 한국교육개발원이 낸 보고서를 바탕으로 설명하고 있습니다. 즉, 글쓴이의 개인적인 의견을 제시하기보다는 정확한 사실을 중심으로 내용을 전달하고 있습니다.

2 귀무덤은 임진왜란 때 일본인들이 조선과 명나라의 군인과 백성들을 죽인 후 그들의 귀와 코를 벤 것들을 모아 만든 것으로, 일본인들의 무자비함과 잔인성을 보여 주는 증거물입니다.

3 이 글은 가에서 설명 대상을 소개하고, 나~바에서 고조선부터 근대에 이르기까지 일본 역사 교과서가 우리의 역사를 왜곡한 사례를 구체적으로 설명하고 있습니다. 이때 바는 마에 대한 구체적인 예를 들고 있으므로 마에 직접적으로 연결되는 문단입니다. 마지막으로 사는 앞의 내용을 요약하며 정리하고 있습니다.

4 마에서 일본 역사 교과서에는 우리나라의 근대 역사가 여전히 왜곡되어 있다고 설명하였고, 바는 이에 대한 구체적인 예를 제시하고 있습니다. 그런데 ⓜ은 삼국 시대의 역사에 대한 왜곡 사례이므로 글의 흐름상 적절하지 않은 문장입니다.

5 마에서는 근대의 역사적 사건들을 죽 늘어놓는 '열거'의 방법이, 바에서는 일본이 근대 역사를 왜곡한 예를 제시하는 '예시'의 방법이 활용되었습니다.

6 이 글은 일본 역사 교과서에서 우리나라와 관련된 역사적 사실이 왜곡되어 있다는 사실을 보고서의 내용을 중심으로 설명하고 있습니다.

38~41쪽

2 DAY 다국적 기업

1 ③ 2 ②
3 ① 4 ❶ 나 ❷ 다 ❸ 가
5 ① 6 기업, 국적, 이익

독해력을 기르는 어휘

❶ 예 이것은 유명한 상표이다.
❷ 예 당신의 국적은 어디입니까?
❸ 예 이것은 그의 잘못이므로 손해 배상은 그에게 물려야 한다.
❹ 본사 ❺ 무역 ❻ 기업 ❼ 다국적

글의 내용과 짜임 다시보기

● **글의 내용**

다국적 기업의 의미와 사업 방식, 그리고 다국적 기업이 생기는 이유에 대해 정의, 예시, 인과, 비교와 대조 등 다양한 방법을 활용하여 설명하고 있는 글입니다.

● **글의 짜임**

내용	구분
다국적 기업이란 여러 국적 나라의 국적을 가지고 있는 회사임.	머리말
다국적 기업의 구체적인 사례로 피자 회사인 ○○○이 있음.	본문
다양한 분야의 다국적 기업은 세계 곳곳에서 활동하고 있음.	본문
다국적 기업이 생기는 이유는 기업마다 이익을 더 많이 얻으려 하기 때문임.	본문
세계 무역 기구(WTO)의 힘이 커지면서 다국적 기업의 활동이 더욱 활발해지고 있음.	맺음말

1 "그렇다면 '다국적 기업'이란 말을 들어 본 적이 있나요?" 등의 의문문을 활용하여 중심 소재인 '다국적 기업'에 대한 읽는 이의 관심을 이끌어 내고 있습니다.

2 가에서 다국적 기업의 의미를, 나에서는 다국적 기업의 사업 방식을, 다에서는 다국적 기업의 사업 분야를, 라에서는 다국적 기업이 생기는 이유를 알 수 있습니다. 그러나 다국적 기업의 문제점은 이 글의 어디에도 설명하고 있지 않습니다.

3 ㉮에서 '다국적 기업은 말 그대로 여러 나라의 국적을 가지고 있는 회사를 말합니다.'라며 '다국적 기업'의 뜻을 풀이해서 설명한 '정의'의 방법을 활용하고 있습니다. ①은 뜻을 설명해야 하는 주제이므로, 정의의 방법을 활용하기에 가장 적절합니다.

오답 피하기 ② 공통점이므로 '비교'가 적절합니다.
③ 원인과 결과이므로 '인과'가 적절합니다.
④ 문제점과 해결 방안이므로 '문제–해결'의 방법이 적절합니다.
⑤ 종류를 나누는 것이므로 '분류'의 방법이 적절합니다.

4 ㉠은 다국적 기업의 구체적인 예를(예시), ㉡은 일반 기업과 다국적 기업의 차이점을(대조) 바탕으로 다국적 기업의 특징을 제시하고 있으며, ㉢은 다국적 기업이 생기는 원인을(인과) 밝히고 있습니다.

5 세계 무역 기구는 다국적 기업이 아니라 세계의 기업들이 서로 무역을 할 때 갈등이 생기지 않도록 조정하거나 중재하는 역할을 하는 공적인 성격의 기관입니다.

6 다국적 기업은 여러 나라의 국적을 가진 기업으로, 이들이 존재하는 궁극적인 목적은 결국 최대한 많은 이익을 얻는 것입니다.

42~45쪽

3 DAY 콰키우틀 족의 '포틀래치'

1 가 / 나, 다, 라 / 마　　2 ②
3 ❶ 생산 ❷ 빈부　　4 ❶ 가 ❷ 가 ❸ 나
5 ⑤　　6 재물, 관습, 가치

독해력을 기르는 어휘

❶ 예 그녀의 달리기 실력은 나보다 월등하다.
❷ 예 사람들은 그 부자의 어리석음을 조롱했다.
❸ 예 그는 과대망상에 빠져 스스로를 무척 자랑스러워했다.
❹ 예 나는 항상 거들먹거리는 그가 싫었다.
❺ 추장　❻ 야유　❼ 주최　❽ 복수

글의 내용과 짜임 다시보기

- **글의 내용**

콰키우틀 족의 '포틀래치'라는 관습이 무엇이고 어떤 효과가 있었는지 구체적인 상황을 예로 들어 설명하고 있는 글입니다.

- **글의 짜임**

내용	짜임
콰키우틀 족의 관습인 '포틀래치'	설명 대상 제시
한 추장이 위대한 추장이라는 찬사를 받기 위해 이웃 마을 사람들을 초대하여 포틀래치를 엶. → 추장은 거만한 태도로 이웃 사람들에게 선물을 엄청나게 나눠 줌. → 선물을 받고 돌아간 사람들은 자존심이 상해 복수를 다짐함. → 더 열심히 일을 해 재물을 모아서 포틀래치를 엶.	구체적인 사례
포틀래치를 통해 마을의 생산 능력이 빠르게 증가하고 마을 간의 빈부 차이가 해소됨.	마무리

1 가에서는 설명 대상인 '포틀래치'를 제시한 후, 그것을 쉽게 설명하기 위해 특정한 상황을 가정합니다. 그리고 나~라에서는 가에서 제시한 상황을 구체적으로 설명하며, 마에서는 설명 대상인 포틀래치가 미치는 영향을 밝힙니다.

2 추장이 포틀래치를 여는 목적은 자신의 월등한 지위를 사람들에게 자랑하여 보임으로써 위대한 추장이라는 찬사를 듣고 싶어서입니다. 포틀래치를 여는 과정에서 여러 마을의 빈부 차이가 줄어들기는 하지만 마을 간의 화합을 목적으로 포틀래치를 여는 것은 아닙니다.

3 마에서 포틀래치의 가치에 대한 구체적인 내용이 나옵니다. 포틀래치를 통해 마을의 생산 능력이 높아지고, 마을 간의 빈부 차이도 해소됩니다.

4 ㉠과 ㉡은 포틀래치에 대한 객관적 사실이고, ㉢은 포틀래치에 대한 글쓴이의 주관적인 의견입니다.

5 이 글은 설명 대상을 제시하고 바로 그와 관련된 구체적인 상황을 예로 들고 있습니다. 가~라가 모두 설명 대상에 대한 예를 제시한 부분이므로, 이 글의 대표적인 설명 방법은 '예시'입니다.

오답 피하기 ①, ② 설명 대상은 '포틀래치' 하나입니다.
③ '포틀래치'를 보여 주는 구체적인 상황 하나를 예로 들어 제시하고 있을 뿐, 그 종류를 나누지는 않았습니다.
④ '포틀래치'라는 단어의 뜻 자체를 설명하고 있지는 않습니다.

6 이 글은 콰키우틀 족의 추장이 거만한 태도로 이웃 마을 사람들에게 선물을 나누어 주는 '포틀래치'라는 관습은 자칫 이상하게 보일 수 있으나 긍정적인 가치를 지니기도 한다는 것을 설명하고 있습니다.

46~49쪽

4 DAY 바비 인형

1 ④ 2 ⑤
3 다 4 ❶ ㉠ ❷ ㉡, ㉢
5 열거 6 장난감, 생산지, 완제품

독해력을 기르는 어휘

❶ ㄹ ❷ ㄱ ❸ ㄷ ❹ ㄴ
❺ 판매 ❻ 원료 ❼ 과정 ❽ 원유
❾ 제조 ❿ 조립

글의 내용과 짜임 다시보기

● 글의 내용

바비 인형이 생산되기까지의 과정과 이에 관여하는 여러 나라, 바비 인형의 생산지가 갖는 의미 등을 통하여 판매의 측면에서 세계적인 바비 인형이 생산의 측면에서도 세계적이라는 것을 설명하고 있습니다.

● 글의 짜임

내용	구분
세계에서 가장 많이 팔리는 장난감, 바비 인형	판매의 측면에서 세계적인 바비 인형
최초로 바비 인형을 생산한 나라는 일본이었음.	생산의 측면에서 세계적인 바비 인형
바비 인형의 원료부터 시작하여 완제품이 만들어지기까지의 과정에 여러 나라가 관여됨.	
바비 인형 생산에 관여하는 나라들마다 각기 다른 역할을 함.	
바비 인형의 생산지는 부품을 조립하여 완제품을 출시하는 나라임.	

1 이 글에서는 판매는 물론 생산 측면에서도 세계적인 바비 인형에 대해 설명하고 있습니다. 그러나 바비 인형을 생산하는 데 드는 비용에 대한 설명은 제시되어 있지 않습니다.

오답 피하기 ①은 마에, ②는 가에, ③은 다에, ⑤는 다와 라에 제시되어 있습니다.

2 마에서 바비 인형의 생산지는 원료 생산에서부터 완제품 출시까지의 모든 과정이 이루어지는 나라가 아니라 각국에서 만든 부품을 조립하여 완제품을 출시한 나라를 의미한다고 설명하고 있습니다.

3 다에서는 바비 인형의 원재료부터 그것이 인형의 모습을 갖추어 완성되기까지의 과정을 설명하고 있으므로, 목표나 결과를 가져오게 하는 단계를 그 순서에 따라 설명하는 '과정'의 방법이 활용된 것입니다.

4 ㉠은 판매의 측면에서의 바비 인형과 생산의 측면에서의 바비 인형이 갖는 공통점을 설명하고 있으므로, 두 대상이 갖는 공통점을 설명하는 '비교'의 방법이 활용되었습니다. ㉡은 바비 인형이 미국이 아닌 일본에서 생산된 까닭을 설명하고 있고, ㉢은 바비 인형의 생산지가 일본에서 다른 아시아 국가로 이동한 까닭을 설명하고 있으므로 모두 '인과'의 방법이 활용되었습니다.

5 라에서는 바비 인형의 생산 과정에 관련된 세계 여러 나라와 각 나라의 역할을 구체적으로 나열하여 설명하고 있습니다.

6 이 글은 세계에서 가장 많이 팔리는 장난감인 바비 인형의 생산 과정에 여러 나라들이 관련되어 있다는 것을 설명하고 있습니다.

50~53쪽

5 DAY 매사냥

1 ❶ 가 ❷ 나, 다 ❸ 라, 마 ❹ 바
2 ❶ 야생 동물 ❷ 방울
3 ②
4 ❶ 정의 ❷ 대조
5 ④
6 매사냥, 사냥법, 아시아

독해력을 기르는 어휘

❶ ㄴ ❷ ㄷ ❸ ㄱ ❹ 성행
❺ 고분 ❻ 등재 ❼ 명맥 ❽ 공동
❾ 무형 ❿ 유물

글의 내용과 짜임 다시보기

- **글의 내용**

매사냥이란 무엇이며, 매사냥을 하는 방법은 어떻게 되는지, 그리고 서양과 우리나라에서의 매사냥의 역사에 대해 설명하고 있는 글입니다.

- **글의 짜임**

내용	구분
우리의 전통 문화유산인 매사냥	머리말
매사냥의 방법 – 매를 이용해 야생 동물을 사냥함. – 매를 높은 곳으로 데려가서 몰이꾼이 몬 사냥감을 향해 매를 날리면, 몰이꾼들이 매에 달린 방울 소리를 따라감.	본문
매사냥의 역사 – 4,000여 년 전 고대 중앙아시아와 서아시아에서 시작됨. – 고구려 고분 벽화와 『삼국사기』에 기록되어 있음.	본문
현재는 소수의 사람들만이 매사냥을 이어가고 있음.	맺음말

1 가에서 설명 대상인 매사냥을 제시하고 나에서는 매사냥과 매사냥에서 매가 갖는 의미를 설명하였습니다. 다에서는 구체적인 매사냥의 방법을 설명하고 있으며 라에서는 매사냥이 최초로 시작된 유래를, 마에서는 우리나라에서 행해진 매사냥의 역사를 설명하고 있습니다. 마지막으로 바에서는 앞서 설명한 내용을 요약하며 글을 마무리하고 있습니다.

2 매사냥은 매를 이용해서 야생 동물을 잡는 사냥법으로, 몰이꾼들이 사냥감을 몬 후 매가 사냥감을 향해 날아가면, 그 매에 미리 달아 놓은 방울 소리를 따라가서 매가 잡은 야생 동물을 갖는 것입니다.

3 마에서 우리나라에서는 매사냥이 언제부터 시작되었는지는 정확한 기록이 남아 있지 않다고 하였습니다. 다만, 고구려 고분 벽화에 남아 있는 매사냥 그림과 『삼국사기』의 기록을 통해 삼국 시대에도 매사냥을 했다는 것을 확인할 수 있습니다.

오답 피하기 ①과 ③은 라를 통해, ④는 마를 통해, ⑤는 라와 마에 제시된 『동방견문록』, 고구려 고분 벽화, 『삼국사기』 등의 자료를 통해 알 수 있습니다.

4 단어의 뜻을 정확하게 풀이하는 방법은 '정의'이고, 두 대상의 차이점을 설명하는 방법은 '대조'입니다.

5 다에서는 매사냥이 이루어지는 단계별 행동을 순서대로 설명하고 있습니다. 이는 '과정'의 방법을 활용한 것입니다.

6 이 글에서는 매를 길들여 야생 동물을 잡도록 하는 사냥법인 매사냥이 고대 중앙아시아와 서아시아에서 시작되어 세계로 퍼져 나갔다고 설명하고 있습니다.

글의 짜임을 파악해요

58~61쪽

1 DAY 다중 지능 이론

1 ②　2 ⑤
3 ①
4 ❶ 무용가 ❷ 탐험가 ❸ 음향 감독 ❹ 정치가
5 ③　6 지능, 음악, 독립

독해력을 기르는 어휘

❶ 지능　❷ 시각　❸ 논쟁　❹ 별개
❺ 인식　❻ 추론　❼ 내면

글의 내용과 짜임 다시보기

- **글의 내용**

미국의 심리학자 하워드 가드너가 말한 여덟 가지 지능에 대해 그 의미와 각 지능을 필요로 하는 분야 등을 설명하는 글입니다.

- **글의 짜임**

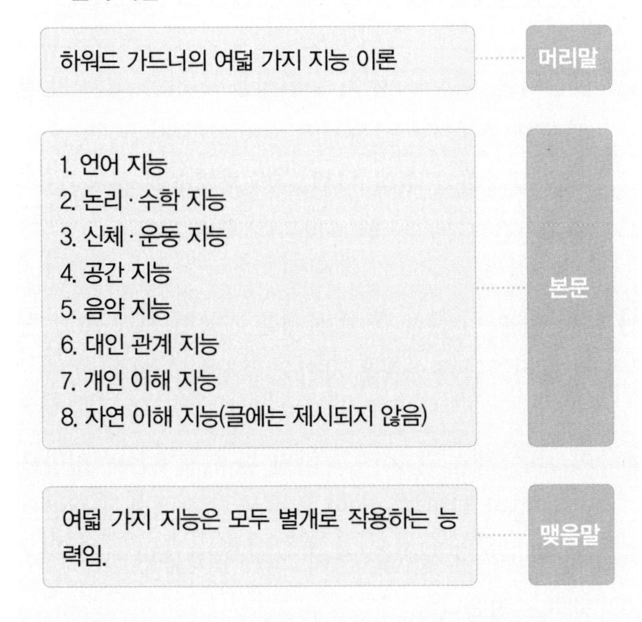

1 나를 보면, 논리·수학 지능이 논리적 추론 능력과 관련되며 개인 이해 지능은 자기 스스로를 돌아보고 관리할 줄 아는 능력에 해당합니다. 따라서 개인 이해 지능이 높다고 논리적 추론 능력이 크다고 보기는 어렵습니다.

2 설명문에서 처음 부분(가)은 독자의 관심을 유도하고 설명할 대상을 안내합니다. 중간 부분(나)에서는 여러 가지 설명 방법을 활용하여 대상을 구체적으로 설명합니다. 끝부분(다)에서는 설명한 내용을 간단하게 요약하고 정리합니다. 그런데 가와 다 모두 설명 대상인 지능에 대한 객관적인 사실을 제시하고 있을 뿐, 이에 대한 글쓴이의 주관적인 의견은 제시되어 있지 않습니다.

3 나에서는 미국의 심리학자 하워드 가드너가 제시한 여덟 가지 지능을 차례대로 열거하면서 설명하고 있습니다.

4 무용가에게는 신체 · 운동 지능이 중요하고, 탐험가에게는 공간 지능이 중요합니다. 음향 감독에게는 음악 지능이 중요할 것이며, 정치가는 대인 관계 지능이 발달해야 할 것입니다.

5 글의 처음 부분에서 여덟 가지 지능에 대해 살펴보자고 하였는데, 본문에는 일곱 가지의 지능만 설명되어 있습니다. 따라서 나의 끝부분에는 여덟 번째 지능의 의미와 그와 관련된 직업의 예를 추가로 제시해야 합니다.

6 심리학자 하워드 가드너는 인간의 지능이 언어, 논리 · 수학, 신체 · 운동, 공간, 음악, 대인 관계, 개인 이해, (자연 이해)라는 여덟 가지의 독립적인 능력으로 이루어져 있다고 설명하였습니다.

62~65쪽

2 DAY 쓰고 또 쓰자

1 ④

2 ❶ 가 ❷ 나, 다, 라 ❸ 마

3 ③

4 ❶ ㉠, ㉡ ❷ ㉢, ㉣

5 ③

6 건강, 쓰레기, 오래, 중고품

독해력을 기르는 어휘

❶ 예 우리 집은 친환경 내장재를 사용하여 지었다.

❷ 예 갑자기 유독 가스가 새어 나와 사람들이 의식을 잃었다.

❸ 예 최근 환경 호르몬을 걱정하는 사람들이 늘고 있다.

❹ 과도 ❺ 가공 ❻ 쾌적 ❼ 부응

❽ 초래

글의 내용과 짜임 다시보기

- **글의 내용**

새것을 좋아해서 물건을 쉽게 바꾸는 현대인들의 태도가 가져오는 문제점을 지적하면서 이러한 문제를 해결하기 위한 방안을 제시하며 글쓴이의 생각을 주장하고 있는 글입니다.

- **글의 짜임**

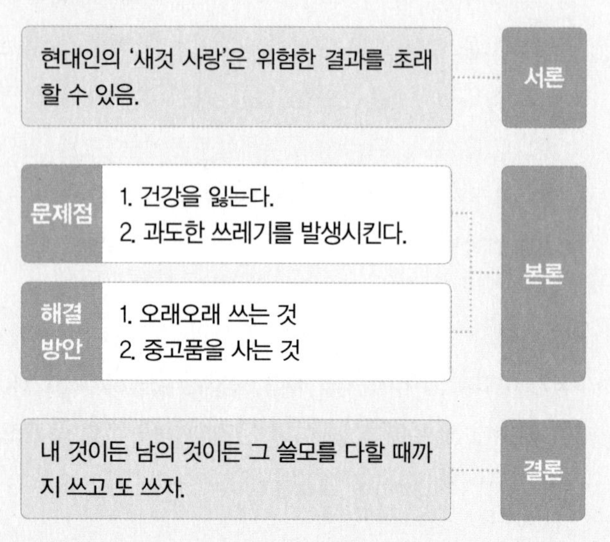

1 글쓴이는 물건의 쓸모가 남아 있음에도 자주 새것으로 바꾸는 것, 즉 '새것 사랑'이 위험한 결과를 가져올 수 있다고 주장하고 있습니다.

2 가는 문제를 제기하는 서론 부분이고, 나, 다, 라는 근거를 들어 글쓴이가 자신의 주장을 제시하고 있는 본론 부분입니다. 마는 글쓴이의 주장을 요약하고 강조하는 결론 부분에 해당합니다.

3 글쓴이는 '새것 사랑'이 가져올 수 있는 위험한 결과 즉, 문제점을 제시하고, 이것을 해결할 수 있는 방안도 제시하고 있습니다.

오답 피하기 ① 현상이 나타나는 과정이 아니라 현상이 가진 문제와 해결책을 제시하고 있습니다.
② 예를 들고 있지만 공통점과 차이점을 설명하지는 않았습니다.
④ 인식의 문제가 아니라 '새것 사랑'으로 인해 실제 일어날 수 있는 문제를 다루고 있습니다.
⑤ 문제 상황에 대한 단계별 설명은 하고 있지 않습니다.

4 글쓴이는 '새것 사랑'의 위험성을 '건강을 잃는 것'과 '과도한 쓰레기를 발생시키는 것'이라고 주장하면서, 이를 해결하기 위한 방법으로 '오래오래 쓰는 것'과 '중고품을 사는 것' 두 가지를 제시하고 있습니다.

5 글쓴이는 이 글을 통해 물건을 가능한 오래 쓰고 꼭 사야 한다면 중고품을 사자고 주장하고 있습니다.

6 이 글은 '새것'만 쓰려고 하면 환경 호르몬의 영향으로 건강이 나빠질 수 있고 쓰레기도 많이 발생하므로, 가능하면 물건을 오래 쓰고 중고품을 사자고 주장하고 있습니다.

66~69쪽

3 DAY 놀부전

1 ❶ 놀부 ❷ 돈
2 바가지
3 ④
4 ①
5 ②
6 도움, 부자, 진심

독해력을 기르는 어휘

❶ ㄴ ❷ ㄷ ❸ ㄱ ❹ 주인장
❺ 의지 ❻ 곳간 ❼ 냉정 ❽ 체면
❾ 바가지

글의 내용과 짜임 다시보기

● **글의 내용**

이 글은 일은 하지 않고 형 놀부에게 의지만 하는 동생 흥부를 겉으로는 냉정하게 대하지만 뒤에서는 스스로 돈을 벌 수 있도록 몰래 도와주는 착한 놀부의 이야기입니다.

● **글의 짜임**

가난한데도 일을 하지 않는 동생 흥부는 매번 놀부를 찾아와 도와달라고 함.	발단
놀부는 흥부를 도와주지 않기로 함.	전개
흥부는 놀부를 원망하지만 어쩔 수 없이 일을 하게 되고, 우연히 바가지를 만들어 팔아서 부자가 됨.	위기
흥부는 놀부의 곳간에서 자신이 만든 바가지를 발견하고 놀부가 자신을 도와주었다는 사실을 알게 됨.	절정
흥부가 놀부에게 잘못을 빌고 둘은 사이좋게 지내게 됨.	결말

1 흥부는 일을 하지 않고 놀부에게 도움만 받으려 하고, 놀부는 이런 흥부가 스스로 일을 해서 돈을 벌어야 한다고 생각했기 때문에 둘 사이에 갈등이 일어난 것입니다.

2 흥부가 부자가 될 수 있었던 것은 바가지를 만들어 팔았기 때문입니다. 그리고 흥부는 자신이 만든 바가지가 놀부의 곳간에 잔뜩 쌓여 있는 것을 보고 놀부가 진심으로 자신을 위한다는 것을 알게 됩니다.

3 [A]는 이 글의 절정 부분으로, 흥부는 놀부의 집 곳간에 곡식은 없고 자신이 바가지 장수에게 팔았던 바가지만 가득한 것을 보고, 놀부가 자신을 위해 바가지를 일부러 만들어 팔게 했다는 것을 알게 됩니다. 이는 흥부가 놀부의 진심을 알게 된 것으로, 흥부와 놀부의 갈등이 해결되는 실마리가 됩니다.

오답 피하기 ①은 발단, ②는 전개, ③은 위기, ⑤는 결말 부분에 대한 설명입니다.

4 이야기의 흐름으로 볼 때, 흥부는 놀부의 곳간을 보고 놀부가 몰래 자신을 도와준 것을 알게 됩니다. 그리고 ㉠에 이어지는 부분에서는 둘이 사이좋게 지냈다고 나오고 있습니다. 따라서 ㉠에는 흥부가 자신의 잘못을 뉘우치고 놀부에게 사과를 하며 놀부는 그런 흥부를 용서하였을 것이라고 추측할 수 있습니다.

5 놀부가 흥부를 내쫓은 것은 흥부를 무시해서가 아니라 자신의 힘으로 돈을 벌지 않으려 하는 흥부의 태도를 고쳐 주기 위해서였습니다.

6 놀부는 일을 하지 않고 도움만 받으려 하는 흥부가 스스로 돈을 벌 수 있도록 뒤에서 몰래 도와줍니다. 그 덕분에 부자가 된 흥부는 놀부의 진심을 알게 되고 둘은 서로 사이좋게 지냅니다.

70~73쪽

4 DAY 지네장터

1 ⑤ 2 ①

3 ④

4 ❶ 가 ❷ 가 ❸ 나 ❹ 나

5 ③

6 아버지, 제물, 두꺼비, 지네

독해력을 기르는 어휘

① ㄷ ② ㄹ ③ ㄴ ④ ㄱ

⑤ 횡포 ⑥ 끼니 ⑦ 호강 ⑧ 은혜

⑨ 제물

글의 내용과 짜임 다시보기

● **글의 내용**

이 글은 앞을 못 보는 아버지를 위해 지네의 제물이 된 순이에게 두꺼비가 은혜를 갚으려고 자신을 희생하며 구해 주는 이야기로, '지네장터'의 유래를 알려 주는 전설입니다.

● **글의 짜임**

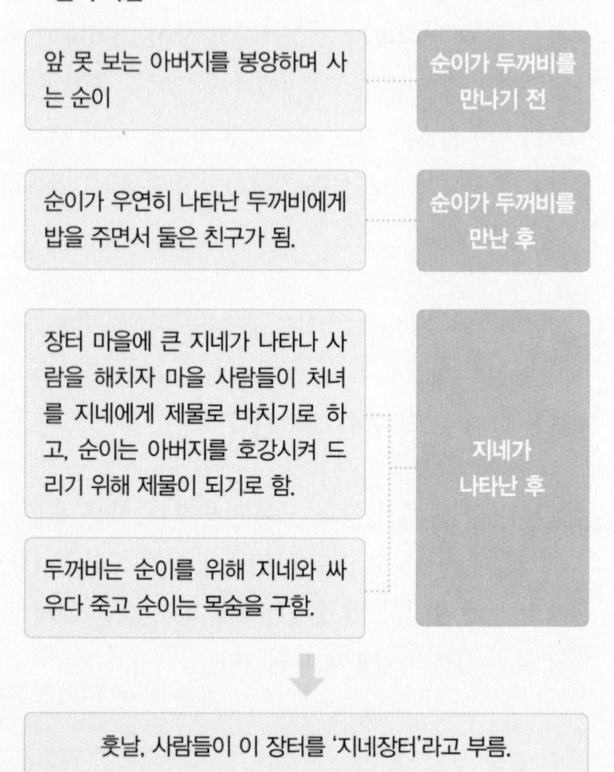

1 지네가 나타난 마을은 순이가 사는 마을이 아니라 장터 마을입니다. 장터 마을 사람들이 제물로 바칠 처녀를 찾기 위해 순이가 사는 마을에 온 것입니다.

2 이 글은 순이가 앞 못 보는 아버지를 모시고 산 것, 두꺼비가 나타나서 친구가 된 것, 지네가 나타나자 사람들이 제물로 바칠 처녀를 구하는 것, 아버지를 위해 순이가 지네의 제물이 되기로 하는 것, 순이를 구하기 위해 두꺼비가 지네와 싸우는 것 등이 사건이 일어난 시간 순서에 따라 전개되고 있습니다.

3 이 글의 마지막 부분에는 당집이 있는 이 장터를 '지네장터'라고 부르게 되었다는 내용이 나옵니다. 즉, 이 글은 '지네장터'라는 이름의 유래를 설명해 주는 전설이라고 할 수 있습니다.

4 순이는 아버지를 위해 자신의 몸까지 제물로 팔 정도로 아버지를 지극정성으로 모십니다. 그리고 순이와 두꺼비는 둘도 없는 친구가 됩니다. 반면, 지네는 순이를 해치려고 하는 존재이고, 두꺼비는 순이를 지키기 위해 지네와 싸웁니다.

5 순이는 힘들게 일하면서도 아버지를 정성껏 모시고 가난하지만 배고픈 두꺼비에게 밥을 나누어 줍니다. 그러다가 지네에게 죽을 위험에 처하게 되는데, 순이는 자신이 평소에 도움을 주었던 두꺼비의 도움으로 목숨을 구합니다. 이 이야기를 통해 우리는 착한 마음으로 착하게 살다 보면 언젠가는 좋은 일이 생긴다는 교훈을 얻을 수 있습니다.

6 순이는 앞 못 보는 아버지를 위해 지네의 제물이 되기로 합니다. 그러나 순이의 도움을 받았던 두꺼비가 자신을 희생하여 지네를 물리치고 순이를 구해 줍니다. 이러한 사건이 벌어졌던 장소를 훗날 사람들은 지네장터라고 부릅니다.

74~77쪽

5 DAY 천 년의 역사가 숨 쉬는 국립 경주 박물관

1 ① 2 ①
3 ⑤
4 ❶ ㉠ ❷ ㉡, ㉤ ❸ ㉢, ㉣
5 ② 6 신라, 유물, 감동

독해력을 기르는 어휘

❶ 범종 ❷ 석불 ❸ 석등 ❹ 장신구
❺ 기왓장 ❻ 장인 정신 ❼ 수막새

글의 내용과 짜임 다시보기

● **글의 내용**

이 글은 국립 경주 박물관에서 '신라 역사관 → 신라 미술관 → 월지관 → 옥외 전시장'의 순서대로 둘러보며 보고 느낀 것을 적은 기행문입니다.

● **글의 짜임**

처음	국립 경주 박물관으로 출발
중간	**신라 역사관**: 선사 시대부터 신라 시대까지의 유물들을 보았는데 금관과 장신구들이 가장 인상 깊었음.
	↓
	신라 미술관: 불상과 사리갖춤 등을 보았고 얼굴 무늬 수막새를 보고 행복감을 느꼈음.
	↓
	월지관: 화려한 기와들을 보고 신라의 왕궁, 문화 수준, 장인 정신을 느꼈음.
	↓
	옥외 전시장: 성덕 대왕 신종을 바라보며 종소리를 떠올림.
끝	국립 경주 박물관에서 지금도 살아 숨 쉬고 있는 신라를 느낄 수 있었음.

1 가는 여행지를 밝힌 시작 부분이고, 나~마는 실제 여행지에서 보고 느낀 것을 적은 부분이며, 바는 여행을 마친 후에 든 생각을 정리한 부분입니다.

2 글쓴이가 국립 경주 박물관에서 관람을 한 순서에 따라, 즉 '신라 역사관 → 신라 미술관 → 월지관 → 옥외 전시장'으로 공간의 이동에 따라 글의 내용이 전개되고 있습니다.

3 신라 미술관에는 감은사지 동서 삼층 석탑에서 발견된 사리갖춤이 있습니다. 감은사지 동서 삼층 석탑 자체는 신라 미술관에 없습니다.

4 ㉠은 글쓴이가 간 장소이므로, 여정에 해당합니다. ㉡과 ㉤은 글쓴이가 직접 본 것이므로 견문에 해당하며, ㉢과 ㉣은 글쓴이가 유물을 보며 느낀 것이므로 감상에 해당합니다.

5 글쓴이는 '수막새, 망새, 귀면와' 등의 기와를 보며 신라의 왕궁에 대해 짐작하고 있습니다. 기와 하나하나에 화려한 장식이 있다고 한 내용으로 볼 때, 글쓴이는 화려한 기와를 지붕에 두른 왕궁을 떠올리며 왕궁이 매우 화려하고 웅장했을 것으로 추측한 것으로 보입니다.

오답 피하기 ①, ④ 화려한 기와를 보고 떠올린 것들로, 신라의 왕궁을 짐작해 보는 근거가 되지는 않습니다.
③ 이 글에서 확인할 수 없는 내용입니다.
⑤ 나에서 글쓴이가 금관을 보고 떠올린 것이며, 기와를 보고 떠올린 것에는 해당하지 않습니다.

6 글쓴이는 국립 경주 박물관을 관람하면서 신라의 역사와 다양한 유물 등을 직접 보고 느끼면서 책에서 본 것과는 다른 깊은 감동을 느꼈다고 말하고 있습니다.

WEEK 4

글의 종류에 따라 읽기 방법을 달리해요

82~85쪽

1 DAY 다양한 종류의 글 읽기

1 ②
2 ❶ 질문 ❷ 예시
3 ⑤
4 단서, 범인, 정보

독해력을 기르는 어휘

❶ 단서 ❷ 추정 ❸ 노출 ❹ 확정
❺ 예 경찰이 범죄 용의자를 쫓고 있다.
❻ 예 친구와 내 성격은 확실히 대조된다.
❼ 예 내가 왜 지각을 했는지 이유를 나열했다.

글의 내용과 짜임 다시보기

• **글의 내용**

'범죄 해결의 단서가 되는 머리카락'이라는 주제로 발표하기 위해 다양한 종류의 글을 수집하는 내용입니다.

• **글의 짜임**

내용	구분
'범죄 해결의 단서가 되는 머리카락'을 주제로 발표를 하기 위해 자료를 수집하고자 함.	처음
신문 칼럼 과학 수사 발전을 위한 지속적인 관심과 투자가 필요함.	중간
책 머리카락을 분석하여 범인에 대한 단서를 얻을 수 있음.	중간
백과사전 DNA를 분석하여 범인을 잡는 데 활용할 수 있음.	중간
수집한 자료를 바탕으로 글을 써 보고자 함.	끝

1 가가 전문가를 대상으로 한 글이라서 자료로 활용하지 않겠다는 것은 판단의 근거로 적절하지 않습니다. 신문 칼럼의 내용이 주제와 직접적으로 관련되지 않기 때문에 활용하기 어렵다고 보는 것이 적절합니다.

오답 피하기 ① 가의 내용은 주로 과학 수사의 현황과 앞으로의 개선 및 발전 방향에 대한 것이므로 발표에 활용하기는 어렵습니다.
③ 나는 머리카락이 범죄가 발생했을 때 가장 중요한 단서가 되며 머리카락에서 얻을 수 있는 과학적인 정보들이 있다는 내용으로 발표에 활용하기에 적절합니다.
④ 자료를 수집하기 위해 설명하는 글을 읽을 때에는 내용이 사실인지, 자료가 정확한지 등을 따져 보아야 합니다.
⑤ 다는 DNA 지문 분석에 대한 설명인데, 나의 '머리카락에서 유전자 정보를 얻을 수 있기 때문에' 부분과 연결되므로 이에 대한 근거 자료로 사용할 수 있습니다.

2 '대체 머리카락 속에 어떤 비밀이 숨어 있길래 이 머리카락으로 범인을 검거하는 것일까?'라는 질문을 통해 독자들의 흥미를 유발하고 있습니다. 또한 '예를 들어 머리카락에서 특정 약품이 많이 확인된다면 이러한 약품을 활용하는 곳에서 일할 것이라고 추정하는 것이다.'처럼 예시를 들어 설명하고 있습니다.

3 머리카락을 통해 범인을 잡을 때 도움을 받을 수 있는 것은 맞지만, 머리카락을 통해 '모든' 범죄를 해결할 수는 없습니다.

4 머리카락은 범죄 현장에서 가장 쉽게 얻을 수 있는 단서로, 범인에 대한 많은 정보를 담고 있기 때문에 범인을 잡는 데 큰 도움이 된다고 이야기하고 있습니다.

86~89쪽

2 DAY 목적에 맞는 능동적인 글 읽기

1 ㉠, ㉡, ㉤　　2 ②
3 관심 있는 분야에 대한 정보를 수집하기 위해서
4 ④, ⑤　　5 ④
6 목적, 정확, 장점

독해력을 기르는 어휘

❶ 능동　❷ 분야　❸ 수집　❹ ㉡
❺ ㉠　❻ ㉢　❼ ㉣

글의 내용과 짜임 다시보기

• 글의 내용

다양한 목적을 가지고 글을 읽는 경우를 소개하고, 글을 읽을 때 활용할 수 있는 참고 자료와 활용 방법, 목적에 맞는 글 읽기의 장점을 알려 주는 글입니다.

• 글의 짜임

내용	문단
일상생활 속에서 다양한 글을 목적에 맞게 찾아 읽는 사례	가
다양한 목적을 가지고 글을 찾아 읽을 때 활용할 수 있는 참고 자료와 그 특성 • 백과사전 • 정보를 전문적으로 다루는 책 • 인터넷	나
글을 목적에 맞게 능동적으로 찾아 읽으면 좋은 점	다

1 친구들은 모두 각기 다른 목적을 가지고 필요한 책을 찾기 위해 도서관에 갔습니다.

오답 피하기 지원이는 부족한 지식을 채우기 위해, 서진이는 궁금한 점을 해결하기 위해 책을 찾으려고 합니다.

2 알고 싶은 내용이 있어서 글을 찾아 읽는 경우, 이 글에서 나온 다양한 참고 자료를 활용할 수 있습니다. 백과사전을 활용할 때는 주제로 내용을 찾고, 책을 찾아 읽을 때는 제목과 목차를 보며 전체적인 내용을 훑고 원하는 내용이 나와 있는지 확인합니다. 인터넷을 활용할 때는 검색한 내용이 정확한지 꼭 확인해야 합니다. 하지만 자료를 찾을 때에는 목적에 맞는 것을 고르는 것이 중요하며 무조건 많이 찾을 필요는 없습니다.

3 수정이는 수업 시간에 배운 어성초에 대해 관심이 생겨 인터넷과 백과사전을 더 찾아보았다는 내용이 나옵니다. 따라서 수정이가 글을 읽는 목적은 '관심 있는 분야에 대한 정보를 수집하기 위해서'입니다.

4 미영이가 글을 찾는 목적은 '과학 숙제를 하기 위한 자료 찾기'이며, 찾아야 하는 자료의 주제는 '돌의 종류'입니다. 따라서 과학관 안내 책자에서 돌을 설명한 내용을 찾거나 인터넷에서 '돌의 종류'로 검색을 하는 것이 적절합니다.

5 인터넷은 손쉽게 다양한 정보를 찾을 수 있다는 장점이 있으나, 찾은 정보가 너무 오래되었거나 잘못된 정보일 수도 있기 때문에 반드시 확인하는 과정이 필요합니다.

6 글을 목적에 맞게 찾아 읽으면 읽고 싶은 책을 알맞게 골라 읽을 수 있고, 찾고 싶은 정보를 정확하고 자세하게 알 수 있다는 장점이 있다는 글입니다.

90~93쪽

3 DAY 고려청자의 아름다움

1 ③ 2 ④
3 ③ 4 ㉠, ㉡
5 ④ 6 비색, 상감, 독창

독해력을 기르는 어휘

① 모방 ② 묘사 ③ 이상 ④ 독자적
⑤ 기품 ⑥ 독창성 ⑦ 상징적

글의 내용과 짜임 다시보기

● 글의 내용

이 글은 고려 시대의 예술을 대표하는 고려청자를 설명하는 글입니다. 고려청자의 색, 무늬, 기법, 의미, 아름다움 등에 대해 설명하고 있습니다.

● 글의 짜임

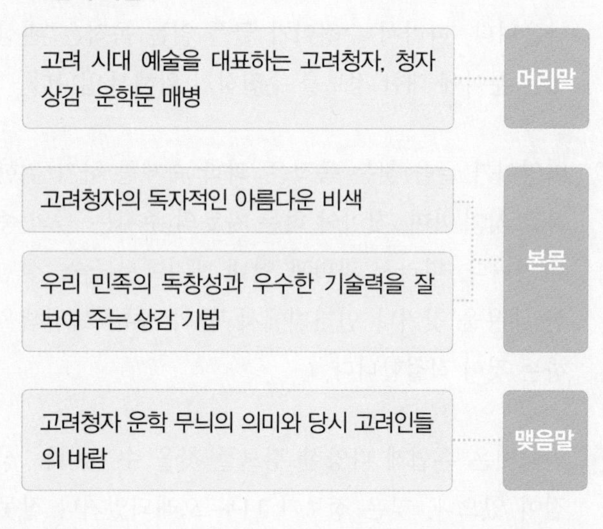

1 이 글은 고려청자의 아름다움을 설명하는 글입니다. 설명문을 읽을 때는 설명하는 대상이 무엇인지 파악하고 그 내용을 확인하면서 읽어야 합니다.

오답 피하기 ① 문학 작품을 읽는 방법, ② 시를 읽는 방법, ④ 논설문을 읽는 방법, ⑤ 수필을 읽는 방법입니다.

2 세 번째 문단에서 '상감 기법 또한 우리 민족의 독창성과 우수한 기술력을 잘 보여 준다.'라고 설명하고 있습니다. 독창성은 남의 것을 모방하지 않고 새롭게 만들어 내는 것을 의미하기 때문에 상감 기법은 중국의 기술을 받아들인 것이 아님을 알 수 있습니다.

3 두 번째 문단에서 '중국의 청자와는 다른 독자적인 색을 만들어 그 아름다움을 완성하였다.'라고 설명하고 있으므로 고려청자의 비색은 중국 청자의 색과는 다르며 중국에서 흔히 볼 수 있는 색이 아님을 알 수 있습니다.

4 발표할 자료를 찾으려는 목적으로 글을 읽을 때는 자신에게 필요한 내용이 있는지 훑어보며(㉠), 필요한 자료를 찾고 활용할 만한 부분은 밑줄을 그으며(㉡) 읽는 것이 좋습니다.

오답 피하기 ㉢ 자료를 찾기 위해 글을 읽을 때는 필요한 부분을 먼저 선택한 후, 그 부분에 모르는 단어가 나오면 뜻을 찾아보는 것이 효율적입니다.

5 마지막 문단에서 '이 어지러운 세상을 떠나 고요한 공간'이라는 부분을 통해 ④의 그림이 고려인들이 생각한 이상 세계와 가깝다고 볼 수 있습니다.

6 고려청자는 아름다운 비색과 무늬를 새겨 넣는 상감 기법을 통해 우리 민족의 독창성과 예술성을 잘 보여 주는 예술품입니다.

94~97쪽

4 DAY 자전거로 물길 따라 떠나요!

1 ④ 2 ④
3 ②
4 ❶ ㉠, ㉢, ㉥ ❷ ㉡, ㉣ ❸ ㉣, ㉤
5 지친 자전거 6 자전거, 여행, 섬진강

독해력을 기르는 어휘

❶ 생리 ❷ 위엄 ❸ 적막 ❹ 유순
❺ 휘모리 ❻ 하구 ❼ 외곽

글의 내용과 짜임 다시보기

● **글의 내용**

이 글은 글쓴이가 자전거를 타고 섬진강을 따라 여행하면서 보고 듣고 느낀 점을 여정에 따라 쓴 기행문입니다. 이 글은 직유법, 은유법 등 다양한 표현 방법을 사용하여 겨울 섬진강의 아름다움과 마을 사람들의 소박한 삶이라는 주제를 잘 드러내고 있습니다.

● **글의 짜임**

내용	구성 요소
여우치 마을 – 옥정 호수 – 27번 국도 – 덕치 마을 – 천담 마을 – 구담 – 싸리재 – 장구목 – 북대미 – 구례, 곡성 – 순창	여정
– 굽이치는 강과 길 – 가파른 노령 산맥 – 겨울 섬진강	견문
– 고단한 사람들의 마음을 이불처럼 덮어 주는 호수의 아침 물안개 – 어린 강과 늙은 길 – 여름 강의 휘모리장단과 늙은 강의 진양조장단 – 거대한 악기와도 같은 산하	감상

1 이 글은 여정, 견문, 감상이 잘 드러나는 기행문입니다. 글쓴이는 여행하면서 보고 들은 견문을 바탕으로 자신이 생각하고 느낀 것을 함께 쓰는데, 이것이 감상입니다. 따라서 기행문을 읽을 때에는 여정, 견문의 객관적인 정보와 감상의 주관적인 내용을 모두 살피며 읽어야 합니다.

2 겨울의 섬진강은 여름의 섬진강처럼 물의 흐름이 빠르지 않아서 적막하다고 표현한 것입니다. 글쓴이가 외로워서 여행을 시작한 것인지는 이 글에서 알 수 없습니다.

3 ⓐ는 대립되는 사물을 내세워 둘의 대조적인 상태를 강조하는 대조법과 비슷한 문장을 나란히 두어 변화를 주는 대구법이 쓰였습니다. ②도 대조법과 대구법이 쓰였습니다.

오답 피하기 ① 직유법 ③ 도치법 ④ 영탄법 ⑤ 의인법

4 기행문의 구성 요소 중 ❶은 여정, ❷는 견문, ❸은 감상에 해당하는 부분입니다. ㉣에는 섬진강과 그 옆의 길을 본 내용인 견문과 그것을 보고 어린 강물, 늙은 길이라고 생각한 글쓴이의 감상이 모두 나타납니다.

5 글쓴이는 여행으로 피로해졌기 때문에 '지친'이라는 표현을 사용하였고, 자전거는 여행의 이동 수단인 사물이지만 여정을 함께했기에 감정을 이입하여 '지친 자전거'라고 표현한 것입니다.

6 이 글은 글쓴이가 자전거를 타고 섬진강을 따라 여행을 하면서 보고, 듣고, 느낀 점을 솔직하게 표현하여 쓴 글로, 수필의 종류 중 하나인 기행문입니다.

98~101쪽

5 DAY 우리 몸의 청소부, 신장

1 ③ 2 ④
3 ③ 4 ㉮, ㉱
5 ④ 6 배출, 일정, 기관

독해력을 기르는 어휘

❶ ㉣ ❷ ㉢ ❸ ㉠ ❹ ㉡
❺ 소모 ❻ 유지 ❼ 부담

글의 내용과 짜임 다시보기

● **글의 내용**

우리 몸은 항상 일정 상태로 유지되어야 하는데, 신장이 불필요한 노폐물은 걸러 내고 필요한 영양분은 흡수하는 중요한 역할을 하는 기관임을 설명하는 글입니다.

● **글의 짜임**

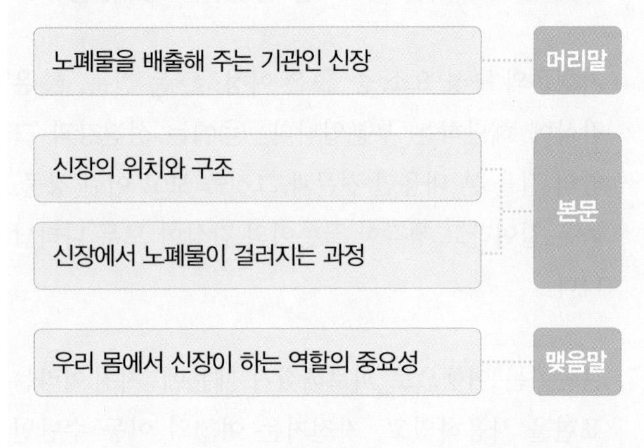

1 이 글은 우리 몸의 여러 기관 중 신장에 대해서 소개하는 글입니다. 신장은 노폐물을 배출하고 영양분은 흡수하는 기능을 하며 우리 몸이 항상 일정 상태로 유지될 수 있도록 도와주는 중요한 역할을 지닌 기관임을 설명하고 있습니다.

2 추가적인 정보를 찾을 때는 글의 내용과 관련이 있고, 글에서 설명하지 않은 내용을 찾아야 합니다. 마지막 문단에서 신장 기능에 이상이 생기면 여러 질병 문제가 생길 수 있다는 내용이 나오므로, 이와 관련하여 신장 기능에 이상이 생기면 발생하는 질병에는 무엇이 있는지 추가로 찾아볼 수 있습니다.

오답 피하기 ①, ③, ⑤ 이 글에서 이미 확인할 수 있는 내용입니다.
② 혈액과 관련된 내용은 이 글에 나타나지 않으며 주제와도 관련이 없습니다.

3 3문단에서 노폐물은 모세 혈관 덩어리인 사구체를 통해 보먼주머니에 모이고 이것이 방광에서 오줌으로 배설된다고 설명하고 있습니다.

4 지민이는 발표에 필요한 내용이 있는지 훑어보기를 하며 확인하려고 합니다. 훑어보기는 먼저 제목을 확인하고, 낱말 위주로 글의 내용을 파악하는 읽기 방법입니다.

오답 피하기 ㉯, ㉰은 자신에게 필요한 정보가 있는 글을 찾은 후, 필요한 중요 내용을 찾기 위한 자세히 읽기 방법에 해당합니다.

5 ㉣의 '이상'은 '정상적인 상태와 다름'을 의미합니다. '생각할 수 있는 가장 완전한 상태'는 '현실'과 반대되는 의미의 '이상'을 말합니다.

6 신장은 우리 몸의 노폐물을 배출하여 몸이 항상 일정한 상태를 유지하게 하는 중요한 기관입니다.

글의 구조에 따라 내용을 요약해요

106~109쪽

1 DAY 다 쓴 건전지를 새 건전지로

1 ③ 2 가
3 ⑤ 4 ❶ ㉡ ❷ ㉠
5 ③ 6 관심, 환경, 자원

독해력을 기르는 어휘

❶ 수거 ❷ 자원 ❸ 물질 ❹ 실시
❺ 사업 ❻ 재활용 ❼ 혜택

글의 내용과 짜임 다시보기

- **글의 내용**

○○구에서 실시하는 폐건전지 교환 사업의 구체적인 내용을 알리고, 많은 사람들에게 자원의 재활용에 관심을 가지고 참여할 것을 당부하는 신문 기사입니다.

- **글의 짜임**

내용	구분
○○구에서 이번 달 1일부터 폐건전지 교환 사업을 실시함.	전문
○○구는 다 쓴 건전지 10개를 주민 센터로 가져오면 새 건전지 1개로 바꾸어 줌.	본문
다 쓴 건전지를 분리배출하면 환경을 보호하고 자원을 절약할 수 있음.	본문
전국적으로 실시되는 재활용 사업에 사람들이 관심을 가지고 참여하여 환경도 보호하고 자원도 절약할 수 있게 되기를 기대함.	해설

1 다에서 다 쓴 건전지를 일반 생활 쓰레기와 함께 버렸을 때의 문제점으로 환경 오염을 언급했지만, ○○구가 다 쓴 건전지로 인해 피해를 본 사례는 나와 있지 않습니다.

오답 피하기 ①은 나에서, ②는 가에서, ④는 다에서, ⑤는 라에서 확인할 수 있습니다.

2 전문은 기사의 내용을 한 문장으로 간추려 제시하는 부분입니다. 가에서 다 쓴 건전지를 새 건전지로 바꾸어 주는 폐건전지 교환 사업에 대한 전반적인 내용을 한 문장으로 제시하고 있습니다.

3 '왜'는 폐건전지 교환 사업을 하는 까닭이나 목적에 해당합니다. 이 사업의 목적은 가의 '다 쓴 건전지의 수거율을 높이고 자원의 재활용에 대한 시민 의식을 높이기 위하여'라는 부분에서 확인할 수 있습니다.

4 ○○구 관계자는 건전지를 분리배출하지 않을 때의 문제점(❷)을 환경 보호(㉠)와 관련하여 이야기하고, 분리배출의 장점(❶)을 자원 절약(㉡)과 관련지어 이야기했습니다.

5 다 쓴 건전지를 새 건전지로 바꾸어 주는 사업은 재활용에 대한 사람들의 관심과 참여를 이끌어 낼 수 있고, 환경 보호와 자원 절약에 도움이 됩니다. 하지만 이 사업이 새로운 법을 만들어지게 한다는 것은 이 글을 통해서 알 수 없는 내용입니다.

6 이 글은 환경 보호와 자원 절약에 도움을 주는 폐건전지 교환 사업을 소개하고 있습니다.

110~113쪽

2 DAY 화폐의 기능

1 ② 2 ③
3 ② 4 성진
5 ⑤ 6 매개, 척도, 저장

독해력을 기르는 어휘

❶ 기능 ❷ 수단 ❸ 보관 ❹ 가치
❺ 거래 ❻ 교환 ❼ 저장 ❽ 수확

글의 내용과 짜임 다시보기

● **글의 내용**

오늘날 경제 활동의 주요 수단이 되고 있는 화폐의 기능을 교환 매개, 가치 척도, 가치 저장의 세 가지 기능으로 나누어 설명하고 있는 글입니다.

● **글의 짜임**

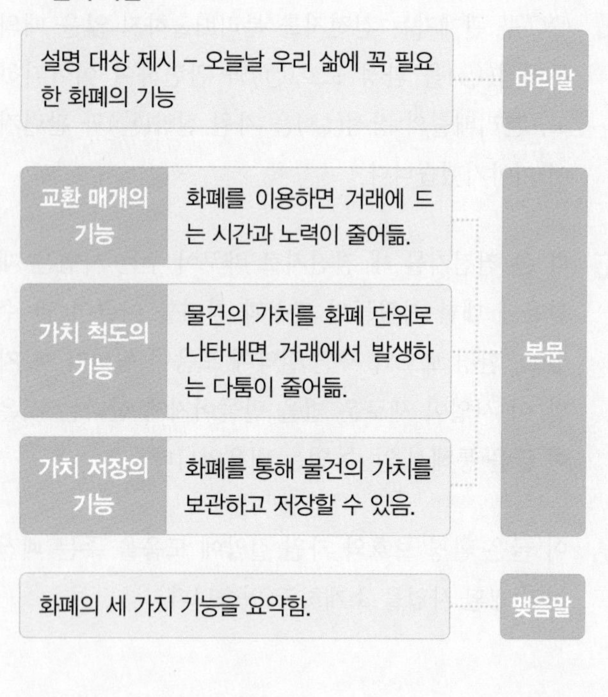

1 이 글에서는 화폐의 기능을 세 가지로 나누어 설명하고 있을 뿐, 화폐가 시대에 따라 어떻게 변화되어 왔는지는 설명하고 있지 않습니다.

오답 피하기 ① 1문단의 '지폐나 동전, 수표, 신용 카드'에서 확인할 수 있습니다.
③ 1문단의 두 번째 문장에서 확인할 수 있습니다.
④, ⑤ 2~4문단의 내용을 통해 확인할 수 있습니다.

2 화폐의 가치 척도의 기능은 물건을 교환하는 사람들이 서로 상대방의 물건에 부여하는 가치가 다른 것과 관련된 기능입니다. 따라서 주인이 좋아하는 정도에 따라 가치 척도가 달라진다고 볼 수는 없습니다.

오답 피하기 ① 음식의 가격은 화폐의 가치 척도 기능과 관련됩니다.
② 음식을 사기 위해 돈을 내는 것은 화폐의 교환 매개 기능과 관련됩니다.
④ 김밥 1줄과 떡볶이 2인분은 각각 2,000원으로 상품 가치가 같다고 볼 수 있습니다.
⑤ 음식을 팔아 번 돈을 저축하는 것은 가치 저장 기능에 해당합니다.

3 [A]는 글의 구성상 '머리말'에 해당하며, [A]의 마지막 문장에서 본문에서 다룰 설명 대상인 '화폐의 기능'을 제시하고 있습니다.

오답 피하기 ① [A]에서 글쓴이에 대한 정보는 나타나 있지 않습니다.
③은 본문, ④와 ⑤는 맺음말의 특징에 해당합니다.

4 2~4문단은 핵심적인 내용이 문단의 가장 처음에 놓여 있기 때문에 각 문단의 첫 문장을 연결하면 [B]와 같이 요약할 수 있습니다.

5 ㉠에 이어지는 예에서 알 수 있듯이, 서로 바꾸려고 하는 물건의 가치를 다르게 생각하기 때문에 물건 교환이 이루어지기 어려운 것입니다.

6 이 글에서는 화폐의 기능을 세 가지로 나누어 설명하고 있습니다.

114~117쪽

3 DAY 씨앗 소유권

1 ④ 2 ①

3 ❶ 씨앗 소유권 ❷ 경제적 ❸ 확보

4 ① 5 ②

6 허락, 씨앗, 확보

독해력을 기르는 어휘

① ㄹ ② ㄷ  ④ ㄱ

⑤ 이익 ⑥ 관심 ⑦ 연구

글의 내용과 짜임 다시보기

글의 내용

나고야 의정서가 마련된 이후 씨앗 소유권이 더욱 중요하게 되었습니다. 씨앗 소유권이 있어야 경제적 손실을 줄이고 먹고사는 문제도 스스로 해결할 수 있으므로, 씨앗 소유권을 확보하고 지킬 것을 주장하는 글입니다.

글의 짜임

문제 제시	나고야 의정서가 마련된 이후 다른 나라의 생물 자원을 이용하기 위해서는 돈을 내야 하므로, 씨앗 소유권을 확보하는 일이 중요해짐.

↓

문제 상황	우리나라는 씨앗 소유권에 대한 인식이 부족하여 경제적으로 큰 손실을 입고 있음.
해결 방법	• 씨앗 소유권에 관심을 가짐. • 연구 기관을 만들어 씨앗을 조사, 연구, 수집함. • 재래종 씨앗을 살리고 해외로 빠져나가지 않게 관리함.

↓

주장 강조	씨앗 소유권에 관심을 가지고 씨앗을 지키기 위해 노력해야 함.

1 결론에 해당하는 4문단에서는 옛말을 인용하여 씨앗의 중요성을 강조하고 있을 뿐, 문제의 심각성을 강조한 것은 아닙니다.

2 이 글에서 원래 우리나라의 것이었지만 해외 기업이 씨앗 소유권을 가지고 있어 돈을 주고 다시 사 와야 하는 것과 재래종 씨앗이 사라지고 있는 현실을 제시하였습니다. 이는 씨앗 소유권을 지키지 못해 나타난 결과로, 우리나라가 재래종 씨앗보다 수입 씨앗을 더 좋아하는 경향이 있는 것은 아닙니다.

3 1문단에서는 나고야 의정서가 마련되면서 '씨앗 소유권'을 확보하는 일이 중요해졌다는 내용이 나옵니다. 2문단에서는 씨앗 소유권에 대한 인식이 부족하여 씨앗 소유권을 잃고 '경제적' 손실을 보는 문제 상황을, 3문단에서는 씨앗 소유권을 '확보'하고 지키기 위한 해결 방법을 제시하고 있습니다.

4 원조 청양고추 씨앗은 외국 회사에 소유권이 있지만, 국내 회사에서 개발한 새 품종의 씨앗은 국내 회사가 소유권을 갖고 있다는 내용에서 품종 개발을 하면 씨앗 소유권을 새롭게 확보할 수도 있음을 알 수 있습니다.

오답 피하기 ②, ④ 보기 에서 식생활 변화나 식재료 연구에 대한 내용은 찾아볼 수 없습니다.
③ 씨앗 소유권이 국내 회사에서 외국 회사로 넘어간 것으로 보아, 씨앗 소유권은 돈으로 살 수 있음을 알 수 있습니다.
⑤ 이 글과 보기 에서 확인할 수 없습니다.

5 이 글에서 우수한 품종의 씨앗을 만들어 해외 기업에 수출하자는 내용은 나와 있지 않습니다.

6 이 글은 씨앗 소유권으로 인한 문제 상황과 이를 해결하기 위한 방법을 제시하며, 씨앗 소유권을 확보하고 지킬 것을 주장하는 글입니다.

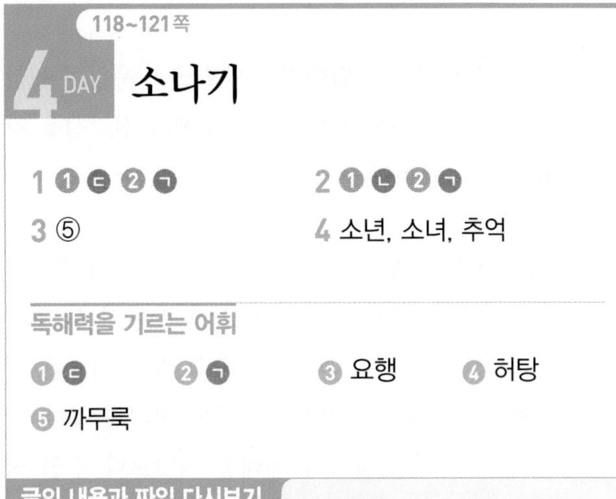

118~121쪽

4 DAY 소나기

1 ① ㉢ ② ㉠　　2 ① ㉡ ② ㉠
3 ⑤　　4 소년, 소녀, 추억

독해력을 기르는 어휘

① ㉢　② ㉠　③ 요행　④ 허탕
⑤ 까무룩

글의 내용과 짜임 다시보기

● 글의 내용

시골 마을을 배경으로 소년과 소녀의 맑고 순수한 사랑을 그리고 있는 소설입니다. 잠깐 내리다 그치는 소나기 같이 짧은 사랑을 시간의 흐름에 따라 보여 주고 있습니다.

● 글의 짜임

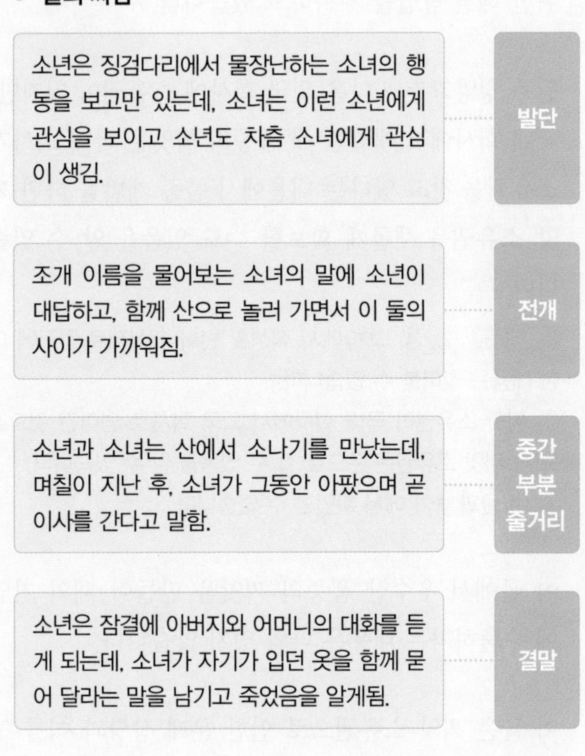

1 ㉠은 결말, ㉡은 전개, ㉢은 발단, ㉣은 절정 부분에 대한 설명입니다. 가는 중심인물인 소년과 소녀가 등장하고 사건이 일어나는 장소인 개울가가 소개되며, 소년과 소녀의 이야기가 펼쳐질 실마리가 나타나는 발단(㉢) 부분입니다. 그리고 다는 소년의 부모님의 대화를 통해 소녀의 죽음을 알리며 이야기의 여운을 주고 사건을 마무리하는 결말(㉠) 부분입니다.

2 소년과 소녀는 '비단조개'로 인해 처음 대화를 하게 됩니다. 또 소녀는 소년과의 추억을 간직하고 싶어서, 소년에게 업혔을 때 흙물이 묻었던 옷을 함께 묻어 달라고 말합니다.

3 아버지가 소녀를 잔망스럽다고 말한 것은 소녀가 '자기가 죽거든 자기 입던 옷을 꼭 그대로 입혀서 묻어 달라'고 말했기 때문이지 소녀의 활발한 성격을 나쁘게 생각해서 한 말은 아닙니다.

오답 피하기 ① 소년은 소극적인 성격 때문에 소녀에게 비켜 달라는 말도 못 하고 소녀가 비켜 줄 때까지 개울둑에 앉아 있습니다.
② 소년은 "얘."라고 부르는 소녀의 말에 못 들은 척 행동을 했지만, 소녀에게 계속 관심을 두고 있었기 때문에 소녀의 질문에 자기도 모르게 돌아선 것입니다.
③ 소녀는 시골에 와서 친구도 없이 심심했기 때문에 소년에게 관심을 보이고 소년이 함께 놀아 주기를 바랐던 것으로 볼 수 있습니다. 그래서 소녀가 소년의 관심을 끌기 위해 개울가에서 물장난을 한 것입니다.
④ 윤 초시 댁이 경제적으로 많이 어려운 상황이 되어 소녀의 병에도 약을 써 보지 못한 것으로 볼 수 있습니다.

4 이 글은 개울가에서 물장난을 하던 소녀와 이를 바라만 보던 소년이 친해지지만, 결국 소녀의 안타까운 죽음으로 끝이 나는, 소나기처럼 짧은 소년과 소녀의 맑고 순수한 사랑 이야기입니다.

122~125쪽

5 DAY 조선 최고 발명가, 장영실

1 ⑤ 2 ⑤
3 농사 4 ③
5 ❶ 앙부일구 ❷ 자격루 ❸ 자격루 ❹ 앙부일구
6 노비, 재주, 천문

독해력을 기르는 어휘

❶ 발생 ❷ 측정 ❸ 제작 ❹ 공로
❺ 재주 ❻ 열정 ❼ 출신 ❽ 지위
❾ 기록

글의 내용과 짜임 다시보기

• 글의 내용

노비 출신이었던 장영실이 조선의 최고 발명가가 되기까지의 과정을 생애와 업적을 중심으로 시간의 순서에 따라 전개하고 있는 글입니다.

• 글의 짜임

생애	• 노비 출신으로, 손재주가 뛰어남. • 동래현의 관노일 때 수차를 만들어 가뭄을 해결하고 궁중 기술자가 됨. • 명나라에 유학을 다녀오고 벼슬을 받으면서 노비 신분에서 벗어남. • 천문 기구와 시계를 만들고 높은 벼슬에까지 오름. • 세종이 탄 가마가 부서지는 사고로 궁에서 쫓겨남.

+

업적	• '경점지기', '간의', '혼천의', '자격루', '앙부일구', '측우기' 등 많은 천문 기구와 시계를 만듦.

1 전기문에는 인물의 생애, 업적, 평가 등이 제시되는데, 이 글은 인물의 생애와 업적이 중심을 이루며 인물에 대한 글쓴이의 평가는 나타나지 않았습니다.

오답 피하기 ④ 두 번째 문단의 '태종의 뒤를 이어 왕위에 오른 세종', '명나라', 장영실에게 벼슬을 내리는 것을 반대하는 신하들의 모습에서 확인할 수 있습니다.

2 주어진 요약문에는 장영실이 업적을 세워 높은 벼슬에 오르게 된 상황까지만 나와 있고, 장영실이 궁에서 쫓겨난 내용은 없습니다. 따라서 ㉲는 요약하기 위해 고른 문장에 해당하지 않습니다.

3 세종은 백성들이 시간과 계절의 변화를 알면 제때 농사를 지을 수 있다고 생각하고 장영실에게 천문 기구와 시계를 만들도록 하였습니다.

4 보기 에서 알 수 있듯이 조선은 신분제 사회로, 노비는 본래 벼슬을 할 수 없었습니다. 그런데 세종이 노비인 장영실에게 벼슬을 내리자 신하들이 반대한 것입니다.

5 자격루는 물을 이용하여 시간을 재고, 앙부일구는 햇빛이 비칠 때 생기는 그림자의 기울기로 시간을 잽니다. 따라서 구름이 많고 흐린 날에는 해를 보기 힘들 것이므로, 해시계인 앙부일구보다는 자격루를 보아야 시간을 알 수 있습니다. 한편, 앙부일구는 시간뿐만 아니라 계절도 알려 준다고 하였습니다. 따라서 계절의 변화를 확인하기 위해서는 물을 이용하여 시간만을 알려 주는 자격루보다는 앙부일구를 이용하는 것이 더 효과적입니다.

6 이 글은 노비 출신이지만 뛰어난 재주를 가지고 천문 기구와 시계 등을 만들며 높은 벼슬에까지 오른 장영실의 이야기를 다룬 글입니다.

자료의 특성을 생각하며 읽어요

130~133쪽

1 DAY 다양한 매체

1 ①
2 ③
3 마
4 ⑤
5 ⑤
6 매체, 신문, 유형

독해력을 기르는 어휘

❶ 신뢰 ❷ 유사 ❸ 공통 ❹ 복합
❺ 여유 ❻ 제약 ❼ 유형

글의 내용과 짜임 다시보기

● 글의 내용

현대 사회에서 사람들이 정보를 생산하고 수용하는 다양한 매체의 특성 및 정보 구성과 유통 방식의 공통점과 차이점을 설명한 글입니다.

● 글의 짜임

처음	현대 사회에서 사람들은 다양한 매체로 의사소통을 함.
중간	책은 정보 제공의 속도는 느리지만, 내용을 깊이 있게 다룰 수 있음.
	신문은 책에 비해 상세하고 깊이 있는 내용을 다루기는 어렵지만 때에 맞는 정보를 신속하게 전달할 수 있음.
	텔레비전은 현장 화면을 통해 실시간으로 정보를 제시할 수 있어서 신문에 비해 정보가 생생하게 전달됨.
	인터넷은 복합적으로 정보가 구성되는데, 인터넷상의 정보를 수용할 때는 정확성, 신뢰성을 따져 보아야 함.
끝	다양한 매체에 대해 이해하고 적절히 활용해야 올바른 의사소통을 할 수 있음.

1 텔레비전은 영상, 음향, 문자 언어, 음성 언어 등으로 정보를 구성합니다.

2 책을 통해서 어떤 소재나 주제에 관한 깊이 있는 내용을 얻을 수 있지만, 텔레비전이나 인터넷과 같은 매체에 비해 실시간 정보를 빠르게 얻기는 힘듭니다.

3 마에서 인터넷은 전문가가 아니더라도 누구나 다양한 분야의 정보를 제공할 수 있지만, 신뢰하기 어려운 정보도 많다고 했으므로 보기 의 내용과 관련이 깊습니다.

4 ㉠'생산자'와 ㉡'소비자'는 서로 그 뜻이 정반대되는 관계에 있는 반대말입니다. ⑤의 '춥다–쌀쌀하다'는 서로 비슷한 의미를 가진 말입니다.

5 인터넷상에는 신뢰하기 어려운 정보가 많기 때문에, 인터넷상의 정보를 수용할 때는 그 정보의 타당성과 정확성, 신뢰성 등을 따져 봐야 한다는 내용 연결이 자연스러우므로 ⓐ에는 원인과 결과를 나타내는 접속어인 '그러므로'가 들어가야 적절합니다.

6 현대 사회에서 사람들이 정보를 수용하는 매체들을 소개하고, 각 매체들의 정보 구성과 유통 방식의 차이를 설명하고 있습니다.

134~137쪽

2 DAY 씨름

1 ① 2 ⑤
3 ④ 4 ㉰, ㉱
5 ⑤ 6 침체기, 전성기, 문화적

독해력을 기르는 어휘

❶ 고유 ❷ 무형 ❸ 등재 ❹ 편견
❺ 전성기 ❻ 단련 ❼ 구분

글의 내용과 짜임 다시보기

● **글의 내용**

대중들의 관심에서 멀어져 침체기를 겪었지만, 최근 제2의 전성기를 맞고 있는 우리나라 고유의 민속 경기인 씨름에 대해 소개하는 신문 기사입니다.

● **글의 짜임**

내용	구분
'어르신 스포츠' 편견 벗는 씨름, 제2의 전성기 맞이하나?	표제
제2의 전성기 맞은 민속 경기 씨름 – 젊은 세대에서 인기를 끌기 시작한 씨름	부제 및 본문
문화적 가치를 인정받은 씨름 – 유네스코 인류 무형 문화유산에 등재된 씨름	부제 및 본문
백두 · 한라에서 금강 · 태백으로 – 씨름은 체중에 따라 체급을 구분해 경기를 진행함.	부제 및 본문

1 씨름은 체중에 따라 태백(80 kg 이하), 금강(90 kg 이하), 한라(105 kg 이하), 백두(140 kg 이하)로 구분해 경기를 진행합니다. 하지만 천하장사 씨름 대회와 같이 체급 구분이 없는 경기도 진행한다고 하였습니다.

2 이 글은 신문 기사입니다. 신문은 문자와 사진, 그림 등의 시각 자료를 활용하여 내용을 전달하는 인쇄 매체입니다. 음성과 영상을 주로 활용하여 정보를 전달하는 것은 영상 매체입니다.

3 [A]에 해당하는 문단의 주요 내용은 씨름이 유네스코 인류 무형 문화유산에 등재되어 세계적으로 문화적 가치를 인정받았다는 내용이므로 부제는 '문화적 가치를 인정받은 씨름'이 적절합니다.

4 기사문은 지식이나 정보를 얻기 위한 글입니다. 이런 글은 전체 내용을 훑어 읽으면서 필요한 정보를 파악하거나(㉰), 소제목이나 핵심어를 중심으로 주요 내용을 요약하며(㉱) 읽어야 합니다.

오답 피하기 ㉮는 영상 매체를 볼 때 사용해야 하는 방법이고, ㉯는 깨달음이나 즐거움을 얻기 위한 글인 문학 작품을 읽을 때 사용하는 방법입니다.

5 '참가하다'는 모임이나 단체 또는 일에 관계하여 '들어가다'는 뜻입니다. '참여하다'도 어떤 일에 끼어들어 관계하다.'라는 의미이므로 ⓐ와 바꿔 쓰기에 적절합니다.

6 침체기를 겪던 씨름이 젊은 층의 관심으로 새롭게 전성기를 맞이하고 있고, 씨름이 유네스코 인류 무형 문화유산에 등재되어 세계적으로 문화적 가치를 인정받았다는 내용을 전달하고 있습니다.

138~141쪽

3 DAY 말아톤

1 ③　　2 ④
3 ③　　4 ②
5 ❶ 지도 ❷ 훈련 ❸ 완주 6 자폐증, 달리기, 마라톤

독해력을 기르는 어휘

① ㄴ　② ㄷ　③ ㄹ　④ ㄱ
⑤ 완주　⑥ 도피　⑦ 조절

글의 내용과 짜임 다시보기

● 글의 내용

자폐증을 지닌 청년이 마라톤 완주를 도전하는 실화를 바탕으로 한 영화 '말아톤'의 시나리오입니다. 제시된 부분은 초원이의 어머니와 전직 마라톤 선수인 정욱이 갈등하는 부분입니다.

● 글의 짜임

주제	마라톤을 통해 장애를 딛고 사회와 소통하는 인물의 성장과 가족의 사랑

경숙	정욱
정욱에게 초원의 마라톤 지도를 부탁함.	경숙과 초원을 귀찮게 여기며 초원의 지도를 안 하려고 함.
초원이 훈련만 받으면 마라톤 풀코스 완주가 가능하다고 생각함.	초원의 마라톤 완주에 대한 경숙의 바람은 이기적인 생각이라고 여김.

1 초원이가 달리기를 그만두고 싶어 하는지는 이 글의 내용에서 확인할 수 없습니다.

2 초원이 뛰는 걸 좋아한다는 경숙의 대사에 정욱은 그건 엄마의 생각이고, 엄마의 욕심이라고 말합니다. 이를 통해 정욱은 경숙을 아들의 입장에서 생각하지 않는 이기적인 엄마라고 생각한다는 것을 알 수 있습니다.

3 정욱은 경숙이 아들의 입장에서 생각하지 않고, 자신의 욕심을 이루려는 이기적인 엄마라고 생각합니다. 그러니 정욱의 마지막 대사는 경숙을 걱정하는 마음이 아닌 비난하는 마음이 드러나게 표현하는 것이 적절합니다.

4 경숙과 정욱이 심하게 갈등하는 부분입니다. 따라서 ⓐ에 들어갈 말은 '경숙을 빤히 노려보며'가 적절합니다.

5 이 글에는 초원의 마라톤 훈련에 대한 경숙과 정욱의 갈등이 드러나 있습니다. 경숙은 정욱에게 초원의 지도를 부탁하며 초원이 훈련을 통해 마라톤 풀코스를 완주할 수 있을 것이라고 생각하지만 정욱은 이를 귀찮게 여기며 경숙의 뜻을 무시합니다.

6 자폐증을 가진 아들 초원이에게 마라톤 훈련을 시키고 싶어 하는 엄마 경숙과 그것이 욕심이라고 생각하는 정욱의 갈등이 드러나 있습니다.

142~145쪽

4 DAY 라면의 과학

1 ③　　2 ②
3 ❶ 표면적 ❷ 대류　　4 ⑤
5 ①　　6 대류, 원리, 전분

독해력을 기르는 어휘

❶ ㄹ　❷ ㄷ　❸ ㄴ　❹ ㄱ
❺ 절묘　❻ 지속　❼ 균형

글의 내용과 짜임 다시보기

● **글의 내용**

우리가 흔히 먹는 컵라면의 면발과 조리 시간에 담겨 있는 과학적 비밀을 재미있게 풀어 쓴 인터넷 블로그 글입니다.

● **글의 짜임**

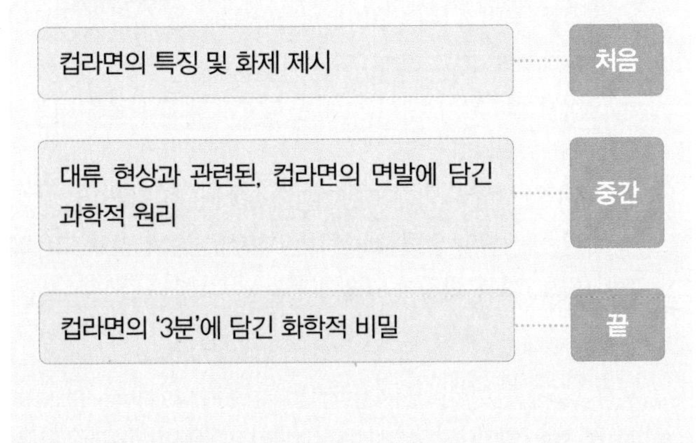

1 컵라면의 스프에 담긴 화학적 비밀에 관한 내용은 이 글에서 확인할 수 없습니다. 다만 컵라면의 면에 들어가는 전분의 양과 관련된 화학적 비밀이 제시되어 있습니다.

2 이 글에서는 첨부한 그림의 출처를 밝히지 않고 있습니다.

3 컵라면의 면발이 봉지 라면에 비해 더 가늘거나 납작한 이유는 면발의 표면적을 넓혀서 뜨거운 물에 더 많이 닿게 하기 위해서입니다. 그리고 면발의 위아래 면발 형태가 다른 것은 따뜻한 물은 위로, 차가운 물은 아래로 내려가는 대류 현상을 원활하게 하기 위해서입니다.

4 이 글에서는 전분을 많이 넣을수록 면이 붇는 시간이 빨라져 빨리 먹을 수 있지만 전분이 너무 많이 들어가면 면발이 불어 터지는 속도도 빨라진다고 설명하고 있습니다.

5 ⓐ는 '인간이 지각할 수 있는, 사물의 모양이나 상태'를 의미합니다. ①의 '현상'은 '무엇을 모집하거나 구하거나 사람을 찾는 일 따위에 현금이나 물품 따위를 내겗.'의 의미이므로 적절하지 않습니다.

6 컵라면의 면발과 조리 시간에 숨어 있는 과학적 원리를 설명하고 있습니다.

146~149쪽

5 DAY 떡볶이의 유래

1 ③ 2 ④
3 ③ 4 ⑤
5 ③ 6 떡볶이, 임금님, 대중적

독해력을 기르는 어휘

❶ 유래 ❷ 발전 ❸ 대중 ❹ 등장
❺ 문헌 ❻ 애초

글의 내용과 짜임 다시보기

● **글의 내용**

'떡볶이의 유래'라는 주제에 대해 여러 매체 자료를 활용하여 발표한 글입니다.

● **글의 짜임**

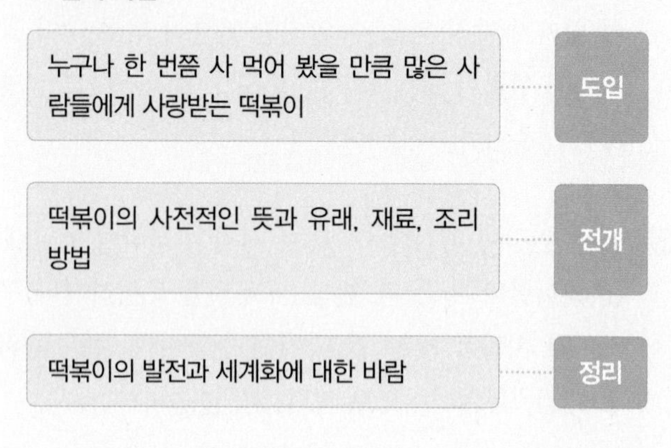

1 이 글에서 궁중떡볶이의 유래와 조리 방법을 찾을 수 있지만 궁중떡볶이의 영양가에 대한 내용은 찾을 수 없습니다.

2 다른 사람들과 직접 소통을 하는 것은 발표자의 질문과 이에 대한 청중의 대답을 통해 가능합니다. 그런데 이 발표에서 사용한 떡볶이에 대한 영상은 청중의 이해를 돕기 위해 제시한 것으로, 이를 통해 다른 사람들과 직접 소통을 한 것은 아니므로 ④의 반응은 알맞지 않습니다.

3 궁중떡볶이를 만드는 방법이 제시되어 있기는 하지만, 그 과정을 시간 순서에 따라 제시한 내용은 이 글에서 찾을 수 없습니다.

오답 피하기 ① 떡볶이가 다양한 형태로 발전하여 세계인의 입맛을 사로잡기를 바란다는 내용으로 발표를 마무리하고 있습니다.
② 치즈 떡볶이, 카레 떡볶이, 국물 떡볶이 등 다양한 떡볶이의 종류를 예로 들고 있습니다.
④ 국어사전과 영상, 사진 자료 등 다양한 매체 자료를 적절히 활용하고 있습니다.
⑤ '학교 앞 떡볶이 가게에 옹기종기 모여 앉아 떡볶이를 먹어 보지 않은 학생이 있을까요?'라는 질문을 통해 발표 내용에 대한 호기심을 유발하고 있습니다.

4 발표자는 떡볶이가 앞으로도 다양한 형태로 발전하여 세계인의 입맛을 사로잡는 날이 오기를 바란다는 말로 발표를 마무리하고 있습니다. 하지만 지금 현재 궁중떡볶이가 해외에서도 사랑받고 있다는 말은 하지 않았으므로 ⑤의 내용은 알맞지 않습니다.

5 '변화하다'는 '사물의 성질, 모양, 상태 따위가 바뀌어 달라지다.'라는 의미이므로 ⓐ '바뀌어'와 바꿔 쓸 수 있습니다.

6 오늘날 대중적인 음식으로 한국인들에게 많은 사랑을 받는 떡볶이의 유래에 대한 발표입니다.

인물, 사건, 배경의 관계를 이해해요

154~157쪽

1 DAY 나비

1 ①　　2 ③

3 한 번 저지른 일은 이미 어떻게도 바로잡을 도리가 없다.

4 ㉮, ㉰, ㉯, ㉱, ㉲　　5 ①

6 나비, 경험, 성장

독해력을 기르는 어휘

❶ 소행　❷ 격분　❸ 모멸　❹ 고심
❺ 냉담　❻ 도리　❼ 여느

글의 내용과 짜임 다시보기

● 글의 내용

어린 시절 나비 수집에 열중했던 '나'는 에밀의 나비를 훔쳐 망가뜨리는 경험을 통해서 한 번 저지른 잘못은 어떻게도 돌이킬 수 없다는 것을 깨닫고 그동안 모은 나비를 모두 못쓰게 만듭니다.

● 글의 짜임

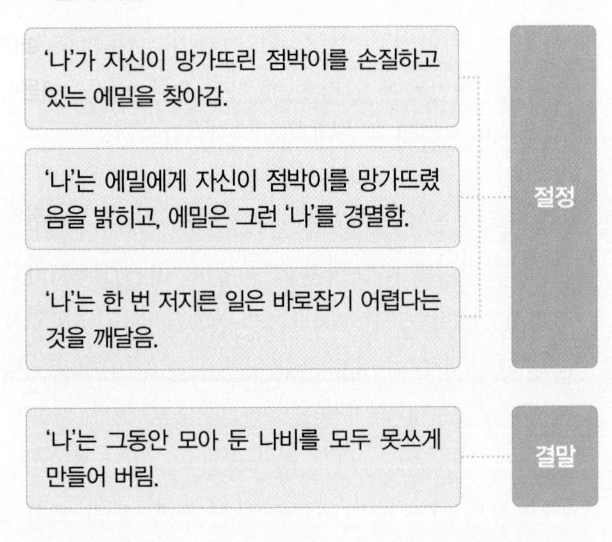

1 ㉮의 '나는 그제서야 그것이 나의 소행인 것을 밝혔다.'라는 부분을 통해 '나'가 점박이를 망가뜨린 것을 확인할 수 있습니다.

오답 피하기 ② 에밀은 망가진 점박이를 고치려고 애씁니다.
③ 에밀은 격분하거나 '나'를 큰소리로 꾸짖지 않습니다.
④ '나'는 에밀이 점박이를 손질하느라 고심한 흔적을 바라만 봅니다.
⑤ 에밀이 '나'에게 자신이 입은 피해를 보상하라고 말하지는 않습니다.

2 에밀은 잘못을 솔직히 고백하며 사과하는 '나'를 무시합니다. 나비를 아끼지 않고 함부로 대하는 그런 한심한 사람으로 취급을 하는 것이지요. 에밀의 '네가 나비를 다루는 성의가 어떻다는 것을 알 만큼은 알았어.'라는 말을 통해서도 짐작할 수 있습니다.

3 '나'는 에밀에게 사과하지만 용서를 받지는 못합니다. ㉯의 마지막 문장에는 '나'가 깨달은 내용이 담겨 있습니다. 즉 '한 번 저지른 일은 이미 어떻게도 바로잡을 도리가 없다는 것'입니다.

4 소설 속에서 일어난 사건을 시간 순서에 따라 나열하면 ㉮ – ㉰ – ㉯ – ㉱ – ㉲입니다.

5 '나'는 오랫동안 나비를 모으는 일에 열중했습니다. 모은 나비를 소중히 생각해 보물처럼 여겼지요. 이러한 '나'가 모은 나비를 모두 못쓰게 만들어 버렸다는 것은 에밀로 인해 정신적 상처를 입었음을 보여 주는 것으로, 나비 수집을 더 이상 하지 않겠다는 생각이 들어 있다고 볼 수 있습니다.

6 이 소설은 어린 시절의 나비 수집의 추억과 그로 인한 '나'의 성장에 대해 이야기하고 있습니다.

158~161쪽

2 DAY 동백꽃

1 ⑤ 2 ⑤
3 감자 4 ④
5 ③ 6 감자, 관심, 갈등

독해력을 기르는 어휘

① ㄴ ② ㄷ ③ ㄹ ④ ㄱ
⑤ 호의 ⑥ 기색 ⑦ 무턱대고

글의 내용과 짜임 다시보기

- **글의 내용**

향토적이고 서정적인 시골 마을을 배경으로 소년과 소녀의 풋풋하고 순수한 사랑을 그린 소설입니다.

- **글의 짜임**

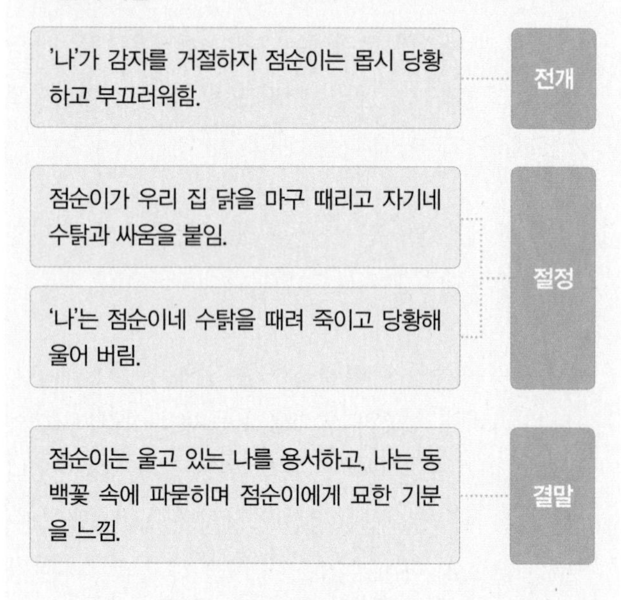

1 '나'에게 호감을 갖고 있는 점순이는 '나'에게 감자를 건넵니다. 그러나 점순이의 마음을 모르는 '나'는 점순이의 호의를 거절하지요. '나'의 이러한 반응에 점순이는 매우 부끄러워했습니다.

2 점순이는 계속 '나'를 못살게 굽니다. '나'를 괴롭히기도 하며, '나'의 닭도 괴롭히지요. 점순이가 이렇게 행동하는 이유는 '나'에게 호감을 갖고 있는데 '나'가 몰라주기 때문입니다. 자신의 마음을 몰라주고 어수룩하게 행동하는 '나'에게 야속함을 느끼는 것이지요.

3 '감자'는 단순히 가난한 '나'가 배고플까 봐 주는 음식이 아닙니다. '감자'는 '나'에 대한 점순이의 관심을 보여 주는 소재이자, '나'와 점순이의 갈등을 불러일으키는 소재이기도 합니다.

4 이 소설은 주인공 '나'가 자신의 이야기를 하고 있습니다. 이를 1인칭 주인공 시점이라고 하는데, 이 소설의 경우 주인공인 '나'가 자신의 이야기를 하다 보니 '나'의 기분이나 어리숙한 마음이 솔직하고 생생하게 잘 표현되어 있지요. 하지만 다른 인물들의 속마음까지 정확히 드러낼 수는 없습니다.

5 '동백꽃'은 계절적 배경을 보여 주는 소재이자, 이 소설의 분위기를 서정적으로 만드는 역할을 합니다. 또한 '나'와 점순이 두 인물 간 갈등이 해소되었음을 보여 주고 있으며, '나' 역시 점순이에게 묘한 감정이 생겼음을 상징하는 소재이기도 합니다.

6 이 소설은 감자 사건, 수탉 사건 등을 통해 시골에 사는 소년 '나'와 소녀 '점순'의 갈등과 이들의 순수하고 풋풋한 사랑을 그려 내고 있습니다.

162~165쪽

3 DAY 홍길동전

1 ②
2 ①
3 ③
4 ④
5 ②
6 노비, 호부호형, 버릇

독해력을 기르는 어휘

❶ ㄴ ❷ ㄷ  ❸ ㄱ  ❹ ㄹ
❺ 탄식 ❻ 떳떳하게 ❼ 대성통곡

글의 내용과 짜임 다시보기

● 글의 내용

미천한 신분으로 태어난 홍길동은 신분에 따라 차별받는 사회 제도에 저항하고, 조선을 변화시키려 노력하지만 결국 실패합니다. 하지만 이상적인 국가인 율도국을 세우는 데 성공합니다.

● 글의 짜임

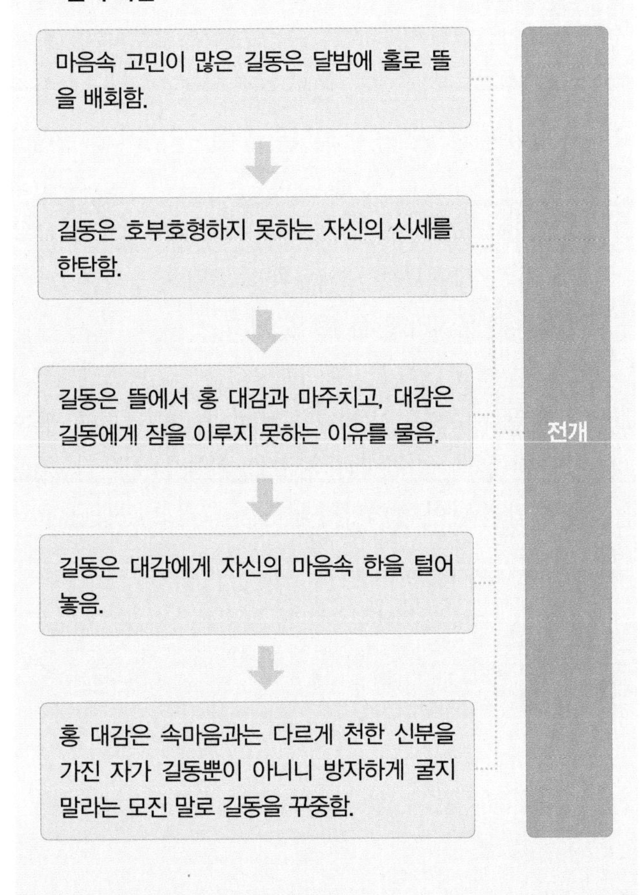

1 조선 시대를 배경으로 하고 있는 이 소설은 신분에 따른 차별이 존재했던 당시의 상황을 잘 보여 줍니다. 가족 간의 호칭도 자유롭지 못했던 사회에서 신분에 따른 사회 진출의 제약이 없었다고 보기는 힘듭니다.

2 길동은 대장부로 태어나 세상에 이름을 떨치고 싶어 하지만 천한 신분으로 인해 여러 가지 제약을 받습니다. 사회적 차별이 당연시되어 있는 조선 사회에서 길동은 자신이 아무것도 할 수 없다는 것을 한탄하고 비관합니다.

3 길동은 아무에게도 털어놓지 못하는 마음속 한으로 인해 외로워하고 답답해합니다. 그러다가 마주친 홍 대감에게 자신의 마음을 솔직하게 말하지만 돌아온 것은 꾸중뿐이라 서글픔을 느끼게 됩니다.

4 소설에서 이야기를 전개하는 이를 서술자라고 합니다. 이 작품의 경우 인물들의 마음을 모두 아는 신적인 존재인 서술자가 등장인물로 작품 속에 있는 것이 아니라 작품 밖에서 작품 속 인물들의 말과 행동, 심리를 상세히 서술합니다.

5 홍 대감은 길동의 비범함을 알고 있고, 천한 신분으로 인해 능력을 펼치지 못하는 길동을 안타깝게 여깁니다. 그러나 당대의 신분 질서를 당연한 것으로 여기는 인물로서 길동이 혹여나 방자해질 것을 염려해 길동을 꾸중합니다. 길동은 신분 차별의 사회에 원통함을 느끼지만, 홍 대감은 신분 질서를 받아들인다는 점에서 이 둘은 당시 신분 제도에 대해 서로 다른 생각을 갖고 있다고 볼 수 있습니다.

6 이 글은 신분에 따라 차별받는 사회에서 천한 신분으로 태어난 길동이 호부호형조차 마음대로 하지 못하는 현실에 답답해하는 모습을 그리고 있습니다.

166~169쪽

4 DAY 자전거 도둑

1 ③ 2 ①
3 ④ 4 도덕적
5 ① 6 자전거, 도망, 도덕적

독해력을 기르는 어휘

❶ 예 라디오에서 나오는 노래가 참 감미롭다.
❷ 예 군사들은 질풍같이 성 밖으로 내달렸다.
❸ 예 아버지는 자초지종을 묻기 전에 나를 꼭 안아 주셨다.
❹ 견제 ❺ 분해 ❻ 배반

글의 내용과 짜임 다시보기

• **글의 내용**

시골에서 올라와 서울에서 일하는 열여섯 살 수남이는 실수로 사고를 내고 자신의 자전거를 들고 도망칩니다. 수남이는 이런 잘못된 행동을 칭찬하는 주인 영감에게 부도덕함을 느끼고 결국 양심을 지키며 살 수 있는 고향으로 돌아갑니다.

• **글의 짜임**

신사에게 자전거를 잡힌 수남이는 어떻게 해야 할지 몰라 멀뚱히 서 있고 구경꾼들은 도망가라고 외침. 갈등하던 수남이는 결국 자전거를 들고 도망침.	위기
사정을 들은 주인 영감은 꾸중은커녕 수남이를 칭찬하고, 수남이는 영감의 부도덕성에 실망함.	절정
수남이는 양심을 지키며 살기 위해 아버지가 계신 고향으로 돌아가기로 결심함.	결말

1 수남이는 자신의 잘못을 비롯한 일의 자초지종을 모두 주인 영감에게 고해바치지만 주인 영감은 잘못을 훈계하기는커녕 잘했다며 통쾌해하였습니다.

2 소설 속 갈등은 인물과 인물 간에 이루어지는 외적 갈등과 인물의 마음속에서 일어나는 내적 갈등으로 크게 나눌 수 있습니다. 가에는 구경꾼들의 말대로 자전거를 가지고 도망을 가야 할지 말지에 대한 수남이의 내적 갈등이 잘 드러나 있습니다. 따라서 가에 나타난 갈등은 ㉮, ㉯입니다.

3 잘못을 저지르고 돌아온 수남이를 혼내지 않고 오히려 칭찬하는 주인 영감을 보고 수남이는 몹시 실망합니다. 자신을 양심적인 사람으로 키우려고 했던 아버지와는 대조를 이루기 때문이지요. 그래서 수남이는 도덕적이지 않은 주인 영감의 얼굴이 누런 똥빛이었음을 깨닫게 되었다고 볼 수 있습니다.

4 아버지는 주인 영감과는 달리 도덕적으로 자신을 견제해 줄 수 있는 양심 있는 어른이었습니다. 그러므로 빈칸에 공통적으로 들어갈 말은 '도덕적'입니다.

5 수남이의 얼굴이 누런 똥빛을 벗고 소년다운 청순함으로 빛나게 된 것은 양심과 소년다운 순수함을 회복했기 때문이라고 볼 수 있습니다.

6 이 소설은 물질적 이익만을 추구하는 사람들의 부도덕함을 고발, 비판하고 양심을 회복해야 한다는 것을 소년 수남이의 이야기를 통해 그리고 있습니다.

170~173쪽

5 DAY 들판에서

1 ⑤ 2 ④
3 (비가 그치면서 구름 사이로) 한 줄기 햇빛이 비친다.
4 ⑤ 5 ⑤
6 위기, 벽, 우애

독해력을 기르는 어휘

❶ 급박하게 ❷ 반가워하며 ❸ 속임수
❹ 우애 ❺ 측량 ❻ 암전 ❼ 무장

글의 내용과 짜임 다시보기

● **글의 내용**

들판에서 평화롭고 우애롭게 살아가던 형과 아우가 어느 날 등장한 측량 기사의 농간으로 서로 갈등하게 됩니다. 적대적으로 대립하던 형제는 들판에 핀 민들레꽃을 보고 우애를 회복하고 벽을 허뭅니다.

● **글의 짜임**

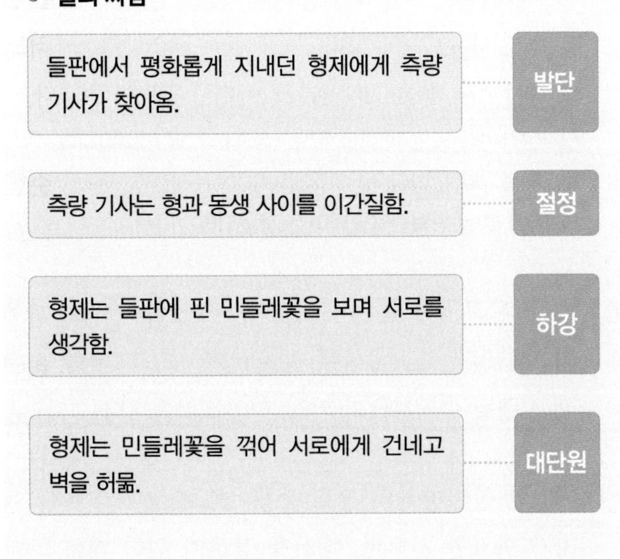

1 '벽'은 형제를 갈라놓고, 서로 대립하고 있는 모습을 나타냅니다. 하지만 이 '벽'은 형제간의 화해로 허물 수 있는 것이기에 이전으로 돌이킬 수 없는 상황을 상징한다고 보기는 어렵습니다.

2 측량 기사는 성격이 교활하고, 형제들을 갈등하게 하는 인물입니다. 형제와 대립하기는 하지만 이야기를 이끌어 가는 주요 인물 중 한 사람이지요. 측량 기사의 등장을 통해 형제가 갈등하고 화해하는 즉, 주제와 관련된 일들이 이루어지니 작품에 주제 형성에도 기여한다고 볼 수 있습니다.

오답 피하기 측량 기사가 등장인물을 소개하는 역할을 하지는 않으므로 ㉤는 적절하지 않습니다.

3 이 작품은 날씨 변화를 통해 갈등의 흐름을 보여 줍니다. 형제가 갈등할 때는 날이 궂은데 비가 그치고 햇살이 비치면서 형제는 서로에게 미안한 마음을 갖게 됩니다. 그러므로 ㉯의 첫 부분을 통해 형제간에 화해가 이루어질 것임을 예측할 수 있습니다.

4 '민들레꽃'은 형과 아우가 서로의 소중함을 깨닫고 서로에게 진심을 전해 우애를 회복하게 하는 역할을 하고 있습니다.

5 이 작품은 표면적으로는 형제간의 화해를 주제로 하고 있지만 남북으로 분단된 우리나라의 상황을 잘 극복하자는 의지를 담고 있기도 합니다. '벽'으로 상징되는 분단 상황이 형제의 화해로 허물어지는 것을 통해 화합을 소망하는 작가의 의도가 드러납니다.

오답 피하기 ④ 이 작품에서 벽을 쌓고 갈라져 있는 형제가 분단된 남과 북을 상징합니다. 측량 기사는 형제 사이를 이간질하는 인물로서 남이나 북을 상징하지 않습니다.

6 이 작품은 외부인인 측량 기사의 속임수로 인해 갈등하던 형제가 서로 마음의 벽을 허물고 우애를 회복하는 과정을 그리고 있습니다.

WEEK 8 여러 가지로 해석되는 낱말의 뜻을 짐작해요

178~181쪽

1 DAY 대화의 기술

1 ③ 2 ④
3 ④ 4 ③
5 배려, 경청, 반응

독해력을 기르는 어휘

❶ 복합 ❷ 교감 ❸ 반응 ❹ 의사
❺ 과장 ❻ 상호 작용

글의 내용과 짜임 다시보기

● 글의 내용

대화를 성공적으로 하기 위해서는 기술이 필요한데 그중에서도 경청하기와 적절한 반응 보이기가 중요하다는 것을 설명하는 글입니다.

● 글의 짜임

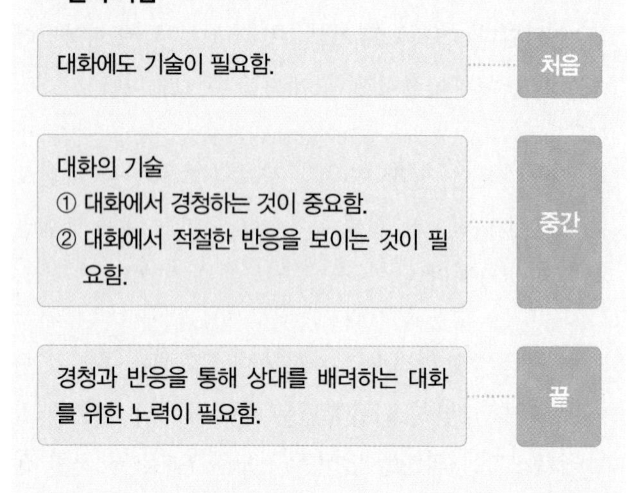

1 첫 번째 문단에서 대화는 상대의 말을 이해하고 이에 대한 자신의 의견을 잘 전달하는 과정이라고 했습니다. 그리고 두 번째 문단에서 대화를 할 때 가장 중요한 기술은 '경청', 즉 잘 듣는 것이라고 설명하고 있습니다.

오답 피하기 ① 세 번째 문단에서 과장된 반응보다는 자연스럽게 생겨나는 반응을 보이는 것이 좋다고 설명하고 있습니다.
② 대화는 상호 작용의 과정으로 자신의 의견 전달뿐만 아니라 상대의 말을 이해하는 것도 중요합니다.
④ 세 번째 문단에서 대화를 할 때에는 눈을 맞추면서 대화를 이어 가는 것이 좋다고 설명하고 있습니다.
⑤ 두 번째 문단에서 이야기를 끝까지 듣고 충분히 이해한 후에 자신의 의사를 표현하는 것이 좋다고 말하고 있습니다.

2 ⓓ는 질문을 통해 상대에게 부담감을 주는 의도가 아니라, 상대의 이야기를 끌어내어 대화가 이어질 수 있게 하는 적절한 질문으로 볼 수 있습니다.

3 ㉠은 '어떤 사정이나 사실, 현상 따위를 나타내 보이다.'의 의미로 사용되었습니다. ④의 '말하는'도 같은 뜻으로 사용되었습니다.

오답 피하기 ① '확인 · 강조'의 의미입니다.
② '생각이나 느낌 따위를 말로 나타내다.'의 의미입니다.
③ '평하거나 논하다.'의 의미입니다.
⑤ '무엇을 부탁하다.'의 의미로 사용되었습니다.

4 ㉡은 '다그쳐져 빨리 나아가게 되다.'의 의미로 사용되었습니다. ㉡ 대신에 말을 넣어 보면 '대화가 더 잘 진행될 수 있다.'가 가장 자연스럽습니다.

5 대화란 상대방과의 상호 작용이므로 상대에 대한 배려가 필요한 것이며, 대화를 잘하기 위한 대화의 기술 중에서 경청과 적절한 반응이 있다는 것을 설명하고 있습니다.

182~185쪽

2 DAY 세금이 생겨난 까닭

1 ⑤ 2 ❶ 같지만 ❷ 다른
3 ⑤ 4 ②
5 ㉰, ㉱ 6 대가, 법, 의무

독해력을 기르는 어휘

❶ ㄷ ❷ ㄴ ❸ ㄹ ❹ ㄱ
❺ 제한 ❻ 생계

글의 내용과 짜임 다시보기

● 글의 내용

세금이 생겨나게 된 이유를 설명하며, 국민들이 다 같이 풍요로운 삶을 살기 위해 마땅히 세금을 내야 할 의무가 있음을 설명하는 글입니다.

● 글의 짜임

내용	구분
부족 공동체를 위한 비용을 나눠 내는 것에서 세금이 시작되었음.	처음
세금은 국가가 주는 혜택을 누리기 위한 대가로 볼 수 있음.	중간
세금 납부는 국민으로서 당연히 해야 하는 의무임.	끝

1 두 번째 문단의 마지막 문장에서 법이 정하는 바에 의해 세금을 걷는다는 내용이 제시되어 있기는 하지만 구체적으로 법에서 어떤 기준으로 세금의 액수를 정하는지에 대한 설명은 나와 있지 않습니다.

2 보기 에 제시된 것처럼 '들다'는 여러 가지 의미로 쓰이고 있으며 이 의미들 간에는 관련성이 없습니다. 이렇게 글자는 같지만 서로 의미가 다른 낱말들을 동형어라고 합니다.

3 ㉡은 '혜택'과 함께 쓰여 '혜택을 얻다' 또는 '혜택을 누리다'의 의미로 사용되고 있습니다. 따라서 '어떤 일을 당하거나 겪거나 얻어 가지다.'의 의미로 볼 수 있습니다.

4 ⓐ의 앞뒤 내용을 보면, 세금은 국가의 혜택을 누리기 위한 대가이며, 세금을 얼마나 냈느냐에 상관없이 모두가 혜택을 누리기 위해 세금을 걷는 것이라고 설명하고 있습니다.

오답 피하기 ① 세금은 선택적으로 내는 것이 아니라 의무적으로 내야 하는 것입니다.

5 첫 문단에서 부족 공동체 유지를 위해 공동 비용이 필요하게 되었고, 이를 위해 비용을 나누어 걷게 되었다는 '원인–결과'의 방식으로 내용을 전개하고 있습니다. 두 번째 문단에서는 세금을 낸 액수에 상관없이 모두가 혜택을 받아야 함을 예를 들어 설명하고 있습니다.

오답 피하기 ㉮는 묘사, ㉯는 비교와 대조에 대한 설명인데, 이 글에서는 이와 같은 내용 전개 방식은 사용되지 않았습니다.

6 세금이 어떻게 생겨나게 되었는지를 설명하며 세금은 국가가 주는 혜택을 누리기 위한 대가이므로 당연히 내야 할 의무가 있음을 이야기하고 있습니다.

186~189쪽

3 DAY 황제펭귄의 허들링

1 ③　　2 ①
3 ①　　4 ⑤
5 허들링, 협력, 공동체

독해력을 기르는 어휘

❶ 띠는　❷ 띄는　❸ 낳는　❹ 낫는
❺ 로써　❻ 로서　❼ 극심　❽ 혹한
❾ 밀착

글의 내용과 짜임 다시보기

● **글의 내용**

황제펭귄이 추운 남극에서 생존하는 방식인 '허들링'에 대해 설명하며, 황제펭귄의 이러한 삶의 모습에서 우리가 배울 수 있는 점이 무엇인지를 설명하는 글입니다.

● **글의 짜임**

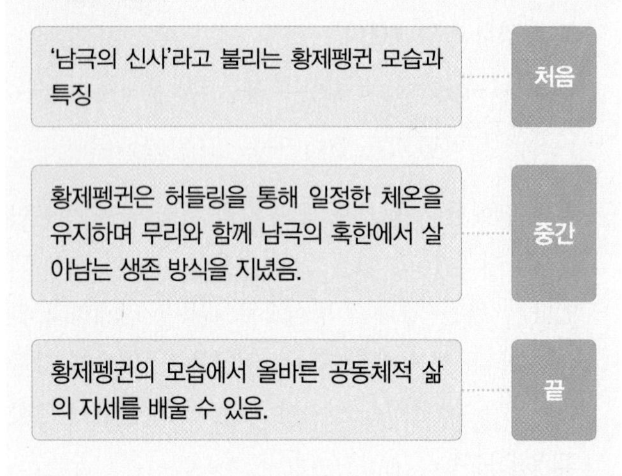

1 황제펭귄의 허들링은 펭귄들이 한데 모여 서로 체온을 나누고, 일정하게 안과 밖을 돌면서 각 펭귄들의 체온을 유지하며 펭귄들 모두가 함께 눈보라를 견뎌 내는 생존 방식입니다. 이는 올바른 공동체적 삶의 자세로서 우리는 이를 통해 서로 협력하고 배려하는 자세가 필요하다는 교훈을 얻을 수 있습니다.

2 두 번째 문단에서 황제펭귄은 주로 남극에서 군집 생활을 한다고 제시되어 있습니다.

3 '목이 칼칼하게 아프다.'에서 '목'은 '목구멍'을 의미하는 것으로 **보기** 에는 제시되지 않은 의미입니다.

오답 피하기 ② '척추동물의 머리와 몸통을 잇는 잘록한 부분'을 의미합니다.
③ '목을 통해 나오는 소리'를 의미합니다.
④ '어떤 물건에서 동물의 목과 비슷한 부분'을 의미합니다.
⑤ '자리가 좋아 장사가 잘되는 곳이나 길 따위'를 의미합니다.

4 '머리에 모자를 썼다'의 '머리'는 사람의 신체를 의미하며 '머리가 좋다'의 '머리'는 생각하는 능력을 의미하므로, ⑤에 사용된 '머리'는 다의어에 해당합니다.

오답 피하기 ①~④는 서로 의미에 관련성이 없으므로 동형어에 해당합니다.

5 허들링의 협력을 통해 남극에서의 추위를 이겨 내며 함께 살아남는 황제펭귄의 모습을 통해 우리는 공동체적 삶의 태도를 배울 수 있음을 설명하고 있습니다.

190~193쪽

4 DAY 탄소 배출권 거래 제도

1 ②　　2 ⑤
3 ①　　4 ①
5 동형어, 다의어　　6 온난화, 온실가스, 신재생

독해력을 기르는 어휘

❶ 시행 ❷ 감축 ❸ 제재 ❹ 할당
❺ 원동력 ❻ 부여

글의 내용과 짜임 다시보기

• **글의 내용**

탄소 배출권 거래 제도가 도입되게 된 배경을 제시하고, 온실가스 감축을 위한 탄소 배출권 거래 제도의 긍정적인 효과와 개인적 노력의 필요성을 설명하고 있는 글입니다.

• **글의 짜임**

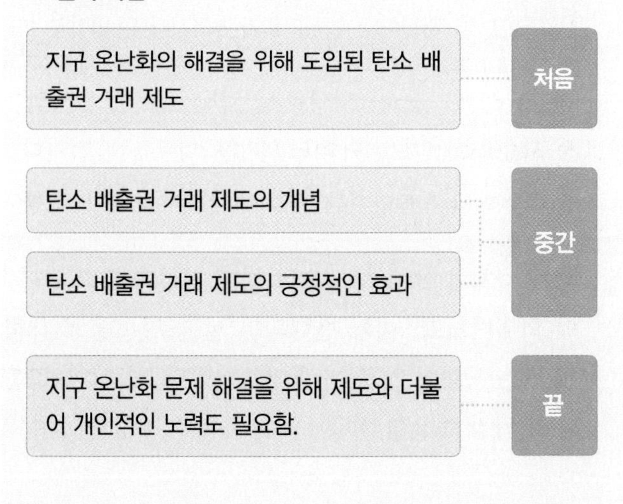

1 이 글에서 탄소 배출권 거래 제도의 긍정적인 효과에 대해서는 언급을 하고 있으나 부작용에 대해서는 언급하지 않았습니다.

2 지구 온난화의 문제 상황을 해결하기 위해 탄소 배출권 거래 제도와 같은 제도를 잘 시행하여 온실가스를 줄이는 것도 중요하지만 글의 마지막 문단에 언급된 것처럼 개인의 노력도 함께 필요하다고 설명하고 있습니다.

오답 피하기 ① 탄소 배출권 거래 제도는 탄소 배출을 줄이기 위한 것이지 완전히 막고자 하는 것은 아닙니다.
③ 제도와 개인의 노력이 함께 필요하다는 것이지 둘 중에 어느 것이 더 중요하다고 비교하고 있지는 않습니다.

3 [A]는 탄소 배출권 거래 제도가 무엇인지 개념을 정의하고 이를 구체적으로 풀어서 설명하는 방식으로 내용을 전개하고 있습니다.

오답 피하기 ②는 분류, ③은 대조, ④는 유추, ⑤는 과정에 해당합니다.

4 ㉠은 '어떤 결과를 가져오게 하다.'의 의미이므로 '가져오며'로 바꿔 쓰는 것이 가장 자연스럽습니다.

5 ⓐ와 ⓑ는 서로 다른 표제어이므로 동형어에 해당하고, ⓒ와 ⓓ는 한 표제어 아래에 번호로 묶여 있으므로 다의어에 해당합니다.

6 지구 온난화의 주원인인 온실가스를 감축하기 위해 도입된 제도가 탄소 배출권 거래 제도이며, 이 제도를 통해 신재생 에너지 사업이 촉진되는 긍정적인 효과를 기대할 수 있다는 점을 설명하고 있습니다.

194~197쪽

5 DAY 대청마루의 원리

1 ③ 2 ⑤

3 ❶ 뜨거워지면 ❷ 시원한

4 ⑤ 5 ①

6 대류, 자연, 친환경적

독해력을 기르는 어휘

❶ ㄱ ❷ ㄴ ❸ ㄹ ❹ ㄷ

❺ 유도 ❻ 수용

글의 내용과 짜임 다시보기

● **글의 내용**

우리 전통 가옥의 대청마루가 여름에 시원한 이유를 대청마루의 원리를 중심으로 설명하고 이와 같은 원리를 이용한 현대의 빌딩을 소개하고 있는 글입니다.

● **글의 짜임**

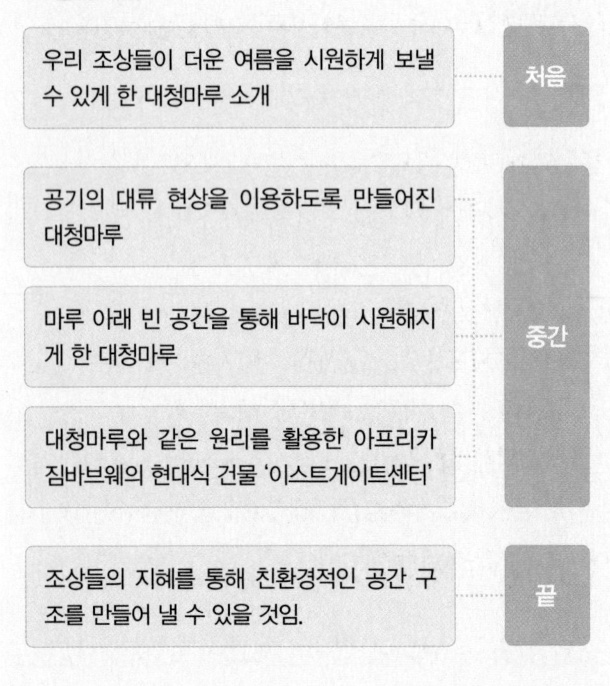

1 다에서 우리 조상들은 자연적 원리를 이용하여 대청마루의 시원한 바람을 만들어 냈다고 하였습니다. 인공적인 바람을 만든 것은 아닙니다.

2 다에서 대청마루는 마루 아래 빈 공간을 두어 바닥을 시원하게 유지하였는데 이는 자연의 원리를 이용하여 의도적으로 만든 것임을 알 수 있습니다.

오답 피하기 ④ 대청마루는 여름을 시원하게 나기 위한 공간으로, 겨울에 난방을 위해 만들어진 공간은 아닙니다.

3 나에서 뜨거운 공기는 위로 올라가려는 성질이 있으며, 뜨거운 공기가 빠져나간 자리를 채우기 위해 뒷마당의 시원한 공기가 대청마루를 통해 몰려든다고 설명하고 있습니다.

4 ㉠은 '낮은 곳에서 높은 곳으로 또는 아래에서 위로 가다.'의 의미로 사용되었습니다.

오답 피하기 ① '자질이나 수준 따위가 높아지다.'의 의미입니다.
② '값이나 통계 수치, 온도, 물가가 높아지거나 커지다.'의 의미입니다.
③ '지방에서 중앙으로 가다.'의 의미입니다.
④ '기세나 기운, 열정 따위가 점차 고조되다.'의 의미입니다.

5 ㉡은 물체와 물체 사이가 '일정한 거리를 두고 있다.'의 의미이므로, 이와 반대되는 낱말로는 '물체와 물체 또는 사람이 서로 바싹 가까이하다.'의 의미인 '붙다'가 가장 적절합니다.

6 대청마루는 공기의 순환을 이용하여 여름을 시원하게 지낼 수 있도록 만들어진 공간으로, 현대에도 자연의 원리를 이용한 친환경적 공간을 만들어 낼 수 있음을 설명하고 있습니다.

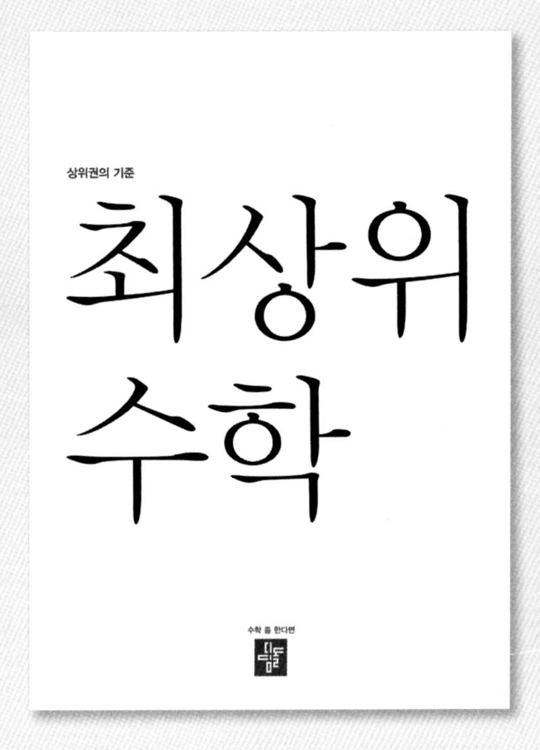
상위권의 기준
최상위
수학
수학 좀 한다면
디딤돌

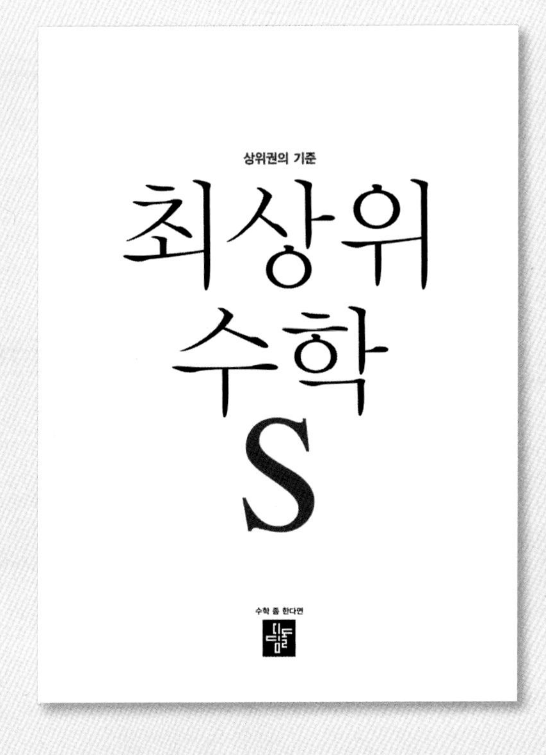
상위권의 기준
최상위
수학
S
수학 좀 한다면
디딤돌

초등수학은 디딤돌!

아이의 학습 능력과 학습 목표에 따라
맞춤 선택을 할 수 있도록
다양한 교재를 제공합니다.

문제해결력 강화 문제유형, 응용

개념 다지기 원리, 기본

연산력 강화

최상위 연산

최상위
연산은
수학이다.

개념+문제해결력 강화를 동시에

기본+유형, 기본+응용